ALIMENTATION ET VIEILLISSEMENT

paramètres

GUYLAINE FERLAND

ALIMENTATION ET VIEILLISSEMENT

DEUXIÈME ÉDITION

Les Presses de l'Université de Montréal

Catalogage avant publication de Bibliothèque et Archives nationales du Québec et Bibliothèque et Archives Canada

Ferland, Guylaine, 1957-
Alimentation et vieillissement
2e éd.
(Paramètres)

Comprend des réf. bibliogr.
ISBN 978-2-7606-2054-4

1. Personnes âgées - Alimentation. 2. Vieillissement - Aspect nutritionnel. 3. Personnes âgées - Alimentation - Besoins. 4. Personnes âgées - Physiologie. I. Titre. II. Collection.

TX361.A3F47 2007 613.2084'6 C2007-941357-9

Dépôt légal : 3e trimestre 2007
Bibliothèque et Archives nationales du Québec

Les Presses de l'Université de Montréal reconnaissent l'aide financière du gouvernement du Canada par l'entremise du Programme d'aide au développement de l'industrie de l'édition (PADIÉ) pour leurs activités d'édition.
Les Presses de l'Université de Montréal remercient de leur soutien financier le Conseil des Arts du Canada et la Société de développement des entreprises culturelles du Québec (SODEC).

IMPRIMÉ AU CANADA EN AOÛT 2007

TABLE DES MATIÈRES

Je dédie ce livre à tous mes étudiants et étudiantes,
avec l'espoir que cet ouvrage puisse répondre
à quelques-unes de leurs questions.

PRÉFACE

Bien que la première édition de cet ouvrage soit parue il y a tout juste cinq ans, plusieurs données nouvelles ont rendu sa mise à jour nécessaire. Parmi les faits saillants de cette deuxième édition, mentionnons de nouvelles recommandations nutritionnelles pour l'énergie, les macronutriments (y inclus les fibres), l'eau et les électrolytes, qui remplacent celles datant de 1990. Cette deuxième édition présente également la toute nouvelle version du Guide alimentaire canadien (*Bien manger avec le Guide alimentaire canadien*), publiée au début de l'année 2007 et qui remplace la version publiée en 1992. En outre, le chapitre 3 portant sur les vitamines a été enrichi d'une nouvelle section relative à divers composés alimentaires qui, bien qu'encore considérés comme non essentiels, exercent des actions importantes pour l'organisme. Parmi ces substances, mentionnons les composés phytochimiques (flavonoïdes, composés à base de soufre), la choline, la carnitine et la coenzyme Q_{10}. De même, le chapitre 5 a été amendé afin d'intégrer les résultats de recherche les plus récents, tandis que les chapitres 11 et 12 comportent maintenant des sections nouvelles sur la dysphagie. C'est donc une deuxième édition passablement remaniée d'*Alimentation et vieillissement* que nous vous offrons, en espérant qu'elle soit à la hauteur de vos attentes!

REMERCIEMENTS

J'aimerais tout d'abord remercier Bernard Morin, coordonnateur de la Formation à distance de la Faculté de l'éducation permanente de l'Université de Montréal, qui est à l'origine de ce projet. Je suis également reconnaissante envers Stéphanie Potvin qui a réalisé avec minutie et rigueur tous les tableaux et graphiques de ce livre. De même, j'aimerais souligner la contribution inestimable, dans un premier temps, de Cécile Tardif et, plus récemment, de Bruno Ronfard, chargés de projet qui, tout au long de cette aventure, ont été des collaborateurs incomparables. Leur engagement et leur professionnalisme auront été pour moi une source de courage et d'inspiration.

Une pensée affectueuse s'adresse à mes parents, Jocelyne et Bernard, qui, les premiers, m'ont ouvert la voie de la connaissance. De même, j'aimerais remercier le plus sincèrement mes amies et amis, tout particulièrement ceux du continent européen qui m'ont offert, le printemps dernier, les conditions d'écriture m'ayant permis d'achever cette deuxième édition de l'ouvrage. Des remerciements s'adressent également à mes amis de la Communauté Saint-Jean dont le questionnement sur les sujets de nutrition a grandement contribué à enrichir ma réflexion. Enfin, j'aimerais remercier tout particulièrement Sheena pour son appui indéfectible au fil des années. Discrètement, à sa manière, elle a su me communiquer les mots d'encouragement dont j'avais besoin pour poursuivre le travail; sa contribution se situe au-delà des mots.

INTRODUCTION

Le présent ouvrage a d'abord été conçu pour le cours *Alimentation et vieillissement* offert au Certificat de gérontologie de la Faculté de l'éducation permanente de l'Université de Montréal[1]. Bien qu'il s'adresse d'abord aux étudiants de ce programme, ce volume comprend des informations susceptibles d'intéresser les personnes qui se préoccupent de nutrition et, en particulier, de son lien avec le vieillissement.

Mieux manger peut-il nous aider à mieux vieillir? Lorsque l'on se penche sur les principaux désordres observés au cours du vieillissement – par exemple, les maladies cardiovasculaires, l'ostéoporose ou le diabète –, on constate que la grande majorité d'entre eux sont liés à des questions de nutrition. En outre, on croit de plus en plus que les aliments que nous consommons dans nos années de jeunesse et de vie adulte préparent notre état de santé à 70 ans ou à 80 ans. L'ensemble des travaux réalisés au cours des vingt dernières années indique par ailleurs que, même à un âge avancé, la nutrition joue un rôle important dans l'état de santé et la qualité de vie des personnes. En revanche, un état nutritionnel pauvre participe à la morbidité, réduit l'autonomie et augmente les risques de mortalité.

1. Voir site : www.formationadistance.umontreal.ca/ger2015d.html

Nous savons par ailleurs que les personnes âgées représentent un groupe à risque de problèmes nutritionnels. La sénescence s'accompagne en effet d'une gamme de changements d'ordre physiopathologique et environnemental susceptibles de nuire aux apports alimentaires et à l'équilibre nutritionnel. Parmi les problèmes les plus fréquents au sein des clientèles âgées, mentionnons la dénutrition, les carences nutritionnelles, la déshydratation et la constipation. De manière générale, ces problèmes comportent des conséquences pour la santé et la qualité de vie non seulement des personnes atteintes, mais aussi de leur entourage, et ils entraînent des coûts additionnels pour le réseau de la santé. La prévalence de ces désordres, notamment de la dénutrition, a d'ailleurs donné lieu ces dernières années au développement et à la mise en œuvre d'outils de dépistage. Dans les cas avérés, les problèmes nutritionnels sont par ailleurs accessibles à la thérapeutique dans le cadre d'une prise en charge globale.

Si une bonne nutrition aide à mieux vieillir, on est en droit de se demander s'il existe une alimentation permettant de nous maintenir en santé le plus longtemps possible. Si tel est le cas, de quoi cette alimentation idéale est-elle constituée? Comment l'alimentation actuelle des personnes âgées de 65 ans et plus s'y compare-t-elle? Le présent ouvrage aborde ces questions et tente d'offrir des éléments de réponse en s'appuyant sur les données issues de la pratique et des travaux de recherche réalisés ces dernières années. Cela dit, la relation nutrition/vieillissement demeure un sujet fort complexe, et plusieurs questions demeurent encore sans réponse. Cet ouvrage n'a d'autre prétention que de témoigner de l'état des connaissances actuelles.

Le contenu de l'ouvrage se répartit en 12 chapitres. Le chapitre 1 présente la science de la nutrition et la notion d'aliments, ce qui inclut les nutriments qui les composent. Il présente également les fondements du comportement alimentaire et tente de dégager les éléments qui caractérisent plus particulièrement celui des personnes âgées. Enfin, il aborde de manière générale le rôle de la nutrition comme déterminant de la santé au cours du vieillissement. Suivent les chapitres 2 à 4 qui présentent les notions de base en nutrition nécessaires à la compréhension des particularités nutritionnelles inhérentes au vieillissement. Ainsi, le chapitre 2 discute des macronutriments (glucides, lipides et protéines), alors que les chapitres 3 et 4 traitent respectivement des vitamines et des minéraux. Dans chaque cas, on présente les caractéristiques chimiques des composés, on décrit leurs destinées métaboliques (absorption, distribution et excrétion), on discute de leur rôle dans l'organisme, on met en relief leur importance en regard de la santé et on identifie leurs principales sources alimentaires.

Les chapitres 5 et 6 traitent respectivement des principaux changements physiologiques ayant un impact nutritionnel et des facteurs susceptibles d'influer sur les apports nutritionnels. Plus spécifiquement, le chapitre 5 identifie les changements dans la composition corporelle associés au vieillissement et leurs conséquences sur les besoins énergétiques et protéiques; il présente les modifications de l'appareil sensoriel et leurs conséquences sur le plan nutritionnel; il décrit le système digestif sénescent et l'impact des changements observés sur l'ingestion, la digestion et l'utilisation de certains nutriments; et il décrit les changements physiologiques pouvant expliquer l'anorexie associée au vieillissement.

Le chapitre 6 se concentre par ailleurs sur les facteurs d'ordre social (par exemple, les ressources financières, le niveau d'instruction, l'isolement social), psychologique (par exemple, la dépression et le deuil) et médical (par exemple, les atteintes de la cavité buccale, les incapacités fonctionnelles et la polymédication) les plus susceptibles d'influer sur les apports nutritionnels. Il présente leurs répercussions sur des éléments tels que l'approvisionnement alimentaire, l'appétit, les choix alimentaires, la qualité de la diète, etc.

Les chapitres 7 et 8 familiarisent le lecteur avec les quantités de nutriments qu'il serait souhaitable de consommer et avec les choix alimentaires à privilégier pour se maintenir en santé. Ainsi, le chapitre 7 s'intéresse aux recommandations nutritionnelles en vigueur au Canada (notamment les *Apports nutritionnels de référence*), et en particulier aux recommandations destinées aux personnes âgées de 50 ans et plus. Par ailleurs, le chapitre 8 présente la dernière édition du Guide alimentaire canadien: *Bien manger avec le Guide alimentaire canadien*, publié en 2007. Ce guide constitue le principal document en matière d'éducation nutritionnelle au Canada.

Le chapitre 9 se propose de tracer un portrait de l'alimentation des aînés québécois et canadiens et d'en identifier les forces et les faiblesses. Puisant aux données d'une enquête nutritionnelle menée au Québec au début des années 1990, ce chapitre présente des données relatives à la consommation alimentaire et nutritionnelle des aînés québécois, à leurs comportements alimentaires et à leurs attitudes face à l'alimentation. On situe l'alimentation des aînés québécois par rapport aux recommandations alimentaires et nutritionnelles en vigueur, on la compare à celle des adultes plus jeunes et à celle des aînés des autres provinces (de la Nouvelle-Écosse, notamment) et on discute de son évolution au cours des vingt dernières années.

Le chapitre 10 traite quant à lui de l'évaluation nutritionnelle, une intervention professionnelle qui permet de situer l'état de nutrition d'une personne par rapport aux standards de santé nutritionnelle et d'identifier les personnes dont l'état de nutrition est appauvri. En outre, l'évaluation nutritionnelle aide à établir un plan de soins et permet de suivre l'évolution de l'état nutritionnel du patient. Le chapitre 10 en décrit les fondements et les composantes, lesquelles s'appuient sur des données médicales, sociales et diététiques et comprend des mesures de nature anthropométrique, biochimique, clinique et fonctionnelle. Pour chacune des composantes, on discute des avantages et des limites, et on met en relief les particularités de leur application chez la personne âgée.

Enfin, les chapitres 11 et 12 traitent des principaux problèmes nutritionnels observés au cours du vieillissement et ils abordent la question de leur dépistage et de leur prise en charge. Plus spécifiquement, le chapitre 11 présente les problèmes que sont la dénutrition, les carences nutritionnelles, la déshydratation et la constipation. Dans chaque cas, on discute des causes et des facteurs de risque, on en présente les manifestations cliniques et on met en relief les conséquences pour la personne et le réseau de la santé. Les problèmes nutritionnels qui touchent les clientèles âgées étant d'autant plus faciles à traiter qu'ils sont identifiés dès les premiers stades de la maladie, le chapitre 12 présente quelques exemples d'outils de dépistage du risque nutritionnel couramment utilisés en pratique gériatrique, à savoir le *Mini Nutritional Assessment* (MNA) et le *Dépistage nutritionnel des aînés* (DNA). Ce chapitre, qui traite par ailleurs des fondements et des modalités pratiques de la prise en charge des problèmes nutritionnels les plus fréquents au sein des populations âgées, présente les ressources communautaires et institutionnelles permettant de traiter ces problèmes.

1
LA SCIENCE DE LA NUTRITION

Une bonne alimentation peut-elle nous aider à mieux vieillir? La recherche réalisée au cours des quarante dernières années nous incite très fortement à le penser. Un nombre toujours croissant de travaux indiquent en effet qu'une alimentation variée et équilibrée tout au long de la vie favorise le maintien des fonctions physiologiques, réduit les risques de morbidité et contribue à l'autonomie et au bien-être des personnes jusqu'à un âge avancé. Inversement, un état nutritionnel pauvre est associé à un déclin plus rapide des capacités physiologiques et physiques, à l'apparition de divers problèmes de santé ainsi qu'à un plus grand nombre de visites à l'hôpital ou au cabinet du médecin.

En outre, il est maintenant bien établi que la nutrition joue un rôle prépondérant dans l'apparition et l'évolution de plusieurs maladies invalidantes associées au grand âge. Lorsque l'on exclut les prédispositions génétiques, la qualité de la diète se trouve en effet en tête des facteurs de risque des principales causes de décès au Canada, à savoir les maladies cardiovasculaires, les cancers et les accidents vasculaires cérébraux. D'autres désordres fréquemment observés au cours du vieillissement – l'ostéoporose, le diabète et l'hypertension, par exemple – comportent également de fortes composantes nutritionnelles. De même, un pauvre état nutritionnel est un important déterminant de la mortalité. Selon un rapport récent du Bureau du recensement des États-Unis, la pauvreté de la diète, l'inactivité physique et le tabagisme seraient à la source de près de 40% des causes de mortalité des aînés américains.

D'aucuns voient un lien direct entre la qualité de l'alimentation, laquelle s'est grandement améliorée au cours des dernières décennies, et l'accroissement du nombre de personnes atteignant des âges très avancés. Il est vrai que, depuis une quinzaine d'années, nous observons dans les pays industrialisés un vieillissement accéléré des populations. Au Canada, par exemple, la proportion des personnes âgées de 65 ans et plus est passée d'environ 8%, au début des années 1950, à plus de 11% en 1991, une tendance qui ne fait que s'accentuer puisque les personnes de 65 ans et plus devraient former le quart de la population canadienne en l'an 2051 (Santé Canada, 2001). La figure 1.1 illustre les tendances démographiques du Canada et des États-Unis.

Par ailleurs, le vieillissement de la population canadienne s'accompagnera d'un accroissement marqué du nombre de personnes très âgées. Comme nous pouvons le constater par les données présentées à la figure 1.2, dans un peu plus de vingt ans, la moitié des aînés du Canada seront âgés de 75 ans et plus. Le contingent âgé continuera également d'être majoritairement composé de femmes, lesquelles en 2000, représentaient

FIGURE 1.1

Personnes de 65 ans et plus au Canada et aux États-Unis (tendances démographiques)

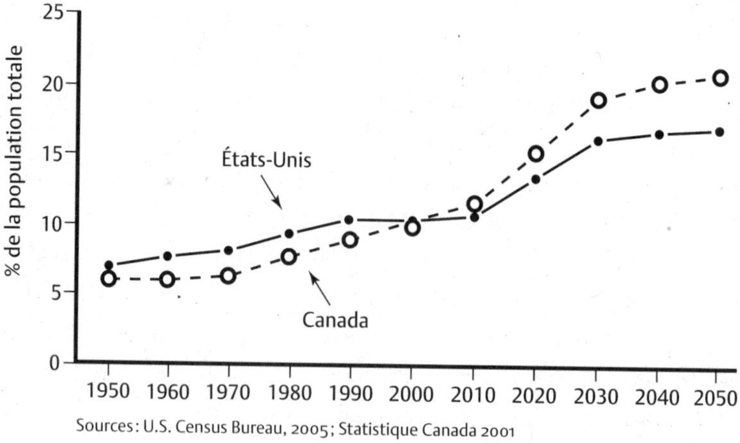

Sources: U.S. Census Bureau, 2005; Statistique Canada 2001

57 % de l'ensemble des personnes âgées de 65 ans et plus, et 70 % des 85 ans et plus. Aussi, on prévoit qu'en 2051 la population des personnes âgées se composera à 55 % de femmes.

À l'instar de ce qui s'observe dans les autres pays économiquement favorisés, le vieillissement de la population canadienne est attribuable en grande partie à une augmentation de l'espérance de vie. De fait, jamais dans l'histoire de l'humanité l'espérance de vie humaine n'a-t-elle été aussi élevée. Par exemple, alors qu'au début du xxe siècle un Canadien pouvait s'attendre à vivre en moyenne une cinquantaine d'années, aujourd'hui, l'espérance de vie à la naissance est de 82,1 ans pour les Canadiennes et de 77,2 ans pour les Canadiens. De plus, l'augmentation de l'espérance de vie touche toutes les étapes de la vie; par exemple, les femmes actuellement âgées de 65 ans ou de 75 ans peuvent s'attendre à vivre respectivement 20,6 années et 13 années de plus, alors que l'espérance de vie des hommes aux mêmes âges sera de 17,2 et de 10,5 ans. Qui plus est, les femmes peuvent s'attendre à vivre un plus grand nombre d'années que les hommes, quelle que soit l'étape de la vie. Le tableau 1.1 présente l'espérance de vie des Canadiennes et des Canadiens âgés, selon trois strates d'âge.

FIGURE 1.2

Répartition des personnes âgées au Canada

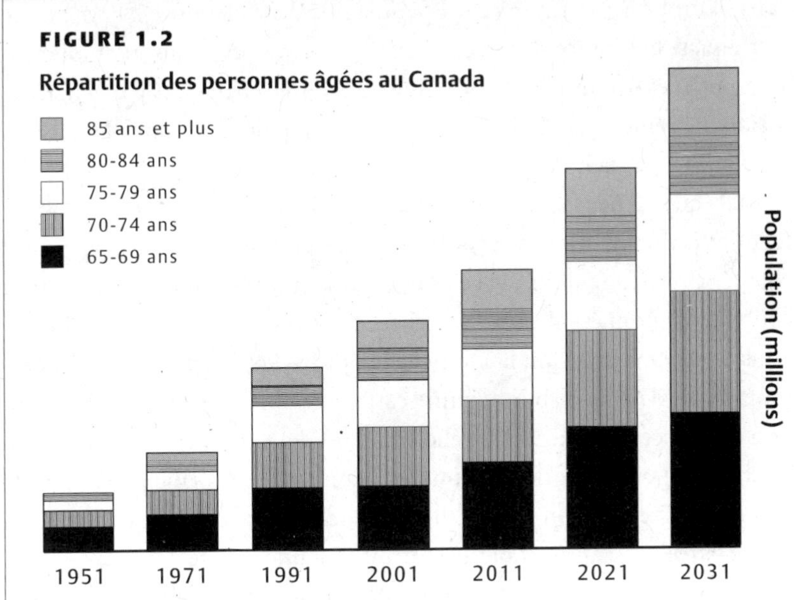

Source : Santé Canada, « Une population en croissance », 2001.

TABLEAU 1.1

Espérance de vie (en années) des Canadiennes et des Canadiens selon l'âge en 2002

	À LA NAISSANCE	À 65 ANS	À 75 ANS	À 85 ANS
Femmes	82,1	20,6	13,0	7,0
Hommes	77,2	17,2	10,5	5,6

Source : Statistique Canada, *Rapports sur la santé*, 2005.

Que l'alimentation constitue un jalon important de la santé et puisse contribuer au maintien de l'état physique et de l'état mental jusqu'à un âge avancé ne semble donc plus faire de doute à notre époque. D'ailleurs, il est intéressant de noter que les connaissances acquises ces récentes années tendent à confirmer certains travaux de nature anthropologique qui, dans d'autres contextes, ont suggéré des liens entre l'alimentation et l'état général de santé. Par exemple, la piètre qualité de l'alimentation et, en particulier, l'insuffisance calorique ont souvent été évoquées pour expliquer, dans l'Europe du XVIIIe siècle, la petite taille des personnes à l'âge adulte et la courte espérance de vie à la naissance (à peine 40 ans). Par ailleurs, les problèmes de santé et la mortalité prématurée engendrés par la malnutrition qui sévit dans plusieurs pays du tiers monde nous rappellent le rôle majeur joué par la nutrition sur l'échiquier sanitaire.

Mais qu'entendons-nous au juste par « nutrition » ? De quoi est constituée cette alimentation susceptible de nous permettre de faire partie des octogénaires, voire des nonagénaires, que l'on croise en montagne ou au cours de randonnées de ski de fond et qui semblent moins essoufflés que nous, qui avons pourtant la moitié de leur âge ? Pour répondre à ces questions, nous devons d'abord définir cette nouvelle science qu'est la nutrition et bien comprendre ce qu'elle englobe. Nous devons également nous familiariser avec la notion d'aliment et connaître ses principaux composants, un vaste sujet qui sera d'ailleurs poursuivi aux chapitres 2, 3 et 4. En outre, parce que l'alimentation est avant tout une affaire de choix personnels, nous devons nous familiariser avec les fondements du comportement alimentaire: quels sont les facteurs qui nous font choisir un aliment plutôt qu'un autre? Est-ce que ces choix changent à mesure que l'on vieillit?

1.1 Qu'est-ce que la nutrition?

La science de la nutrition existe en tant que telle depuis environ une cinquantaine d'années. Bien qu'elle se soit d'abord développée à partir des sciences de base que sont la chimie et la biologie, elle a depuis intégré plusieurs autres disciplines, dont la biochimie, la physiologie, la biologie cellulaire et moléculaire, la microbiologie et, plus récemment, la biotechnologie. Par définition, la nutrition est une science pluridisciplinaire qui s'intéresse aux aliments et aux éléments nutritifs qui les composent, à leur action dans l'organisme et à leurs interactions en regard de la santé et des maladies, aux processus par lesquels l'organisme ingère, absorbe, transporte, utilise et excrète les substances alimentaires, et, enfin, aux comportements alimentaires et aux facteurs (socioéconomiques, politiques, technologiques ou autres) qui déterminent l'environnement alimentaire des êtres humains.

1.2 Les aliments et leurs composants

Par définition, un aliment est un produit dérivé des plantes ou des animaux servant de nourriture à notre organisme. Plus spécifiquement, les aliments apportent à l'organisme l'énergie et les substances chimiques dont il a besoin pour fonctionner, pour assurer sa croissance et son développement, et pour permettre la réparation des tissus endommagés. On appelle «nutriments» ou «éléments nutritifs» les substances chimiques contenues dans les aliments.

Les nutriments se divisent en six grandes catégories: 1) les glucides (aussi appelés sucres), 2) les lipides (aussi appelés graisses), 3) les protéines, 4) les vitamines, 5) les minéraux et 6) l'eau. Sur le plan chimique, les glucides, les lipides, les protéines et les vitamines se composent essentiellement d'atomes de carbone (C), d'hydrogène (H) et d'oxygène (O). Précisons toutefois que les protéines contiennent également des atomes d'azote (N) et peuvent dans certains cas inclure des atomes de soufre (S). De même,

TABLEAU 1.2

Nutriments contenus dans les aliments et leur composition chimique

CATÉGORIES	COMPOSITION CHIMIQUE
Macronutriments :	
Eau	H, O
Glucides	C, H, O
Lipides	C, H, O
Protéines	C, H, O, N, S[1]
Micronutriments :	
Vitamines[2]	C, H, O
Minéraux	Éléments chimiques

1. Dans certains cas.
2. Certaines vitamines peuvent contenir de l'azote et des minéraux.

certaines vitamines peuvent comporter des atomes d'azote ainsi que des minéraux. Parce qu'ils contiennent du carbone, ces nutriments sont dits «organiques», ce qui littéralement signifie «vivants». Comme les nutriments des deux autres catégories (l'eau et les minéraux) ne contiennent pas de carbone, ils sont dits «inorganiques». En effet, l'eau comprend uniquement des atomes d'hydrogène et d'oxygène, tandis que les minéraux sont par nature des éléments chimiques, c'est-à-dire qu'ils sont composés d'atomes identiques (par exemple, le fer, le calcium, le zinc). Contrairement aux nutriments de nature organique qui peuvent être altérés par les conditions de l'environnement telles que la chaleur, l'oxygène et les rayons ultraviolets, les minéraux et l'eau sont des nutriments chimiquement très stables. Le tableau 1.2 offre un sommaire des nutriments et résume leur composition chimique.

D'un point de vue nutritionnel, on regroupe les nutriments selon leur importance quantitative dans l'alimentation et dans l'organisme. Parce qu'ils constituent environ 98% du poids des aliments, l'eau, les glucides, les lipides et les protéines forment ce qu'on appelle le groupe des macronutriments. En revanche, on appelle micronutriments les vitamines et les minéraux, car ils ne constituent qu'une très petite fraction du poids des aliments et ne sont requis qu'en quantités minimes par l'organisme. En plus des vitamines et des minéraux, les aliments comportent d'autres

TABLEAU 1.3

Composition de certains aliments usuels (%)

	PAIN DE BLÉ ENTIER	BROCOLI	POMME	LAIT 2 %	BIFTECK GRILLÉ
Eau	38	91	84	89	56
Glucides	46	5	15	5	0
Lipides	4	0,3	0,4	1	14
Protéines	10	3	0,2	3	29
Vitamines	0,4	0,2	0,2	0,8	0,3
Minéraux	1,6	0,5	0,2	1,2	0,7
Total	100	100	100	100	100

substances présentes en petites quantités (choline, carnitine, phytosterol, flavonoïdes, etc.), qui bien qu'encore considérées comme non indispensables, exercent des fonctions métaboliques importantes dans l'organisme. En outre, bien que le corps humain soit en mesure de produire certaines vitamines, il ne peut les synthétiser en quantité suffisante pour subvenir à ses besoins. Ainsi, les vitamines, tout comme les minéraux et certains acides gras, doivent être fournis par l'alimentation et, pour cette raison, ils sont dits « essentiels ».

Contrairement à ce que l'on peut penser, la majorité des aliments comprennent les six catégories de nutriments susmentionnées. Par exemple, le bifteck dans notre assiette ne contient pas que des protéines, bien qu'il en constitue une bonne source; il comporte également de l'eau, des lipides, des minéraux (fer, magnésium, zinc) de même que des vitamines (B_{12}, B_6 et niacine). Parmi les aliments d'exception, mentionnons le sucre de table, composé exclusivement de glucides, ou encore les huiles végétales, qui contiennent essentiellement des lipides et quelques vitamines. Le tableau 1.3 présente la composition en nutriments de certains aliments usuels.

1.2.1 Les macronutriments

À l'exception de l'eau, les macronutriments sont des sources d'énergie pour l'organisme. L'énergie libérée en fonction du métabolisme des macronutriments est mesurée en diverses unités, dont la kilocalorie (kcal ou Cal) et la kilojoule (kJ), où 1 kcal équivaut à 4,2 kJ[2]. Ainsi, lorsqu'il est complètement métabolisé dans l'organisme, un gramme de glucide, tout comme un gramme de protéine, va générer en moyenne 4 kcal; en revanche, un gramme de lipide fournit en moyenne 9 kcal. Aussi, la teneur énergétique d'un aliment va-t-elle dépendre de son contenu en divers macronutriments: un aliment essentiellement composé de lipides fournira par unité de poids davantage de calories qu'un autre constitué majoritairement de glucides ou de protéines.

Soulignons que l'organisme peut également tirer de l'énergie de l'alcool dont l'apport est de l'ordre de 7 kcal par gramme; toutefois, l'alcool n'est pas à proprement parler un élément nutritif en raison des conséquences néfastes qu'il peut engendrer dans l'organisme.

En plus de leur contribution énergétique, les macronutriments sont des composantes structurelles importantes du corps humain et participent à la régulation de plusieurs processus chimiques et physiologiques de l'organisme. Par exemple, les glucides entrent dans la composition du matériel génétique, alors que les lipides sont des constituants des membranes cellulaires et des organelles. De même, les protéines forment l'essentiel des muscles en plus de se retrouver dans la peau, les ongles et les cheveux. Par ailleurs, presque toutes les réactions chimiques qui ont cours dans l'organisme sont sous le contrôle de composés de nature protéique.

Ajoutons que les macronutriments comprennent également les fibres alimentaires, qui font partie du groupe des glucides. Contrairement aux autres glucides, les fibres génèrent peu d'énergie, mais elles sont des constituants alimentaires importants, notamment en regard de la fonction gastro-intestinale.

Les macronutriments sont analysés en détail au chapitre 2.

1.2.2 Les micronutriments

Contrairement aux macronutriments, les micronutriments ne constituent pas des sources d'énergie pour l'organisme. Ils participent toutefois à la libération de l'énergie contenue dans les glucides, les lipides et les

2. Proposée par le Système international d'unités, le kilojoule est l'unité de mesure officielle au Canada. La kilocalorie est toutefois davantage utilisée dans la pratique.

protéines. En d'autres termes, ils sont des «aidants naturels» pour les macronutriments, leur permettant de jouer pleinement leur rôle. Les micronutriments comprennent les vitamines et les minéraux.

Les vitamines se définissent comme des substances essentielles à la vie que l'organisme doit se procurer dans l'alimentation et dont il a besoin en très petites quantités. On compte 13 vitamines, lesquelles sont classifiées selon leur solubilité chimique: quatre vitamines sont dites liposolubles parce qu'elles sont solubles dans les lipides, c'est-à-dire dans les graisses; neuf, hydrosolubles en raison de leur solubilité dans l'eau. Comme les macronutriments, les vitamines sont de nature organique et sont donc vulnérables aux facteurs de l'environnement. Comme nous le verrons au chapitre 3, en plus de leur rôle dans le métabolisme énergétique, les vitamines possèdent des fonctions spécifiques dans l'organisme.

Seize minéraux sont essentiels en nutrition humaine. Ils sont généralement regroupés en deux grandes catégories – les macroéléments et les oligo-éléments, aussi appelés microéléments –, selon leur importance quantitative dans l'alimentation et dans l'organisme. Contrairement aux vitamines, les minéraux maintiennent leur intégrité chimique quelles que soient les circonstances. Par exemple, le calcium contenu dans le lait demeure inchangé, que ce dernier soit chauffé, exposé au soleil ou mis au réfrigérateur. De même, le calcium garde son identité propre lors de son absorption au niveau de la muqueuse intestinale, lorsqu'il est intégré dans les os de l'organisme ou qu'il est excrété dans l'urine. Toutefois, comme nous le verrons en détail au chapitre 4, les minéraux sont souvent liés à d'autres composants alimentaires qui peuvent en limiter la disponibilité au niveau intestinal. Par ailleurs, comme pour les vitamines, les fonctions physiologiques des minéraux sont nombreuses et variées.

1.3 Le comportement alimentaire

Manger pour vivre ou vivre pour manger? D'un strict point de vue physiologique, il est indéniable que l'organisme a besoin d'énergie et d'éléments nutritifs pour exister. Sans nourriture, le corps ne peut se maintenir en état de fonctionner. En revanche, lorsque l'on considère le temps que nous passons à concevoir, à préparer et à consommer nos repas, il faut reconnaître que la nourriture occupe une place importante dans nos vies. En somme, pour la grande majorité d'entre nous, les deux volets de cette question comportent des éléments de vérité. Alors, qu'en est-il des choix alimentaires que nous faisons tous les jours? Quels en sont les principaux déterminants?

1.3.1 Les principaux déterminants du comportement alimentaire

D'une manière globale, les choix alimentaires des populations se fondent sur les conditions socioéconomiques, politiques et environnementales qui ont cours dans les pays. La pauvreté, l'insuffisance des denrées alimentaires et un réseau de distribution limité sont autant de facteurs qui pourront affecter les conduites alimentaires des personnes. D'ailleurs, les problèmes de nature alimentaire observés dans les pays dévastés par la guerre ou la sécheresse sont éloquents à cet égard.

Parallèlement à ces considérations, les choix alimentaires sont conditionnés par de nombreuses dimensions socioculturelles telles que l'origine ethnique, la famille, les religions, les valeurs, l'influence des pairs, les symboles, la publicité et les modes. Chaque culture possède en effet sa propre tradition culinaire, laquelle comprend généralement un répertoire d'aliments, des modes de préparation et de cuisson, de même que des habitudes de consommation. Or, pour une personne d'une culture donnée, le fait d'être privée de ses aliments habituels peut s'avérer déstabilisant. Soulignons que de telles situations se voient fréquemment chez les personnes âgées qui se retrouvent en situation d'hébergement où l'accès à leur alimentation habituelle est réduit.

De même, parce qu'elle constitue le principal lieu de sensibilisation aux aliments, la famille joue un rôle déterminant dans les pratiques alimentaires. C'est en effet généralement dans le cadre des repas de famille que se vivent les premières expériences sensorielles, que se développent le goût et les préférences alimentaires. Bien que ces dernières puissent se modifier plus tard dans la vie par suite de changements liés au contexte de vie (émigration, intégration à une nouvelle communauté culturelle, etc.), les années passées au sein de la famille sont souvent déterminantes en ce qui a trait aux préférences et aux habitudes alimentaires. Les repas de l'enfance constituent également le moment où se créent les associations alimentaires. C'est à cette époque de la vie que nous apprenons que certains aliments se consomment à certaines périodes de l'année (par exemple, au Québec, les produits de l'érable au printemps ou les épis de maïs en été) ou encore que les mets qui constituent les repas d'anniversaires ou du Nouvel An se distinguent de ceux consommés en semaine. Ainsi, les repas de famille comportent une dimension émotive qui pourra influer de manière positive ou négative sur les conduites alimentaires d'une personne, et ce, tout au long de sa vie.

De la même façon, certaines traditions religieuses comportent des règles alimentaires que les fidèles sont appelés à respecter. Prenons à titre d'exemple le jeûne que s'imposent les musulmans entre l'aurore et le coucher du soleil lors du ramadan. Ou encore l'alimentation casher des juifs orthodoxes qui s'appuie sur des principes tirant leur origine de la Bible. De même, dans le Québec des années cinquante, il était de mise de s'abstenir de consommer de la viande les vendredis et en période de carême.

Par ailleurs, certaines préoccupations sociales peuvent amener les personnes à modifier leurs habitudes alimentaires afin de les rendre plus conformes à leurs valeurs personnelles. Inspirées par le mouvement écologique des dernières années, plusieurs personnes se sont par exemple converties au végétarisme par respect pour les animaux, tandis que d'autres ont choisi de boycotter certaines denrées produites dans des conditions malsaines de travail ou peu respectueuses de la nature. Plus récemment, l'avènement des organismes génétiquement modifiés (OGM) a déclenché un tollé auprès de plusieurs groupes de protection des consommateurs, lequel, si l'on se fie aux tribunes médiatiques, n'est pas prêt de s'estomper!

Il arrive par ailleurs que les choix alimentaires soient conditionnés par l'influence des pairs ou de la publicité. Par exemple, les adolescents consomment souvent des aliments de restauration rapide (*fast food*) simplement pour faire comme leurs amis ou se démarquer de leurs parents. De même, les stéréotypes actuels de minceur qui circulent dans les médias incitent plusieurs jeunes filles à restreindre leur apport énergétique, avec des conséquences parfois malheureuses. Enfin, nous ne pouvons passer sous silence le phénomène des modes alimentaires. Comme nous le rappellent constamment les médias avec leur version mensuelle de régimes amaigrissants, de potions antivieillissement et de recettes miracles, le monde de la nutrition est fertile en matière de modes. Or, certaines personnes semblent particulièrement réceptives (ou vulnérables!) aux nouveautés proposées et les intègrent à leur alimentation. Mais, par définition, les modes passent, et celles liées au monde de l'alimentation ne font pas exception!

En plus des composantes considérées jusqu'à présent, les choix alimentaires sont influencés par divers facteurs individuels. Parmi ces derniers se trouve la capacité de se procurer des aliments. Cet aspect comprend notamment les ressources financières et l'accès aux commerces d'alimentation. Un faible pouvoir d'achat a souvent pour conséquence de limiter l'achat de certaines denrées plus coûteuses telles que la viande et les légumes (surtout à certaines périodes de l'année), ce qui réduit la qualité de l'alimentation. De même, un accès limité aux commerces d'alimentation peut dans certains cas inciter une personne à opter davantage pour des produits de longue conservation comme les aliments surgelés ou les conserves.

Mais, la plupart du temps, nous choisissons nos aliments pour le plaisir qu'ils procurent. Inutile de se le cacher, nous avons tous nos aliments préférés: certains ont un petit faible pour les fromages, d'autres pour les fruits, alors que d'autres encore raffolent des desserts au chocolat. Et, bien sûr, nous avons tendance à privilégier nos aliments favoris. En revanche, les choix alimentaires sont parfois dictés par l'habitude: certaines personnes, par exemple, consomment systématiquement un bol de céréales froides au petit déjeuner tout simplement parce qu'il en est ainsi depuis des années et qu'il est tellement plus facile de ne pas avoir à prendre de décision, surtout à 6 h 30 le matin!

Dans les foyers où les ménages se composent de deux adultes qui travaillent à l'extérieur, les aliments sont souvent choisis sur la base de considérations pratiques. En effet, les personnes qui ont peu de temps à consacrer à la préparation des repas auront tendance à choisir des aliments accessibles, rapides à préparer et faciles à cuisiner. Par ailleurs, la vie contemporaine amène plusieurs personnes à s'alimenter dans les restaurants, ce qui a pour conséquence d'augmenter ou de limiter les choix alimentaires, selon le cas.

Enfin, pour un nombre croissant de personnes, les choix alimentaires sont avant tout une affaire de santé. Sans pour autant nier ou négliger la composante «plaisir» de l'alimentation, de plus en plus de personnes choisissent leurs aliments dans le but de réduire les risques de développer certaines maladies. Par exemple, plusieurs femmes intègrent à leur alimentation des aliments riches en calcium, sachant que ce nutriment joue un rôle crucial dans la santé osseuse et les protège contre l'ostéoporose. D'autres privilégient les fruits et les légumes, considérant qu'ils constituent d'excellentes sources de vitamines et autres composés phytochimiques.

1.3.2 Le comportement alimentaire et le vieillissement

À l'instar des adultes plus jeunes, les personnes âgées ont tendance à privilégier une alimentation composée d'aliments familiers qui leur apportent du plaisir et de la satisfaction. En l'absence de problèmes de santé, les choix et les pratiques alimentaires à un âge avancé se comparent donc à ceux qui ont cours plus tôt dans la vie. Ainsi, les personnes qui ont toujours fait preuve d'ouverture d'esprit en matière d'expériences culinaires auront tendance à maintenir cette attitude à un âge avancé. À l'inverse, les personnes qui, pour diverses raisons, ont connu une alimentation simple pourront être plus réfractaires aux nouveautés et aux changements. Toutefois, l'impact des déterminants individuels et socioculturels sera souvent plus grand à 80 ans qu'à 25 ans, ces facteurs ayant eu le temps de bien s'ancrer.

Le vieillissement s'accompagne de certains changements anatomo-physiologiques qui peuvent réduire l'acuité du goût et de l'odorat et ainsi entraîner des changements sur le plan des choix alimentaires. La question des changements sensoriels associés à la sénescence sera traitée au chapitre 5. De plus, un nombre important de personnes âgées sont affectées par des problèmes de santé qui influent sur leurs choix alimentaires. Selon des données canadiennes et américaines, entre 80 et 85 % des aînés présenteraient au moins une maladie chronique nécessitant un suivi nutritionnel (Institut national de la nutrition, 1996). En conséquence des problèmes de santé, les aînés sont amenés à consommer des médicaments dont plusieurs comportent des effets secondaires qui peuvent modifier les habitudes et les choix alimentaires. De même, les conditions d'habitation, la perte de mobilité ou la présence d'incapacités physiques sont autant de facteurs qui pourront amener des changements dans les choix alimentaires des personnes âgées, des questions qui seront traitées en détail au chapitre 6.

Comme nous le verrons tout au long des chapitres qui suivent, l'étude de la relation alimentation-vieillissement est complexe, fascinante et, surtout, remplie de défis. Nous espérons qu'au terme de cet ouvrage, vous serez convaincu de son importance dans le maintien de la santé et, par conséquent, de l'attention à y accorder.

Références

Drewnowski, A. et P. Monsivais, «Taste and food selection», dans R. M. Russell et B. Bowman (dir.), *Present Knowledge in Nutrition*, 9e éd., Washington DC, ILSI Press, 2006, p. 807-815.

Dubost, M., *La nutrition.*, 3e éd., Montréal, Chenelière Éducation, 2005, 366 p.

He W., M. Sengupta, V. A. Velkoff et K. A. DeBarros, «65+ in the United States: 2005», dans US Census Bureau, *Current Population Reports*, Washington DC, U.S. Government Printing Office, décembre 2005, p. 23-209.

Institut national de la nutrition, *Food and Nutrition Opportunities in the Senior's Market: A Situational Analysis*, Ottawa, Institut national de la nutrition, 1996, 73 p.

Mahan, K. L. et S. Escott-Stump (dir.), *Krause's Food, Nutrition and Diet Therapy*, 11e éd., Philadelphie/Toronto, W. B. Saunders, 2004, 1360 p.

St-Arnaud J., M. P. Beaudet et P. Tully, «Espérance de vie», *Rapports sur la santé*, volume 17, n° 1, 2005, p. 45-49 (Statistique Canada, n° 82-003 au catalogue).

Santé Canada, «Une population en croissance», *Les aînés au Canada*, Ottawa, Santé Canada, 2001. En ligne: <http://www.phac-aspc.gc.ca/seniors-aines/pubs/factoids/2001/pdf/1-30_f.pdf>, page consultée le 4 avril 2007.

2
LES MACRONUTRIMENTS

Dans le présent chapitre, nous analyserons de manière spécifique les macronutriments, un groupe d'éléments nutritifs de nature organique appelés ainsi parce qu'ils forment avec l'eau plus de 98% du poids des aliments que nous consommons. Ils comprennent les glucides, les lipides et les protéines. Comme nous le verrons dans les pages qui suivent, une des principales fonctions des macronutriments est de fournir à l'organisme l'énergie dont il a besoin pour fonctionner; autrement dit, ils sont au corps humain ce que l'essence est aux voitures. Leur contribution ne se limite toutefois pas à la fonction de combustible; les macronutriments remplissent en effet plusieurs autres fonctions essentielles au bon fonctionnement du corps humain. Dans le but de leur rendre pleinement justice, nous traiterons chacun d'eux individuellement en présentant ce qui les caractérise sur les plans chimique, physiologique et nutritionnel.

2.1 Les glucides

L'histoire des glucides est intimement liée à celle de la canne à sucre et remonterait à l'ère néolithique, soit à plus de 10 000 ans. Plus près de nous sur l'échelle temporelle, des documents historiques indiquent qu'après avoir vaincu les Romains, les Arabes venant de Perse importèrent la canne à sucre en Europe et dans le bassin méditerranéen. Lors de son deuxième grand voyage en 1493, Christophe Colomb introduisit quant à lui la canne à sucre dans les Caraïbes en apportant des plants qui avaient été cultivés quelques années auparavant par sa belle-famille dans les îles Canaries. Le début du XVIIe siècle marque par ailleurs la période des grandes raffineries en France et en Angleterre et l'introduction, en 1747, de la betterave à sucre en Europe. De nos jours, le «sucre» est produit dans la plupart des pays et représente une denrée mondiale importante, apportant dans certains pays jusqu'à 80 % de l'énergie de l'alimentation.

D'un point de vue nutritionnel, la quasi-totalité des glucides que nous consommons provient des plantes qui, par la photosynthèse, produisent les glucides à partir de l'énergie solaire, de l'eau et du gaz carbonique (CO_2) contenu dans l'atmosphère. Sur le plan chimique, les glucides constituent une famille de composés organiques formés d'atomes de carbone (C), d'hydrogène (H) et d'oxygène (O). Ces atomes sont agencés de sorte que, pour chaque atome de carbone, on trouve généralement deux atomes d'hydrogène et un atome d'oxygène ($C_x(H_2O)_y$). Par exemple, plusieurs glucides importants pour l'organisme présentent la formule chimique $C_6H_{12}O_6$. Cet arrangement chimique, qui n'est pas sans rappeler celui de l'eau (H2O), explique pourquoi les glucides sont également connus sous le nom d'hydrates (eau) de carbone.

Les glucides sont formés de monosaccharides, unité de base de ce macronutriment, et sont généralement classifiés en trois grandes catégories: les monosaccharides, les disaccharides et les polysaccharides, selon qu'ils contiennent respectivement un, deux, ou plus de deux monosaccharides. En raison de leur structure chimique relativement simple et de leur petite taille, les monosaccharides et les disaccharides sont généralement regroupés sous le vocable de «glucides simples» ou «sucres». On les trouve dans l'alimentation, essentiellement dans les fruits, les légumes, le sucre de canne, la betterave à sucre, le miel et le lait. En revanche, l'expression «glucides complexes» est souvent utilisée pour désigner les polysaccharides, lesquels comprennent l'amidon, le glycogène et les fibres alimentaires. Les céréales, les tubercules et les légumineuses constituent les principales sources de polysaccharides. Soulignons que, de manière

FIGURE 2.1

Structure des principaux monosaccharides

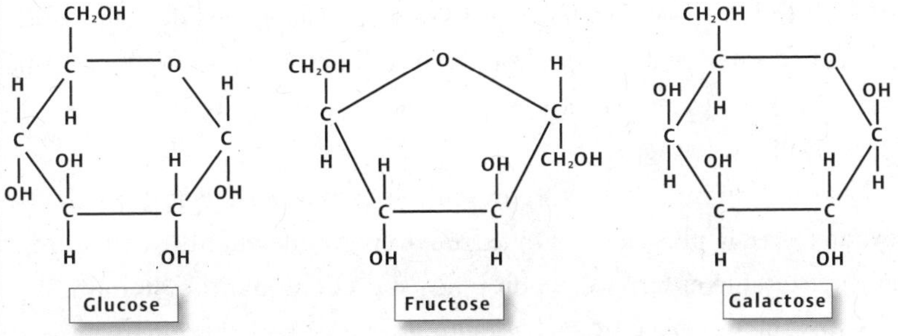

Glucose

Fructose

Galactose

générale, les glucides simples ont une saveur sucrée, alors que les glucides complexes tels que l'amidon en sont dépourvus. Toutefois, un aliment riche en amidon pourra devenir «sucré» par suite de la dégradation des glucides complexes en sucres plus simples. C'est notamment ce qui se produit lorsqu'une banane mûrit.

2.1.1 Les monosaccharides

De manière générale, on trouve peu de monosaccharides libres dans la nature et dans l'alimentation, ces derniers étant habituellement intégrés aux disaccharides et aux polysaccharides. Les monosaccharides importants en nutrition sont le glucose, le fructose et le galactose, dont la structure chimique respective est présentée à la figure 2.1.

Tous trois contiennent six atomes de carbone (hexoses), mais diffèrent en ce qui a trait à l'organisation de leurs atomes d'oxygène et d'hydrogène, laquelle influence notamment la saveur sucrée des différents monosaccharides. Bien que les hexoses forment la grande majorité des monosaccharides de l'organisme, ces derniers se présentent également sous forme de pentoses (cinq atomes de carbone). L'un d'eux, le ribose, entre dans la composition de la riboflavine et du matériel génétique. Par ailleurs, le xylose, un pentose de type alcool, est largement utilisé dans certaines confiseries ainsi que dans les gommes à mâcher dites sans sucre, en raison de son faible potentiel cariogène.

Le glucose, aussi appelé dextrose, est sans contredit le glucide le plus important en nutrition. Il entre dans la composition des disaccharides et des polysaccharides, il représente la principale forme de transport des glucides dans le sang et il constitue le composé utilisé en fin de compte par les cellules de l'organisme. Contrairement à la plupart des cellules, qui peuvent tirer leur énergie des lipides, les cellules nerveuses et les globules rouges (érythrocytes) du sang dépendent presque exclusivement du glucose pour fonctionner.

Le fructose, ou lévulose, représente le monosaccharide possédant la saveur sucrée la plus élevée. On le trouve en grande quantité dans le miel, où il représente environ 40% du poids sec, et en quantité moindre dans les fruits (de 1 à 7%) et dans les légumes (3%). Précisons que la présence de fructose explique la saveur sucrée de ces aliments. Le miel représente une source condensée d'énergie, une cuillère à table contenant 65 kcal, par comparaison à environ 45 kcal pour une même quantité de sucre de table. Toutefois, contrairement à ce qui est parfois avancé, les vitamines et les minéraux contenus dans le miel ne contribuent pas de manière significative aux besoins de l'organisme. Aussi, outre son goût agréable, il n'y a pas lieu de penser que le miel constitue une forme de sucre supérieure aux autres.

Le galactose se trouve rarement dans l'alimentation sous forme libre mais est un constituant du lactose (voir la section suivante).

2.1.2 Les disaccharides

Les principaux disaccharides de l'organisme sont présentés schématiquement à la figure 2.2.

Comme on peut le constater, le glucose est un constituant de tous les disaccharides. Lorsqu'il est lié au fructose, il forme le sucrose; en présence du galactose, il forme le lactose; et lorsqu'il est lié à une autre molécule de glucose, il forme le maltose.

Le sucrose, aussi appelé saccharose ou sucre de table, est probablement le disaccharide le plus familier. Il est notamment présent sous forme naturelle dans le sucre de canne et dans la betterave à sucre, dont on tire le sucre produit commercialement. La mélasse, la cassonade et les produits de la sève d'érable représentent d'autres sources concentrées de sucrose.

FIGURE 2.2

Présentation schématique des principaux disaccharides

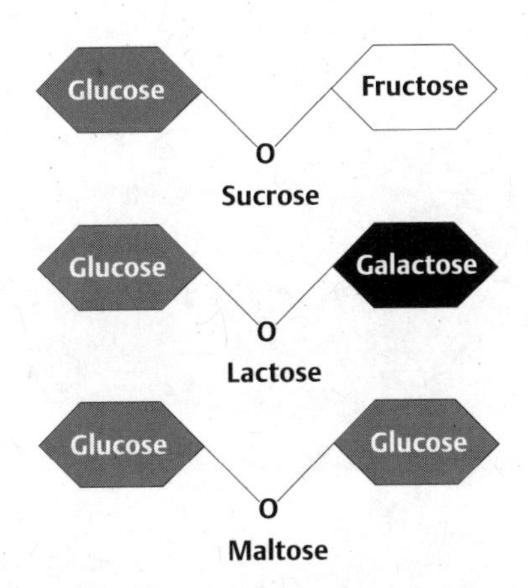

La présence du fructose dans le sucrose confère à ce dernier une saveur sucrée élevée.

Le lactose est produit par les glandes mammaires de la plupart des mammifères femelles, la baleine et l'hippopotame faisant exception. Il s'agit donc d'un sucre d'origine animale que l'on trouve dans le lait; celui de la vache en contient notamment 5%, ce qui, selon la teneur en gras du lait, représente entre 30 et 50% de sa valeur énergétique. Le contenu en lactose du lait humain est de l'ordre de 7%. Les produits laitiers tels que le yogourt et le fromage contiennent beaucoup moins de lactose, celui-ci étant généralement dégradé par les bactéries contenues dans ces produits ou éliminé lors du processus de fabrication. La question de l'intolérance au lactose sera traitée dans la section intitulée «Aspects métaboliques».

Le maltose est un glucide formé lors de la dégradation de l'amidon. Il est notamment produit lors de la germination des graines; il est présent dans le blé et l'orge.

2.1.3 Les polysaccharides

Lorsqu'un composé comprend plus de deux monosaccharides, ce glucide est appelé polysaccharide ou glucide complexe. Les polysaccharides sont souvent regroupés en deux grandes catégories, à savoir ceux qui peuvent

FIGURE 2.3

Présentation schématique des principaux polysaccharides

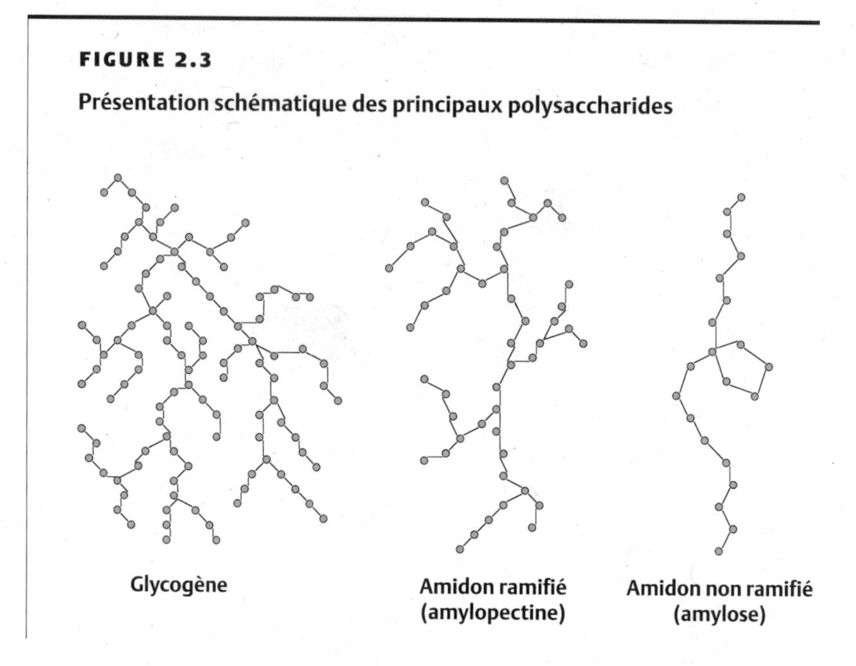

être assimilés par l'organisme (c'est le cas notamment de l'amidon et du glycogène) et ceux – parmi lesquels figurent les fibres alimentaires – qui ne sont pas absorbés ou qui le sont peu.

2.1.3.1 *Les polysaccharides assimilables*

Les principaux polysaccharides assimilables sont l'amidon, ramifié ou non ramifié, et le glycogène. Leur structure respective est présentée schématiquement à la figure 2.3.

L'amidon constitue la principale forme de stockage des glucides dans les plantes et compte pour environ la moitié des glucides que nous consommons. Il se compose de plusieurs centaines et souvent de milliers d'unités de glucose reliées en longues chaînes linéaires (amylose) ou ramifiées (amylopectine). On appelle dextrines les molécules d'amidon partiellement hydrolysées (fragmentées). Les aliments riches en amidon, qu'on appelle également féculents, comprennent les céréales et leurs dérivés (farines, semoules, pâtes alimentaires), les légumineuses (pois, haricots, lentilles), certains tubercules (pommes de terre, patates douces) et certains fruits (bananes, châtaignes). À noter que la teneur en glucides complexes des aliments varie selon leur stade de maturité. Par exemple, le contenu en amidon de la banane tend à diminuer en fonction de son mûrissement, alors que l'on observe une tendance inverse pour les pois.

Le glycogène est au règne animal ce que l'amidon est aux plantes, c'est-à-dire qu'il constitue une forme de réserve des glucides. À l'instar de l'amidon, il se compose d'unités de glucose organisées en chaînes abondamment ramifiées qui rappellent l'amylopectine. Chez l'humain comme chez la plupart des animaux, le glycogène se trouve prioritairement dans le foie et dans les muscles. Les aliments d'origine animale, incluant les viandes de boucherie, ne constituent toutefois pas de bonnes sources de glycogène, en raison du fait que ce polysaccharide est rapidement dégradé après l'abattage de l'animal.

2.1.3.2 *Les fibres alimentaires*

Les fibres alimentaires sont des polysaccharides qui résistent à l'action des enzymes digestives de l'organisme. Longtemps classifiées en fonction de leur solubilité dans l'eau (insolubles/solubles), les fibres font depuis peu de temps l'objet d'une nouvelle nomenclature qui se réfère à leur structure chimique, à leur origine ainsi qu'à leur fonction physiologique. Ainsi, selon cette nouvelle classification proposée par Santé Canada et l'Institut de médecine américain, les fibres se divisent maintenant en trois catégories à savoir les *fibres alimentaires*, les *fibres fonctionnelles* et les *fibres totales*. Par définition, les *fibres alimentaires* renvoient aux glucides non digestibles et à la lignine que l'on retrouve tels quels dans les plantes. Elles comprennent les polysaccharides végétaux non amylacés (cellulose, pectine, gommes, hémicellulose, β-glycanes et fibres provenant du son d'avoine et de blé), les glucides végétaux qui ne sont pas libérés par précipitation alcoolique (inuline, oligosaccharides et fructosanes), la lignine et certains amidons résistants. Quant aux *fibres fonctionnelles*, elles réfèrent à des glucides isolés ou purifiés qui sont non digérés par l'intestin et dont les effets physiologiques favorables sont démontrés chez les humains. Elles comprennent les glucides non digestibles d'origine végétale (amidons résistants, pectine et gommes) ou animale (chitine et chitosane) et ceux fabriqués commercialement (amidons résistants, polydextrose, inuline et dextrines non digestibles).

TABLEAU 2.1

Classification des fibres

FIBRES ALIMENTAIRES	FIBRES POTENTIELLEMENT FONCTIONNELLES
• Cellulose, β-glycanes, hémicellulose, fibres contenues dans le son d'avoine et de blé, pectine, gommes • Inulin, oligosaccharides et fructosanes • Lignine • Amidons résistants	• Amidons résistants, pectine, gommes • Chitine and chitosane • Amidons résistants, polydextrose, inuline, dextrine non digestibles

Précisons qu'une fibre peut appartenir aux deux catégories. En effet, une fibre sera dite *alimentaire* si elle est présente naturellement dans les aliments et sera considérée comme *fonctionnelle* si elle est ajoutée aux aliments de manière exogène. Enfin, les *fibres totales* représentent la somme des fibres alimentaires et fonctionnelles. Le tableau 2.1 présente les principales fibres alimentaires et fonctionnelles.

2.1.4 Aspects métaboliques des glucides

La grande majorité des glucides proviennent de l'alimentation sous forme de disaccharides ou de polysaccharides et doivent être fragmentés en molécules plus petites pour être absorbés. Le processus de digestion des glucides débute dans la bouche où l'amylase salivaire (aussi appelée ptyaline), une enzyme sécrétée par les glandes du même nom, s'attaque aux molécules d'amidon, les transformant en dextrines et en maltose. Toutefois, en raison du court laps de temps passé par les aliments dans cette partie du système digestif, le degré de digestion des polysaccharides au niveau de la bouche est en général limité. Le bol alimentaire est ensuite acheminé dans l'estomac où l'action de l'amylase salivaire est interrompue par l'acide chlorhydrique ambiant. À noter que les fibres alimentaires ont tendance à séjourner dans l'estomac plus longtemps que les autres glucides, ce qui retarde la vidange du bol alimentaire dans l'intestin. La digestion des glucides se poursuit ensuite dans l'intestin grêle sous l'action de l'amylase pancréatique et de diverses enzymes situées sur la surface de l'intestin: la maltase réduit le maltose en deux molécules de glucose, la sucrase divise le sucrose en glucose et en fructose, tandis que la lactase scinde[1] le lactose en glucose et en galactose. Les monosaccharides ainsi formés sont ensuite absorbés via des mécanismes qui varient selon les molécules. Ainsi, le glucose et le galactose pénètrent la paroi intestinale par transport actif*, tandis que le fructose est absorbé par transport facilité*. Ces monosaccharides sont ensuite acheminés au foie via la veine porte, où le fructose et le galactose sont transformés en glucose. Ce dernier est alors remis en circulation et transporté aux tissus cibles ou mis en réserve sous forme de glycogène lorsque les apports excèdent les besoins. Les taux sanguins de glucose (glycémie) sont sous le contrôle rigoureux de diverses hormones, notamment l'insuline et le glucagon. De manière générale, l'insuline réduit les taux de glucose sanguins en facilitant son entrée dans les cellules, alors que le glucagon exerce un effet contraire.

Il importe toutefois de préciser que la glycémie ne dépend pas que de cette action hormonale. En effet, la nature des glucides ingérés, le type d'aliments qui les contiennent de même que la composition des repas (contenu en graisses, en fibres et en protéines) sont autant de facteurs susceptibles d'influencer la glycémie. Dans le but de mieux apprécier l'impact des glucides alimentaires sur la glycémie, l'indice glycémique a

1. L'activité de la lactase décline de manière importante au cours de l'enfance chez environ 70% de la population mondiale. Cette diminution d'activité, qui touche plus particulièrement les Asiatiques, les Indiens d'Amérique et les personnes d'origine africaine, les Européens du Nord étant généralement peu affectés, réduit la capacité de digérer le lactose. Chez ces personnes, l'ingestion de lait conduit à une accumulation de lactose dans l'intestin, une condition qui entraîne des gonflements, de la flatulence et dans certains cas de la diarrhée. En raison des symptômes engendrés, on dit de ces personnes qu'elles sont intolérantes au lactose. L'introduction graduelle de lait dans l'alimentation des personnes ainsi affligées peut parfois augmenter leur tolérance au lactose et leur capacité de consommer du lait. Précisons que les produits laitiers dérivés, tels le yogourt et les fromages, ne sont pas concernés par cette altération enzymatique en raison de leur faible teneur en lactose. Par ailleurs, il existe sur le marché un type de lait dont le lactose est prédigéré par suite de l'ajout de lactase. Ces laits peuvent donc être consommés sans problème, tout comme les boissons à base de soja, qui ne contiennent pas de lactose.

* L'astérisque renvoie au glossaire.

été développé. Cet indice mesure l'effet d'un aliment sur la concentration sanguine de glucose, par comparaison à celui d'un aliment de référence (solution de glucose pur). Ainsi, les aliments qui entraînent une forte augmentation du glucose sanguin sont dits à indice glycémique élevé alors que ceux associés à une hausse moins subite sont considérés à indice glycémique faible. Parmi les aliments appartenant à la première catégorie se

FIGURE 2.4

Principales étapes de la digestion des glucides

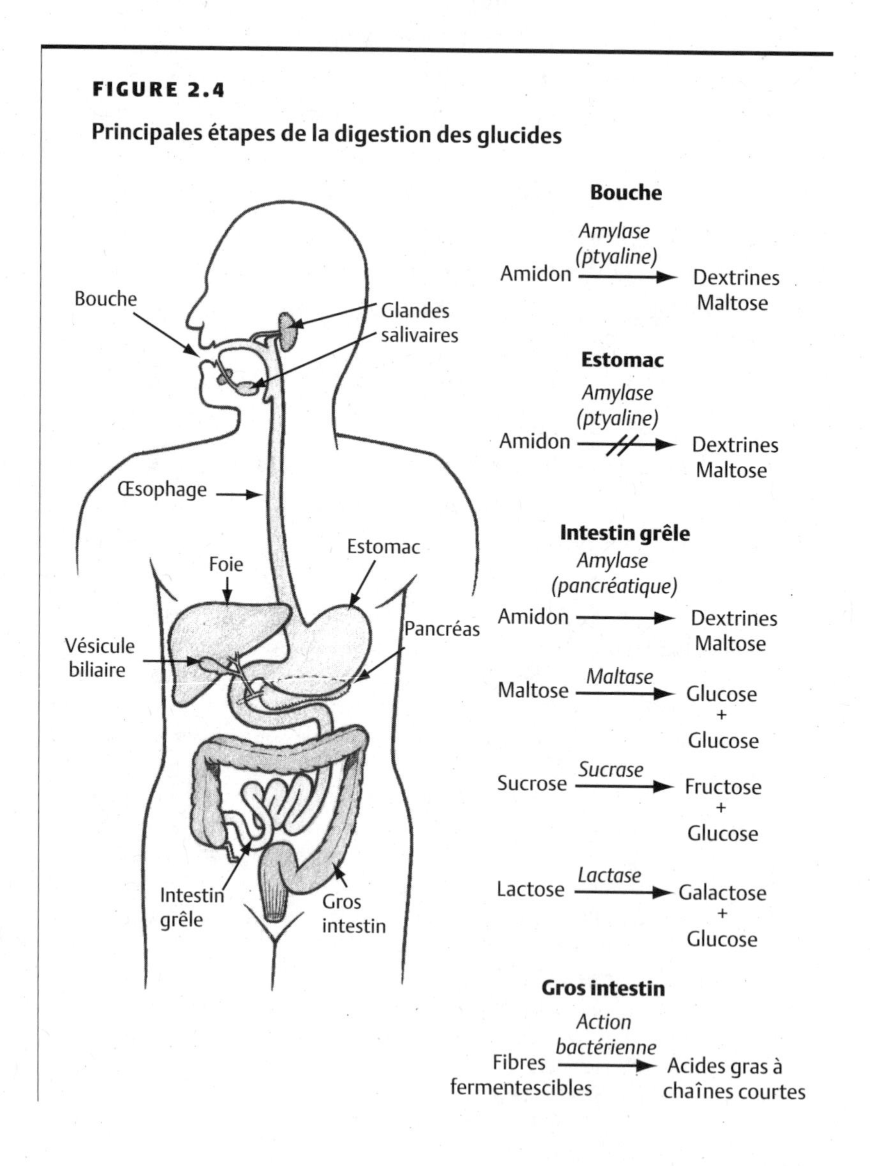

trouvent les céréales raffinées (par exemple, celles du petit-déjeuner), plusieurs produits de boulangerie (muffins, craquelins) et certains légumes riches en amidon (pommes de terre, panais, rutabaga). En revanche, les céréales à grains entiers notamment l'orge, le seigle et le bulghur, les légumineuses de même que l'ensemble des fruits et légumes comptent parmi les aliments à faible indice glycémique.

Par définition et tel que mentionné précédemment, les glucides contenus dans les fibres alimentaires résistent à l'action des enzymes digestives de l'intestin grêle. Ces glucides se retrouvent donc intacts dans le côlon où ils exercent diverses actions (voir la section suivante). La figure 2.4 résume les étapes importantes de la digestion des glucides.

2.1.5 Rôles physiologiques des glucides et leur impact sur la santé

Le rôle premier des glucides consiste à fournir de l'énergie à l'organisme. Les glucides, et plus particulièrement le glucose, constituent un combustible privilégié pour le système nerveux et les érythrocytes. Par ailleurs, les glucides participent à la composition des acides nucléiques (acide désoxyribonucléique [ADN] et acide ribonucléique [ARN]) et se lient à d'autres composés, dont les protéines, pour former des glycoprotéines et des mucopolysaccharides, lesquelles entrent dans la composition de plusieurs éléments de structure (os, cartilages, peau, ongles) et composés fonctionnels (liquides articulaire et oculaire, anticorps, hormones) de l'organisme. Soulignons également que le glucose contribue au métabolisme des acides gras.

Bien que par définition les fibres alimentaires ne soient pas essentielles à l'organisme, elles lui sont bénéfiques de plusieurs façons. Ainsi, les fibres, particulièrement celles de nature fermentescible (β-glycanes, pectine, gommes, son d'avoine) subissent l'action des bactéries du côlon et produisent des acides gras à chaînes courtes qui servent de combustible aux cellules intestinales (entérocytes). On a estimé qu'un régime très riche en fibres peut apporter jusqu'à 15 % de l'énergie quotidienne totale. Certaines fibres sont également reconnues pour augmenter la masse fécale, favoriser le transit intestinal et diminuer les risques de constipation et de diverticulose. En lien avec cette action, certaines d'entre elles pourraient jouer un rôle dans la prévention du cancer du côlon en liant ou en diluant les substances cancérigènes contenues dans l'intestin et en réduisant leur temps de contact au niveau du côlon; cet effet reste toutefois à confirmer. Par ailleurs, des travaux réalisés ces récentes années indiquent que plusieurs fibres contribueraient à normaliser les lipides sanguins (surtout le cholestérol) et favoriseraient la santé cardiovasculaire. De même, parce qu'elles tendent à ralentir la vidange gastrique et l'absorption des glucides, certaines fibres permettraient un meilleur contrôle de la glycémie. Le tableau 2.2 résume l'action des principales fibres alimentaires et fonctionnelles en regard de la fonction intestinale, du contrôle des lipides sanguins et de la glycémie. Enfin, de manière générale, une alimentation riche en fibres favoriserait indirectement le contrôle du poids. En effet, en raison de leur volume souvent plus important, les aliments riches en fibres

TABLEAU 2.2

Actions spécifiques des principales fibres alimentaires et fonctionnelles

FIBRES	AMÉLIORE LA FONCTION INTESTINALE	AIDE AU CONTRÔLE DES LIPIDES SANGUINS	ATTÉNUE LA RÉPONSE GLYCÉMIQUE
Amidon résistants	↑↑	—	↑
β-glycanes (β-g) Son d'avoine (SA)	— (β-g) ↑↑ (SA)	↑↑	↑↑
Cellulose Hémicellulose	↑↑	—	—
Chitine Chitosane	—	—	NI
Dextrines résistantes	—	↑	↑↑
Gommes	—	↑↑	↑↑
Inuline (I) Oligofructose (O) Fructooligosaccharides (F)	↑ (I & O)	↑ (I & O)	↑ (F)
Pectine	—	↑↑	↑↑
Polydextrose	↑↑	↑	NI
Psyllium	↑↑	↑↑	↑↑

— pas d'effet démontré chez l'humain
↑ effet partiellement démontré ou résultat provenant d'un nombre très limité d'études
↑↑ effet bien démontré
NI non investigué

déclencheraient plus rapidement un sentiment de satiété, réduisant ainsi la prise alimentaire. De plus, comme ils sont souvent plus difficiles et plus longs à mastiquer, les aliments riches en fibres ralentiraient la vitesse de consommation. Or, il semble que les personnes qui mangent plus lentement aient à long terme une consommation totale moindre.

2.1.6 Excès de sucres et de fibres

À la lumière de ce qui a été présenté dans la section précédente, il appert qu'une alimentation riche en glucides, notamment en glucides complexes et en fibres alimentaires, offre plusieurs avantages pour la santé. En revanche, une alimentation qui comprend des quantités élevées de sucres ou de glucides simples favorise la carie dentaire et nuit à la santé des dents, une affection qui touche plus particulièrement les enfants. Par ailleurs, bien qu'une consommation élevée de sucres ajoutés ait été associée à des apports caloriques totaux élevés, le lien entre la consommation de sucres simples et le gain de poids ou encore le développement du diabète reste à démontrer.

Enfin, une alimentation qui comprendrait des quantités excessives de fibres alimentaires pourrait réduire la biodisponibilité* de certains minéraux dont le calcium, le zinc, le fer et le cuivre. En effet, les phytates* présents dans l'écorce de certaines céréales et légumineuses sont reconnus pour lier ces minéraux et réduire leur accès à l'organisme. Précisons toutefois que de telles situations se produisent rarement dans les sociétés industrialisées.

2.1.7 Sources alimentaires des glucides

Les glucides que nous consommons proviennent essentiellement d'aliments d'origine végétale. Les fruits, les produits céréaliers à grains entiers, les légumes, les tubercules, les noix, les graines et les légumineuses constituent les principales sources de glucides et de fibres de l'alimentation. Dans le cas des fibres alimentaires, il importe de préciser que leur teneur varie de manière importante selon le degré de transformation des aliments. Par exemple, le raffinage des céréales (notamment du blé) en diminue grandement la quantité. De même, les jus extraits des fruits et des légumes, contrairement aux aliments sous leur forme naturelle, ne contiennent à toutes fins utiles aucune fibre. Le tableau 2.3 présente quelques exemples d'aliments riches en fibres. Enfin, les produits laitiers constituent une autre bonne source de glucides, mais leur contribution est généralement plus variable. Le tableau 2.4 présente la teneur moyenne en glucides de divers aliments.

TABLEAU 2.3

Aliments riches en fibres alimentaires

ALIMENTS	FIBRES (g)	ALIMENTS	FIBRES (g)
Pain		**Légumes**	
Muffin au son, 1 moyen	4,0	Pois verts cuits, 125 ml	5,5
Pain de blé entier, 1 tranche	2,0	Choux de Bruxelles cuits, 125 ml	3,5
Pain de seigle, 1 tranche	2,0	Maïs, 1 épi	2,5
Pain de blé entier blanc, 1 tranche	2,0	Épinards cuits, 125 ml	2,5
Pain au son d'avoine, 1 tranche	1,5	Brocoli cuit, 125 ml	2,0
Pain de blé concassé, 1 tranche	1,5	Carottes cuites, 125 ml	2,0
Grains (secs)		**Légumineuses**	
Son de blé, 30 g	13,0	Haricots rouges cuits, 125 ml	8,5
Orge, 30 g	5,0	Haricots pinto cuits, 125 ml	8,0
Graines de lin, 15 ml	3,5	Haricots de Lima cuits, 125 ml	7,0
Avoine, 30 g	3,0	Lentilles cuites, 125 ml	4,5
Riz brun, 30 g	1,0	Pois chiches cuits, 125 ml	4,0
Céréales à déjeuner		**Noix**	
Bran Buds, 125 ml	18,5	Amandes, 60 ml	4,0
All-Bran, 125 ml	12,0	Graines de tournesol écalées, 60 ml	4,0
Son de blé, 125 ml	12,0	Arachides, 60 ml	3,0
Son d'avoine, 125 ml	4,5	Pistaches, 60 ml	3,0
Son de maïs, 125 ml	3,0	Pacanes, 60 ml	2,5
Gruau cuit, 125 ml	1,5		
Fruits			
Poire, 1 moyenne	5,0		
Framboises, 125 ml	4,0		
Kiwi, 1 moyen	2,5		
Pomme, 1 moyenne	2,5		
Orange, 1 moyenne	2,5		
Bleuets, 125 ml	2,0		
Mangue, 1 moyenne	2,0		
Banane, 1 moyenne	2,0		

TABLEAU 2.4

Teneur moyenne en glucides de divers aliments

ALIMENTS	GLUCIDES (g)
Fruits	
Jus de fruits, 250 ml	30-40
Fruits séchés, 30 g	20-25
Bananes, pommes, cerises, poires, mangues, 125 ml	12-16
Agrumes, ananas, baies, fraises, pêches, melons, 125 ml	5-10
Produits céréaliers	
Pâtes alimentaires, 250 ml	40
Riz, 125 ml	20-30
Céréales de type muesli, 125 ml	30
Blé filamenté, 125 ml	20
Riz soufflé, 125 ml	20
Gruau, 175 ml	20
Céréales pour enfants, 125 ml	15
Flocons de maïs, 125 ml	12
Pain, 1 tranche	12-15
Légumes	
Pommes de terre, maïs, pois verts, panais, 125 ml	15
Carottes, navets, pois mange-tout, tomates en conserve, artichauts, 125 ml	7-10
Brocoli, champignons, céleri, concombre, épinards, courges, poivrons, tomates, 125 ml	2-5

ALIMENTS	GLUCIDES (g)
Lait et substituts	
Yogourt aux fruits, 175 ml	32
Yogourt nature, 175 ml	12
Lait, 250 ml	12
Boisson de soya, 250 ml	12
Fromage cottage, 125 ml	3
Autres fromages, 30 g	< 1
Viandes et substituts	
Légumineuses, 125 ml	23
Noix et graines, 60 ml	6-8
Œufs, 1 gros	< 1
Viandes, volailles et poissons, 100 g	0
Autres aliments	
Muffin commercial	30
Chocolat, 1 barre	20-35
Barre tendre	20-30
Boisson aux fruits, 250 ml	30
Boisson gazeuse, 250 ml	30
Boisson gazeuse diète, 250 ml	0,3
Beignes et gâteaux, 50 g	20-25
Crème glacée, 125 ml	15
Biscuits, 40 g	10-15
Sucre (blanc, brun, érable), 15 g	15

2.2 Les lipides

À une époque où il ne se passe pas une semaine sans que les lipides, terme générique qui inclut les graisses et les huiles de l'alimentation, ne soient associés à une maladie quelconque (souvent mortelle), il est difficile de penser que cette famille de composés puisse comporter quelque vertu! Pourtant, tout comme les glucides et les protéines, les lipides sont essentiels à la vie et jouent un rôle crucial dans l'organisme. Mais, comme nous le verrons plus loin, ce ne sont pas tant les lipides eux-mêmes que leur consommation excessive, fréquente dans l'alimentation contemporaine de plusieurs pays industrialisés, qui contribue à ternir leur réputation.

Sur le plan chimique, les lipides forment un groupe de composés qui se distinguent par leur insolubilité dans l'eau. Bien qu'ils puissent contenir de l'oxygène, les lipides sont majoritairement composés d'atomes de carbone et d'hydrogène, une caractéristique qui leur confère une teneur énergétique plus grande (9 kcal/g) que celle des autres macronutriments (4 kcal/g pour les glucides et les protéines). Les lipides importants en nutrition se regroupent en trois grandes catégories: les triglycérides (ou triacylglycérols), lesquels constituent 95% des lipides que nous consommons, les phospholipides et les stérols.

2.2.1 Les triglycérides

En plus de constituer la très grande majorité des lipides alimentaires, les triglycérides représentent la principale forme de stockage des graisses dans l'organisme, comptant pour 99% des réserves lipidiques. Dans la nature, les triglycérides se présentent sous plusieurs formes. Toutefois, tous possèdent une structure de base commune qui comprend une molécule de glycérol et trois molécules d'acides gras, ce qu'illustre la figure 2.5.

Par ailleurs, il arrive que la molécule de glycérol soit liée à deux ou même à un seul acide gras. On appelle alors ces molécules respectivement diglycérides et monoglycérides. À noter que les diglycérides et les monoglycérides sont souvent utilisés dans l'industrie alimentaire pour modifier la texture et la consistance des aliments.

FIGURE 2.5

Illustration schématique d'une molécule de triglycéride

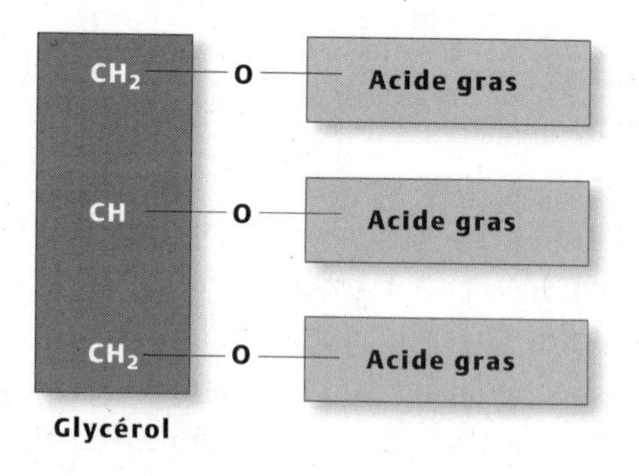

2.2.1.1 *Les acides gras*

Considéré à juste titre comme l'unité de base des lipides, l'acide gras est constitué d'une chaîne d'atomes de carbone auxquels sont attachés des atomes d'hydrogène; à l'une de ses extrémités, cette chaîne se termine par un groupement méthyl (CH_3) et, à l'autre, par un groupement acide (COOH). Les acides gras importants en nutrition comportent généralement un nombre pair d'atomes de carbone, et la longueur de leur chaîne varie habituellement entre 4 et 24 atomes. Ainsi, on appelle acides gras à chaînes courtes ceux qui comportent moins de 10 atomes de carbone; acides gras à chaînes moyennes ceux qui en contiennent entre 10 et 14; et acides gras à chaînes longues ceux dont la structure comprend 16 atomes de carbone ou plus. Précisons que les acides gras à chaînes longues forment la grande majorité des acides gras de l'alimentation (plus de 90%), la contribution des acides gras à chaînes moyennes étant de l'ordre de 4 à 10%, alors que celle des acides gras à chaînes courtes ne représente qu'un faible pourcentage. Précisons que les acides gras comportant 18 atomes de carbone sont particulièrement importants sur le plan nutritionnel.

Les acides gras sont dits «saturés» lorsqu'ils contiennent un nombre maximal d'atomes d'hydrogène. En revanche, ils sont dits «insaturés» lorsque certains de leurs atomes de carbone ne sont pas saturés d'hydrogène et forment des doubles liaisons entre eux. Ainsi, on appelle acide gras «monoinsaturé» un acide gras qui comporte une double liaison, et acide gras «polyinsaturé», un acide gras contenant plus d'une double liaison. La figure 2.6 reproduit la structure chimique de trois acides gras formés de 18 atomes de carbone: l'un est saturé (l'acide stéarique, présent dans les graisses d'origine animale), le deuxième est dit monoinsaturé (l'acide oléique, très présent dans l'huile d'olive), tandis que le troisième est polyinsaturé (l'acide linoléique, présent dans l'huile de colza et dans de nombreuses autres huiles).

En nutrition, on trouve trois familles d'acides gras polyinsaturés: les «oméga 3» (ω-3), les «oméga 6» (ω-6) et les «oméga 9» (ω-9). Précisons que les acides gras polyinsaturés sont généralement identifiés en fonction de la position de leur double liaison (représentée en noir à la figure 2.6). Une nomenclature fréquemment utilisée prend comme point de référence le carbone du groupement méthyl (représenté en gris pâle à la figure 2.6),

FIGURE 2.6

Structure chimique de trois acides gras

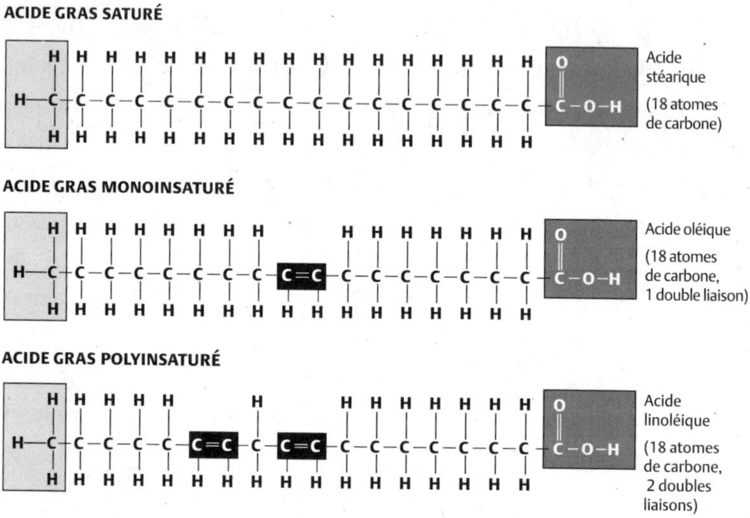

ACIDE GRAS SATURÉ

Acide stéarique (18 atomes de carbone)

ACIDE GRAS MONOINSATURÉ

Acide oléique (18 atomes de carbone, 1 double liaison)

ACIDE GRAS POLYINSATURÉ

Acide linoléique (18 atomes de carbone, 2 doubles liaisons)

lequel est par convention appelé oméga (ω). Ainsi, un acide gras polyinsaturé dont la première double liaison se situe entre les 3e et 4e atomes de carbone à partir du groupement méthyl est dit de type ω-3; un acide gras dont la première double liaison survient entre les 6e et 7e atomes de carbone est dit de type ω-6 (l'acide linoléique présenté à la figure 2.6 en est un exemple); enfin, un acide gras dont la première double liaison survient entre les 9e et 10e atomes de carbone est dit de type ω-9 (l'acide oléique présenté à la figure 2.6 en est un exemple).

Par ailleurs, l'organisation des atomes d'hydrogène contenus dans un acide gras influera sur ses propriétés chimiques, notamment sur son point de fusion. De manière générale, les acides gras saturés ont tendance à présenter un point de fusion plus élevé que les acides gras insaturés. Cela explique pourquoi le beurre, par exemple, un aliment riche en acides gras saturés, est habituellement solide à la température de la pièce, alors que l'huile de colza, riche en acide gras insaturés, présente une consistance liquide dans les mêmes conditions. Ainsi, on appelle généralement «graisses» les triglycérides qui présentent une consistance solide à la température de la pièce et « huiles », ceux de consistance liquide. Bien qu'il existe quelques exceptions, les graisses sont habituellement d'origine animale, tandis que les huiles sont généralement produites à partir des végétaux. Précisons toutefois qu'il est possible d'augmenter le point de fusion des huiles et ainsi d'affermir leur consistance, en ajoutant des atomes d'hydrogène, un procédé appelé hydrogénation. Largement utilisée dans l'industrie alimentaire, l'hydrogénation a toutefois pour conséquence de transformer les acides gras insaturés *cis* (c'est-à-dire lorsque les atomes d'hydrogène sont situés du même côté de la double liaison), normalement rencontrés dans la nature, en acides gras *trans* (c'est-à-dire lorsque les atomes d'hydrogène sont situés de chaque côté de la double liaison). La figure 2.7 illustre la structure des acides *cis* et *trans*.

FIGURE 2.7

Configuration des doubles liaisons

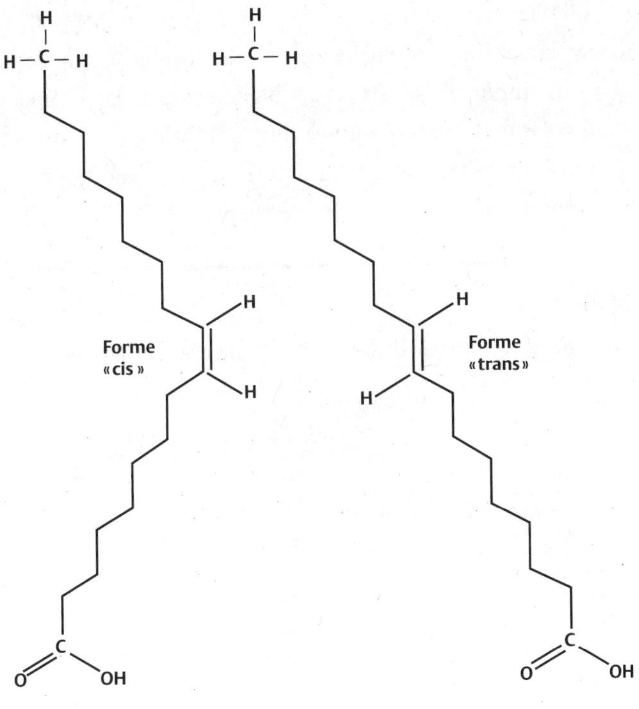

2.2.1.2 *Les acides gras essentiels*

En plus de leur rôle en tant que constituants des triglycérides, les acides gras appartenant aux familles des ω-3 et des ω-6 remplissent des fonctions biologiques importantes. Bien qu'ils proviennent normalement de l'alimentation, l'organisme peut les fabriquer lorsque les apports sont insuffisants. Toutefois, deux d'entre eux, l'acide linoléique et l'acide alpha-linolénique, ne peuvent être produits dans l'organisme et doivent nécessairement provenir de l'alimentation. Pour cette raison, ils sont dits essentiels. Ainsi, l'acide linoléique participe à la synthèse de l'acide arachidonique, un acide gras de la famille des ω-6 présent en abondance dans les membranes cellulaires. Quant à l'acide alpha-linolénique, le second acide gras dit essentiel, il intervient dans la synthèse des éicosanoïdes, une famille de composés possédant des propriétés qui s'apparentent à celles des hormones.

2.2.2 Les phospholipides

Les phospholipides représentent environ 2% des lipides que nous consommons. Sur le plan chimique, leur structure s'apparente à celle des triglycérides mais se distingue par le fait qu'un des acides gras est remplacé par un groupement phosphate auquel est liée une molécule glucidique ou azotée, cette dernière étant l'élément qui caractérise le phospholipide. Une illustration schématique d'un phospholipide est présentée à la figure 2.8.

FIGURE 2.8

Illustration schématique d'une molécule de phospholipide

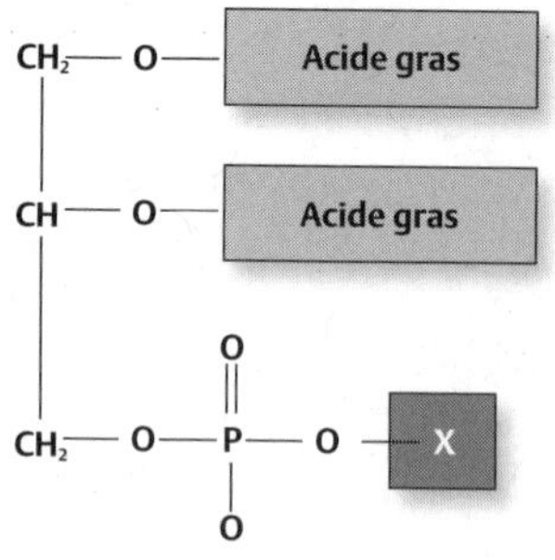

CH_2 — O — Acide gras
CH — O — Acide gras
CH_2 — O — P(=O)(O) — O — X

Contrairement aux triglycérides, les phospholipides sont dits amphiphiles, c'est-à-dire qu'en plus d'être solubles dans les graisses, ils sont solubles dans l'eau en raison de la présence du groupement phosphate, une propriété chimique qui leur donne notamment un pouvoir émulsifiant.

Dans l'organisme, les phospholipides entrent dans la composition des membranes cellulaires, auxquelles ils confèrent la fluidité nécessaire aux échanges transmembranaires, c'est-à-dire de part et d'autre de la membrane. Ils assument également des fonctions en lien avec leurs propriétés émulsifiantes; par exemple, ils forment une des principales composantes de la bile (nécessaire à la digestion des graisses) et facilitent le transport des lipides dans le sang en tant que constituant des lipoprotéines (voir la section 2.2.4).

Un des principaux phospholipides de l'organisme, et l'un des plus connus en raison de l'attention qu'il a reçue dans la presse populaire et de l'engouement qu'il a suscité auprès du public, est la lécithine. Très présent dans les membranes cellulaires, ce phospholipide se caractérise par son contenu en choline, une molécule nécessaire au bon fonctionnement du système nerveux; la choline entre dans la composition de l'acétylcholine, un important neurotransmetteur. Mettant à profit les propriétés chimiques de la lécithine, des suppléments sont donc apparus sur le marché pour, entre autres, «contrer les problèmes de mémoire» et «diminuer les lipides sanguins». Malheureusement, ces allégations publicitaires restent, à ce jour, non prouvées. En fait, sur la base des connaissances actuelles, il n'y a aucune raison de se procurer de la lécithine (ou tout autre phospholipide, du reste) sous forme de supplément, puisque le corps est en mesure de la produire selon ses besoins et/ou l'obtient des aliments. Soulignons enfin qu'à l'instar des autres lipides, la lécithine contient 9 kcal/g, un détail «calorique» que les personnes qui consomment des suppléments de lécithine ignorent souvent!

2.2.3 Les stérols

Les stérols constituent la troisième grande famille de lipides de l'organisme, un groupe de composés dont la structure chimique diffère de celle des triglycérides et des phospholipides en ce que les atomes de carbone qu'ils contiennent forment des anneaux complexes plutôt que des chaînes linéaires. Un des membres les plus connus de cette famille est le cholestérol, présent dans l'organisme et dans l'alimentation. Sa structure chimique est présentée à la figure 2.9.

Dans l'organisme, le cholestérol entre dans la composition des membranes cellulaires et est donc présent dans la majorité des tissus. Ses fonctions physiologiques sont discutées à la section 2.2.5. D'un point de vue alimentaire, le cholestérol n'est pas considéré comme un lipide essentiel puisque l'organisme en fabrique selon ses besoins, dans le foie et l'intestin. Dans l'alimentation, il se trouve exclusivement dans les aliments d'origine animale.

On trouve par ailleurs des stérols dans le règne végétal sous forme de phytostérols, les huiles végétales en étant les principales sources alimentaires. Parce qu'ils possèdent une structure chimique semblable à celle du cholestérol et qu'ils empruntent la même voie d'absorption, les phytostérols tendent à réduire l'absorption du cholestérol alimentaire et participent au contrôle du cholestérol sanguin. Par cette action, les phytostérols sont maintenant de plus en plus considérés dans la prise en charge des états hypercholestérolémiques.

FIGURE 2.9

Structure chimique du cholestérol

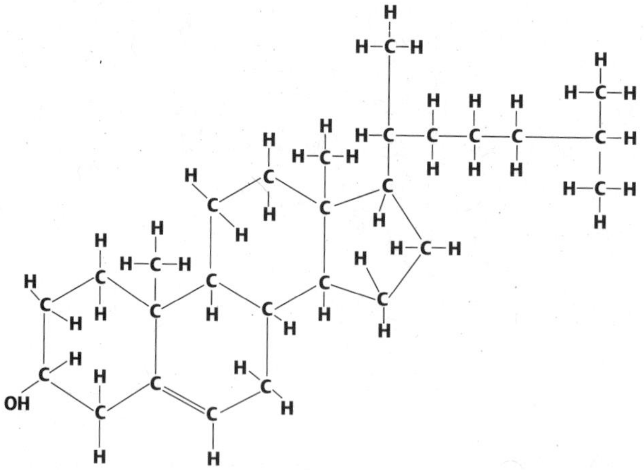

2.2.4 Aspects métaboliques des lipides

Les lipides alimentaires pénètrent l'organisme essentiellement sous forme de triglycérides à chaînes longues et doivent donc être fractionnés en molécules plus simples – monoglycérides, acides gras et glycérols – pour être absorbés. La digestion des lipides, qui démarre lentement dans la bouche en présence de la lipase linguale, s'intensifie lors du passage des aliments dans l'estomac, sous l'influence de la lipase gastrique. Les triglycérides formés d'acides gras à chaînes courtes, tels ceux qui sont présents dans le beurre, sont à ce moment-là scindés en acides gras et en glycérol. Les triglycérides à chaînes longues, par contre, passent entiers dans l'intestin grêle où, sous l'action conjointe des mouvements péristaltiques de l'intestin et de la bile, ils sont dispersés et émulsionnés; la bile est sécrétée par le foie et comprend notamment des sels biliaires, des phospholipides et du cholestérol. Les triglycérides ainsi émulsionnés sont ensuite fragmentés en monoglycérides et en acides gras par la lipase pancréatique, dont l'action est facilitée par la colipase, une protéine sécrétée par le pancréas. Quant à la digestion des phospholipides et du cholestérol, elle suit les mêmes étapes que celle des triglycérides à la différence qu'à leurs entrées dans l'intestin, les phospholipides et le cholestérol subissent l'action respective d'une phospholipase et d'une hydrolase, toutes deux d'origine pancréatique. La figure 2.10 présente les principales étapes de la digestion des triglycérides.

Les monoglycérides, les acides gras à chaînes longues de même que le cholestérol produits par la digestion sont ensuite acheminés vers la paroi intestinale, sous forme de micelles grâce au concours des sels biliaires, pour être absorbés. Les molécules de glycérol et les acides gras à chaînes courtes sont par contre absorbés sans l'intervention des sels biliaires et passent directement dans les capillaires sanguins, puis dans la veine porte. Une fois absorbés dans la paroi intestinale, les monoglycérides et les acides gras sont de nouveau assemblés en triglycérides avant de s'unir aux phospholipides et au cholestérol. Afin de faciliter leur solubilité dans les milieux aqueux de l'organisme, les molécules de lipides ainsi formées s'unissent à des protéines et forment des lipoprotéines appelées chylomicrons. Ces derniers étant trop gros pour pénétrer les capillaires de

FIGURE 2.10

Principales étapes de la digestion des lipides

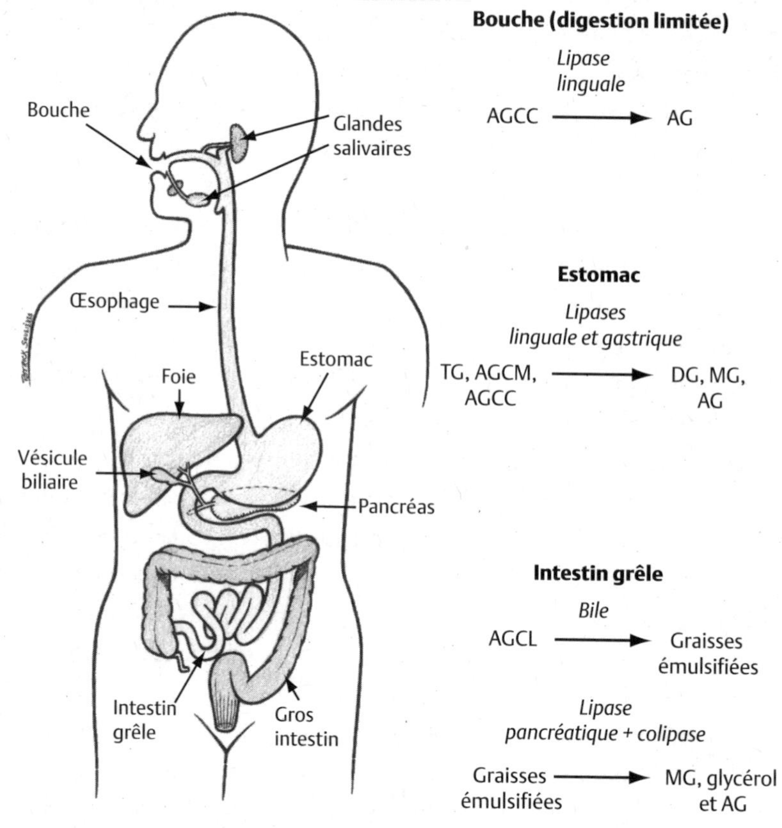

Bouche
Glandes salivaires
Œsophage
Foie
Estomac
Vésicule biliaire
Pancréas
Intestin grêle
Gros intestin

Bouche (digestion limitée)

Lipase linguale

AGCC ⟶ AG

Estomac

Lipases linguale et gastrique

TG, AGCM, AGCC ⟶ DG, MG, AG

Intestin grêle

Bile

AGCL ⟶ Graisses émulsifiées

Lipase pancréatique + colipase

Graisses émulsifiées ⟶ MG, glycérol et AG

l'intestin, ils sont libérés dans la circulation lymphatique où la lymphe les transporte dans la circulation sanguine vers les tissus. En cours de route, les acides gras sont libérés des triglycérides et deviennent disponibles pour les cellules de l'organisme. Ce qui reste des chylomicrons est acheminé au foie.

Quant au cholestérol absorbé, il est transporté au foie via les chylomicrons et les lipoprotéines de très faible densité (*very low density lipoproteins* [VLDL]), qui gèrent son utilisation dans l'organisme. Ainsi, en cas de besoin des tissus, le foie le remet en circulation sous forme de lipoprotéines de faible densité (*low density lipoproteins* [LDL]). En revanche, lorsqu'il y a un surplus de cholestérol dans les tissus, le foie le ramène vers lui pour le dégrader par le biais des lipoprotéines de haute densité (*high density lipoproteins* [HDL]). Parce que les HDL délogent l'excédent de cholestérol qui a pu s'accumuler dans l'organisme, on appelle souvent cette fraction «bon cholestérol». Au contraire, on associe les LDL au «mauvais cholestérol» puisqu'elles sont responsables de sa distribution dans l'organisme. En outre, des taux élevés de HDL sont généralement considérés comme un facteur de protection contre les maladies cardiovasculaires, alors que des taux élevés de LDL constituent un facteur de risque.

2.2.5 Rôles physiologiques des lipides et leur impact sur la santé

La principale fonction des lipides est de servir de réserves d'énergie pour l'organisme; ainsi, 450 g de graisse corporelle représentent environ 3500 kcal. Bien qu'on les trouve dans tous les types cellulaires, les lipides sont prioritairement stockés dans des cellules spécialisées, appelées adipocytes, qui forment le tissu adipeux. En plus de leur rôle de combustible, les graisses assument des fonctions structurelles importantes. Ainsi, elles forment des dépôts autour des organes, des nerfs et des os, et elles contribuent à les maintenir en place et à les protéger des chocs et des traumatismes. Par ailleurs, les graisses sous-cutanées forment un isolant permettant de conserver la chaleur du corps et jouent un rôle de premier plan dans le contrôle de la température corporelle. En outre, comme nous le verrons au chapitre 3, les graisses sont nécessaires à l'absorption de quatre vitamines, les vitamines A, D, E et K.

En marge de ces fonctions générales, les acides gras de même que les phospholipides et le cholestérol entrent dans la composition des membranes cellulaires où ils jouent un important rôle structurant. Dans le cerveau, certains acides gras (monoinsaturés) sont intégrés aux sphingolipides, une famille de lipides présents en grande concentration dans la gaine de myéline entourant les neurones. De même, les acides gras appartenant aux familles ω-3 et ω-6 ont des actions spécifiques dans l'organisme. Ils sont particulièrement nécessaires au développement des systèmes nerveux et reproducteur, et interviennent dans la vision. De manière plus spécifique, les acides gras essentiels sont maintenant reconnus pour influencer l'expression de certains gènes responsables du métabolisme des lipides, notamment celui du cholestérol et des triglycérides. Ils participent également à la synthèse d'un groupe de composés appelés éicosanoïdes, lesquels incluent les prostaglandines, les thromboxanes et les leucotriènes. Ces composés sont particulièrement importants en regard de la santé cardiovasculaire puisque par leurs actions ils peuvent influer sur le rythme cardiaque, la tension artérielle et la coagulation sanguine. En outre, ils ont le pouvoir de moduler la réponse inflammatoire de même que le fonctionnement du système immunitaire.

Quant au cholestérol, en plus de son rôle structurant au niveau membranaire, il participe à la synthèse de plusieurs composés biologiques dont les hormones sexuelles (par exemple, la testostérone) et les hormones surrénaliennes (par exemple, le cortisol), les acides biliaires (requis pour l'absorption des graisses) et la vitamine D.

Les lipides sont, de tous les éléments nutritifs, ceux qui sont les plus fortement associés aux maladies chroniques. Une alimentation riche en lipides a en effet souvent été associée à des risques accrus d'obésité, de maladies cardiovasculaires et à certaines formes de cancer.

Parce que les lipides apportent plus du double de calories que les glucides par unité de poids, les personnes qui favorisent une alimentation riche en lipides ont tendance à consommer plus d'énergie que nécessaire et d'augmenter par voie de conséquence leur risque de développer un surpoids.

L'hyperlipidémie, laquelle peut inclure l'hypertriglicéridémie et l'hypercholestérolémie, constitue un des principaux facteurs de risque de maladies cardiovasculaires. Des taux de cholestérol sanguin élevés, notamment de LDL jumelés à des taux bas de HDL, forment un tableau clinique particulièrement dangereux. Une alimentation riche en lipides saturés ou en acides gras de configuration *trans* augmente les taux de LDL et réduit les taux de HDL alors qu'une alimentation qui fait une large part aux lipides insaturés et aux acides gras ω-3 tend à normaliser ces paramètres. Étonnamment et contrairement à la croyance populaire, des apports élevés de cholestérol alimentaire ne se traduisent pas nécessairement par une cholestérolémie élevée chez tous les individus. Parce que l'organisme produit lui-même du cholestérol, il possède les mécanismes pour en réguler la production et l'excrétion. Ainsi, pour la majorité des personnes, une augmentation des apports de cholestérol alimentaire se traduit par une diminution de la production endogène de cholestérol et/ou une augmentation de son excrétion. Chez certaines personnes, l'équilibre est toutefois plus difficile à maintenir, un phénomène qui s'expliquerait par des facteurs génétiques.

Précisons en outre qu'en plus du cholestérol alimentaire, d'autres lipides alimentaires ont le pouvoir d'influer sur les taux de cholestérol sanguins. Ainsi, des apports élevés d'acides gras saturés tendent à augmenter le cholestérol sanguin contenu dans les LDL et les HDL alors que les acides gras *trans*, encore plus délétères, augmentent les LDL et réduisent les HDL. À la lumière de ceci, une alimentation qui limite ces sources de graisses est à privilégier.

Certaines études épidémiologiques ont également observé des liens entre la consommation de graisses et certaines formes de cancer, en particulier ceux du sein, du côlon et de la prostate. Par ailleurs, d'autres travaux suggèrent que ces liens seraient davantage le fait d'apports énergétiques excessifs plutôt qu'un effet spécifique des graisses. Manifestement, de nouvelles études devront être effectuées avant que l'on puisse statuer sur cette question.

La carence en lipides est rare dans les pays industrialisés et, lorsqu'elle survient, elle concerne surtout les acides gras essentiels. La déficience en acides gras essentiels s'accompagne d'un retard de croissance, de troubles cutanés (peau squameuse), d'anomalies de la vision, de symptômes neurologiques et de désordres des fonctions hépatique et rénale.

2.2.6 Sources alimentaires des lipides

Comme nous l'avons vu tout au long de cette section sur les lipides, ceux-ci se trouvent dans toute une gamme d'aliments. De manière générale, les graisses de sources animales sont riches en acides gras saturés, alors que celles provenant du règne végétal contiennent des graisses insaturées.

Plus spécifiquement, on trouve l'acide linoléique en quantités importantes dans les huiles de maïs, de carthame, de soja et de tournesol, dans le germe de blé, les noix (de Grenoble et du Brésil, arachides). Par ailleurs, les viandes peuvent s'avérer de bonnes sources d'acide arachidonique. Quant à l'acide alpha-linolénique, on le retrouve dans les huiles de colza (canola), de soja, de lin (de même que les graines de lin) et le germe de blé ainsi que dans plusieurs poissons dont les sardines, le thon, le saumon, les anchois, le hareng, le maquereau, la truite et le foie de morue. Rappelons également que l'huile d'olive constitue la principale source d'acide gras monoinsaturé, bien que les huiles de colza (canola), d'amande, de noisette, de pacane et de pistache en contiennent également des quantités appréciables. Le tableau 2.5 présente la teneur de divers aliments riches en acides gras oméga-3.

Les acides gras *trans* se trouvent quant à eux dans les margarines, les desserts commerciaux (beignes, biscuits, gâteaux), les craquelins, les croustilles, le beurre d'arachide et les aliments panés ou frits. Toutefois, en raison de leur impact sur le plan des lipides sanguins plusieurs margarines molles qui auparavant contenaient des acides gras *trans*, sont maintenant fabriquées à partir d'acides gras saturés naturels. Malgré cet ajout, ces margarines contiennent très peu de gras saturés et sont maintenant exemptes d'acides gras *trans*.

TABLEAU 2.5

Aliments riches en acides gras oméga-3

ALIMENTS	OMÉGA-3 (g)	ALIMENTS	OMÉGA-3 (g)
Sources végétales (acide linolénique)		**Sources marines (Acide eicosapentanoïque, Acide docosahexaénoïque)**	
Huile de lin, 15 ml	7,7	Saumon de l'Atlantique, 100 g	2,3
Noix de Grenoble, 60 ml	2,7	Hareng, 100 g	2,2
Graine de lin, 15 ml	2,5	Maquereau, 100 g	1,9
Huile de canola, 15 ml	1,3	Saumon en conserve, 100 g	1,8
Huile de soya, 15 ml	0,9	Sardines, 100 g	1,5
Œuf oméga-3*, 1 œuf	0,4	Thon, 100 g	0,3-1,2
		Truite arc-en-ciel, 100 g	1,2
		Huîtres, 100 g	0,6
		Crevettes, 100 g	0,3

* Les œufs omégas-3 proviennent d'une alimentation de la poule enrichie au lin.

TABLEAU 2.6

Teneur en cholestérol de divers aliments riches en cholestérol

ALIMENTS	CHOLESTÉROL (MG)	ALIMENTS	CHOLESTÉROL (MG)
Viandes		**Produits laitiers**	
Bœuf, 100 g	65-85	Lait 3,3 % m.g., 250 ml	35
Porc, 100 g	75-105	Lait 2 % m.g., 250 ml	19
Jambon, 100 g	50-60	Lait 1 % m.g., 250 ml	10
Agneau, 100 g	90-120	Lait écrémé, 250 ml	5
Veau, 100 g	110-130	Fromages, 30 g	25-35
Dinde, 100 g	75-85	Yogourt, 175 ml	17
Poulet, 100 g	85-95		
Saucisse, 100 g	70-90	**Matières grasses**	
		Beurre, 15 ml	30
Abats		Saindoux, 15 ml	12
Cervelle, 100 g	2000		
Foie de volaille, 100 g	630	**Oeufs**	
Autres foies, 100 g	400-500	Œuf, 1 gros	186
Rognons, 100 g	500-700	Œuf Oméga-3, 1 gros	190
Ris de veau, 100 g	469		
Cœur, 100 g	200-250		
Poissons, crustacés et mollusques			
Poisson, 100 g	65-90		
Poisson en conserve, 100 g	20-40		
Crevettes, 100 g	180		
Crabe, 100 g	60-100		
Homard, 100 g	72		
Huîtres et moules, 100 g	50-100		

Tel que mentionné précédemment, le cholestérol se trouve exclusivement dans les aliments d'origine animale et est présent en quantités particulièrement importantes dans le jaune d'œuf, les abats, les produits laitiers, les viandes, les volailles, les mollusques et les crustacés. À noter que, malgré leur teneur relativement élevée en cholestérol, les produits de la mer ne constituent pas nécessairement des aliments riches en lipides. Le tableau 2.6 présente la teneur en cholestérol de divers aliments riches en cholestérol. Par ailleurs, on trouve les phytostérols dans les produits céréaliers à grains entiers, puisque le son et le germe des céréales en sont particulièrement riches. De même, les huiles végétales et les légumes (le brocoli, les choux, l'avocat) en constituent de bonnes sources.

Enfin, on trouve la lécithine et d'autres phospholipides en quantités importantes dans le jaune d'œuf, le germe de blé, les légumineuses (soja), et les arachides.

Le tableau 2.7 donne un aperçu de la teneur en lipides de certains aliments usuels.

TABLEAU 2.7

Teneur moyenne en lipides de divers aliments

ALIMENTS	LIPIDES (g)	ALIMENTS	LIPIDES (g)
Viandes et substituts		**Produits céréaliers**	
Bœuf, noix de ronde, 100 g	7	Pain, 1 tranche	1-2
Bœuf, coupe maigre, 100 g	10-15	Riz, 125 ml	traces
Bœuf haché maigre, 100 g	15	Pâtes alimentaires, 250 ml	1
Bœuf haché régulier, 100 g	20	Céréales à déjeuner	2-4
Porc maigre, 100 g	8-10	à grains entiers, 250 ml	
Porc maigre + gras, 100 g	15	Céréales à déjeuner	≤ 1
Poulet, cuisse, viande, 100 g	8,4	raffinées, 250 ml	
Poulet, cuisse, viande + peau, 100 g	13,5		
Poulet, poitrine, viande, 100 g	2,1	**Légumes et fruits**	
Saucisse porc et bœuf,100 g	36	Avocat	30
Foie, 100 g	4-8	Olives, 10	5
Poisson frais, 100 g	2-6	Autres fruits, 250 ml	< 1
Poisson en conserve + huile, 100 g	12	Légumes, 250 ml	< 1
Crabe, crevettes, homard, 100 g	0,5-2,0		
Moules et huîtres, 100 g	2-5	**Matières grasses**	
Œuf, 1 gros	5	Huile végétale, 15 ml	13,8
Légumineuses, 125 ml	≤ 1	Beurre, 15 ml	11,7
Noix et graines, 60 ml	16-20	Margarine, 15 ml	11,6
		Mayonnaise, 15 ml	11,2
Lait et substituts		Vinaigrette régulière,15 ml	5-7
Lait 3,3 % m.g., 250 ml	9	Vinaigrette légère, 15 ml	0,5-2,0
Lait 2 % m.g., 250 ml	5		
Lait 1 % m.g., 250 ml	3	**Autres aliments**	
Lait écrémé, 250 ml	traces	Tarte, 1 pointe	25-30
Boisson de soya, 250 ml	5	Beignes et gâteaux, 50 g	15-25
Yogourt, 175 ml	5	Croustilles, 50 g	15
Fromage régulier, 30 g	7-10	Chocolat, 1 barre	10-15
Fromage écrémé, 30 g	2-4	Muffin commercial	10-15
Crème 15 %, 15 ml	2	Croissant au beurre	12
Crème 35 %, 15 ml	5	Crème glacée, 125 ml	9
		Barre tendre	6
		Biscuits, 40 g	4-8

2.3 Les protéines

Des trois macronutriments présentés dans ce chapitre, ce sont certainement les protéines qui jouissent de la meilleure réputation. À juste titre, on les associe à la force, à la vitalité, et leur importance dans le maintien de la santé ne fait aucun doute. Précisons que les protéines ont été les premiers nutriments à avoir été identifiés comme tels dans l'histoire de la nutrition, le terme «protéine» ayant été introduit par un chimiste hollandais dans la première moitié du XIXe siècle.

À l'instar des glucides et des lipides, les protéines sont formées d'atomes de carbone, d'hydrogène et d'oxygène, mais s'en distinguent par la présence d'atomes d'azote (N) et peuvent comporter des atomes de soufre. Les composés contenant de l'azote sont dits «aminés». Et bien que le corps comporte d'autres substances de nature aminée, les protéines constituent la principale source d'azote de l'organisme.

Chez un adulte en santé, les protéines représentent environ le cinquième de la masse corporelle. De cette proportion, environ la moitié d'entre elles se trouvent dans les muscles; un cinquième, dans les os et les cartilages; le reste, dans les autres tissus et fluides de l'organisme.

2.3.1 Les acides aminés

Sur le plan chimique, les protéines sont formées d'une série d'unités de base appelées acides aminés. La molécule d'acide aminé se compose, comme on le voit à la figure 2.11, d'un atome de carbone en son centre auquel sont rattachés quatre groupes chimiques dont trois sont communs à tous les acides aminés: un groupe acide (COOH), un groupe aminé (NH_2) et un groupe formé d'un atome d'hydrogène (H). Le quatrième groupe, habituellement représenté par le symbole «R», diffère d'un acide aminé à l'autre et détermine la spécificité de chacun.

On compte vingt acides aminés dans la nature: onze qui peuvent être synthétisés par l'organisme (ils sont dits non essentiels) et neuf que l'organisme est incapable de fabriquer ou de fabriquer en quantité suffisante pour répondre aux besoins physiologiques, et qui doivent nécessairement provenir de l'alimentation (ceux-là sont dits essentiels). Le tableau 2.8 présente les acides aminés essentiels et non essentiels.

FIGURE 2.11

Structure générale d'un acide aminé

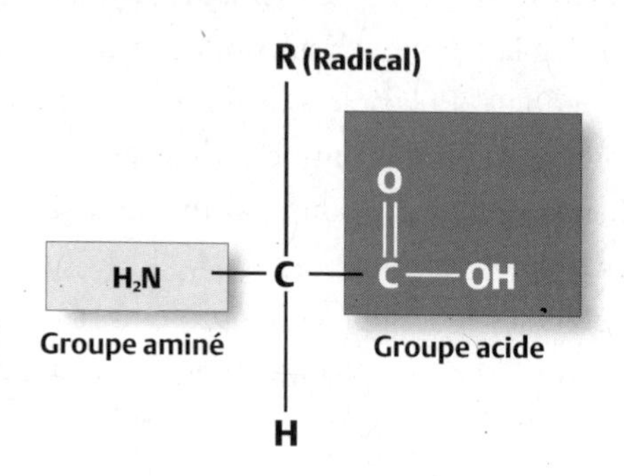

Dans l'organisme, les acides aminés sont liés les uns aux autres par ce que l'on appelle des liens peptidiques. Lorsque deux acides aminés sont attachés, ils forment un dipeptide; lorsqu'un troisième est présent, un tripeptide; lorsque plusieurs acides aminés sont liés entre eux, un polypeptide. Dans les protéines, le nombre d'acides aminés peut varier de quelques dizaines à plusieurs centaines.

L'organisme contiendrait entre 10 000 et 50 000 protéines différentes. Cette diversité impressionnante tient au fait que contrairement aux glucides, par exemple, dont l'unité de base (le glucose) ne varie pas, celle des protéines (l'acide aminé) se présente sous vingt formes différentes. Or, le

TABLEAU 2.8

Liste des acides aminés essentiels et non essentiels

ACIDES AMINÉS ESSENTIELS	ACIDES AMINÉS NON ESSENTIELS
Histidine Isoleucine Leucine Lysine Méthionine Phénylalanine Thréonine Tryptophane Valine	Acide aspartique Acide glutamique Alanine Arginine Asparagine Cystéine Glutamine Glycine Proline Sérine Tyrosine

nombre, la séquence et l'organisation des acides aminés contenus dans une protéine en déterminent la structure globale et influencent la nature de son activité biologique. Par exemple, bien que les protéines des muscles soient constituées des mêmes acides aminés que celles du foie, ces organes remplissent des fonctions physiologiques bien différentes.

2.3.2 Aspects métaboliques des protéines

À l'instar des glucides et des lipides, les protéines alimentaires doivent être fragmentées en molécules plus petites avant d'être absorbées. Les protéines sont d'abord humectées et broyées dans la bouche, mais leur véritable digestion ne débute que dans l'estomac. À leur arrivée, les protéines subissent l'action de l'acide chlorhydrique qui simplifie leur structure et les expose à l'action d'une enzyme appelée pepsine qui s'attaque aux liens peptidiques. Précisons que la pepsine est sécrétée dans l'estomac sous une forme inactive, le pepsinogène, afin d'éviter que les cellules qui la produisent ne soient elles-mêmes digérées; le pepsinogène est activé en pepsine en présence de l'acide chlorhydrique. Les polypeptides formés par l'action de la pepsine sont ensuite acheminés dans l'intestin grêle où ils continuent d'être digérés, notamment par trois enzymes sécrétées par le pancréas: la trypsine, la chymotrypsine et l'élastase. À l'instar de la pepsine, ces enzymes sont d'abord sécrétées sous forme inactive, respectivement le trypsinogène, le chymotrypsinogène et la proélastase, avant d'être transformées dans leur forme active. Sous leur action, les polypeptides sont scindés en tripeptides, en dipeptides ou en acides aminés. La digestion de ces peptides est ensuite achevée par des enzymes de la muqueuse intestinale, les tripeptidases et les dipeptidases. La figure 2.12 illustre les principales étapes de la digestion des protéines.

Les acides aminés produits par suite de la digestion des protéines sont absorbés dans les cellules intestinales par des mécanismes de transport facilité, puis sont largués dans la circulation porte. Arrivés au foie, les acides aminés participent à la synthèse des protéines plasmatiques (par exemple, l'albumine), tandis que ceux qui restent sont retournés à la circulation sanguine pour être transportés aux tissus de l'organisme. À souligner que contrairement aux glucides et aux lipides, il n'y a pas

FIGURE 2.12

Principales étapes de la digestion des protéines

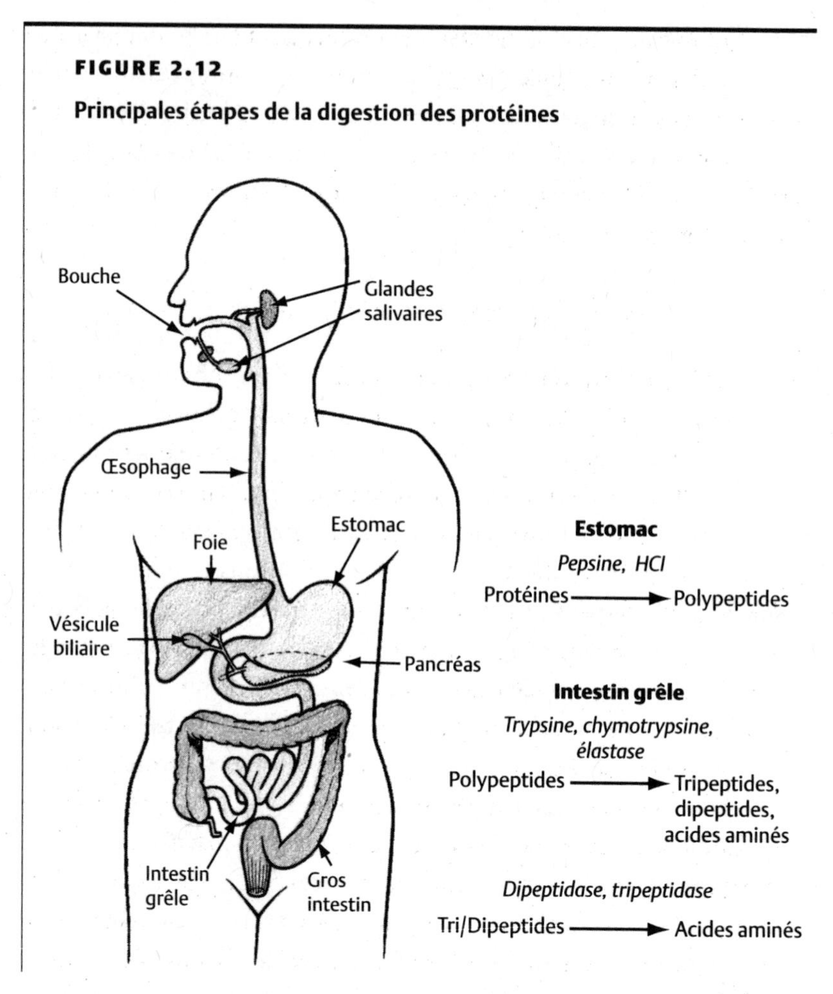

d'accumulation des protéines dans le corps. Ainsi, les acides aminés qui ne sont pas utilisés par les tissus sont catabolisés. Cette particularité du métabolisme protéique réduit ainsi la pertinence d'apports alimentaires qui excèdent les recommandations nutritionnelles et, surtout, devrait décourager la prise de suppléments protéiques qui sont censés augmenter les réserves protéiques de l'organisme.

Bien que la grande majorité des protéines alimentaires ingérées soient digérées et absorbées, leur taux de digestibilité varie selon leur provenance alimentaire: par exemple, il est de 78% pour les légumineuses, comparativement à 97% pour les œufs. Cette différence s'explique par la présence, dans certains aliments, de substances qui réduisent l'accès des protéines à l'action des enzymes digestives (par exemple, les fibres alimentaires) ou nuisent à leur action (par exemple, certains inhibiteurs d'enzymes). Aussi, les protéines qui ne sont pas digérées sont acheminées vers le côlon où certaines servent de combustibles aux bactéries, les autres étant éliminées dans les matières fécales.

2.3.3 Rôles physiologiques des protéines et leur impact sur la santé

Les protéines sont au cœur des plus importantes fonctions physiologiques de l'organisme, et la diversité de leur action est inégalée. Par exemple, les protéines participent à la structure de l'organisme en tant que constituant des os, des dents et des muscles. Elles forment également une proportion importante des tissus conjonctifs (ligaments et tendons) et épithéliaux (peau, ongles, poils, cheveux).

Par ailleurs, les protéines entrent dans la composition de plusieurs composés essentiels au fonctionnement de l'organisme. Par exemple, les enzymes qui catalysent les réactions chimiques sont par définition des protéines, tandis que plusieurs hormones (par exemple, l'insuline) sont de nature protéique. Les anticorps qui interviennent dans la défense de l'organisme sont aussi de nature protéique, tout comme le sont les facteurs qui assurent la coagulation sanguine. Par ailleurs, les molécules chargées du transport des composés organiques, tels que l'oxygène (hémoglobine et myoglobine), les lipides (lipoprotéines), les vitamines (protéine qui lie le rétinol) de même que des minéraux (transferrine responsable du transport du fer), sont également des protéines.

Une autre fonction essentielle des protéines dans l'organisme consiste à assurer la répartition et la chimie des fluides corporels. Par le biais des protéines présentes dans la circulation sanguine, par exemple l'albumine, les protéines contribuent au maintien de l'équilibre hydrique et acidobasique de l'organisme.

Enfin, à l'instar des autres macronutriments, les protéines sont une source d'énergie pour l'organisme. Toutefois, compte tenu de leurs nombreux autres rôles au sein de l'organisme, les protéines ne constituent généralement pas une source privilégiée de combustibles, les glucides et les lipides permettant d'économiser les protéines à titre de carburant.

À la lumière de ce qui a été présenté jusqu'ici, il est facile de comprendre pourquoi il est nécessaire d'absorber chaque jour des quantités adéquates de protéines. Toutefois, qu'en est-il lorsque les apports se situent au-delà ou en deçà des quantités recommandées?

2.3.3.1 *L'excès de protéines*

Dans les études épidémiologiques, l'excès de protéines alimentaires, en particulier d'origine animale, est associé, dans les pays industrialisés, à une plus forte prévalence de maladies cardiovasculaires et de certaines formes de cancer. Toutefois, comme les aliments riches en protéines animales sont également des sources importantes de lipides saturés et de cholestérol, il est généralement difficile de distinguer la contribution spécifique des protéines de celle du reste du régime. L'excès de protéines d'origine végétale serait par contre moins délétère pour l'organisme, des études d'intervention réalisées auprès de patients hypercholestérolémiques ayant démontré qu'il est possible d'abaisser les taux de cholestérol sanguin lorsqu'elles sont substituées aux protéines d'origine animale. Par ailleurs, bien que des travaux aient associés un excès de protéines d'origine animale à une augmentation de l'excrétion urinaire de calcium, une condition pouvant favoriser la formation de calculs rénaux et le développement de l'ostéoporose, ce dernier lien n'est toujours pas démontré. Par ailleurs, il ne fait aucun doute que des apports excessifs de protéines (par exemple, plus du double des apports recommandés) augmentent le travail des reins et du foie, deux organes qu'il n'est nul besoin de solliciter inutilement. Pour cette raison, les apports protéiques des personnes en santé devraient se rapprocher des quantités recommandées. En outre, il n'existe aucune indication selon laquelle la prise de suppléments protéiques comporterait quelque avantage que ce soit.

2.3.3.2 *La carence protéique*

Dans les pays où les apports alimentaires sont insuffisants, la carence en protéines entraîne une condition appelée kwashiorkor. Surtout rencontrée chez les enfants, cette condition se manifeste notamment par l'apparition d'œdème au niveau des jambes, du corps et des bras, par la présence d'anorexie, d'anémie et de diarrhée, lesquels conduisent souvent à des états léthargiques. À long terme, le kwashiorkor entraîne un retard de la croissance et une insuffisance pondérale.

Dans les pays économiquement favorisés, on constate rarement de la carence protéique, mais celle-ci peut toucher certains groupes plus vulnérables. Au cours des dernières années, la carence protéique a en effet été détectée chez plusieurs groupes de patients hospitalisés, notamment les patients âgés. Très souvent la carence était attribuable à des facteurs tels que des apports alimentaires insuffisants, la malabsorption, la présence d'états hypercataboliques, des désordres hépatiques ou la présence de syndromes néphrotiques.

Précisons que nous étudierons en détail, au chapitre 11, la carence protéique, notamment celle qui est associée à une insuffisance calorique (aussi appelée carence protéino-énergétique), telle qu'on la voit au sein des clientèles gériatriques.

2.3.4 Sources alimentaires des protéines

Comme le montre le tableau 2.9, on trouve des protéines dans une variété d'aliments provenant tant du règne animal que végétal. Ainsi, la viande, la volaille, le poisson figurent parmi les meilleures sources; suivent les œufs, les légumineuses, les noix, les graines et les produits laitiers. La teneur protéique des produits céréaliers, des fruits et des légumes est par ailleurs beaucoup plus faible.

Le contenu en protéines d'un aliment n'est toutefois pas le seul aspect à considérer lorsque l'on évalue la valeur protéique d'un aliment; la composante qualitative est également importante. D'un point de vue nutritionnel, la qualité d'une protéine tient compte de son contenu en acides aminés essentiels. Comme nous l'avons vu, la présence de tous les acides aminés (essentiels et non essentiels) est nécessaire pour assurer une synthèse protéique qui réponde aux besoins de l'organisme. Aussi, on dit d'une protéine qu'elle est de haute qualité ou «complète» lorsque les acides aminés essentiels y sont présents dans des proportions qui reflètent les besoins de synthèse de l'organisme. En revanche, une protéine est dite de plus faible qualité ou «incomplète» si certains acides aminés y sont présents en quantités relativement insuffisantes. Aussi, les protéines d'origine

TABLEAU 2.9

Teneur moyenne en protéines de divers aliments

ALIMENTS	TENEUR EN PROTÉINES (g)	ALIMENTS	TENEUR EN PROTÉINES (g)
Viandes et substituts		**Produits céréaliers**	
Bœuf, 100 g	25-30	Pain, 1 tranche	2-3
Porc, 100 g	25-30	Riz, 250 ml	4
Jambon, 100 g	20-25	Pâtes alimentaires, 250 ml	7
Veau, 100 g	25-30	Céréales à déjeuner à grains entiers, 250 ml	2-8
Poulet, dinde, 100 g	27-30	Céréales à déjeuner raffinées, 250 ml	1-2
Saucisse porc et bœuf, 100 g	14		
Foie, 100 g	25	**Légumes et fruits**	
Poisson, 100 g	20-25	Légumes, 250 ml	1-4
Crabe, crevettes, homard, 100 g	15-20	Fruits, 250 ml	1-2
Huîtres, 100 g	5-8	Fruits séchés, 250 ml	4-6
Œuf, 1 gros	6		
Légumineuses, 125 ml	7-9		
Tofu, 100g	6-8		
Noix et graines, 60 ml	5-10		
Lait et substituts			
Boisson de soya, 250 ml	12		
Lait, 250 ml	9		
Yogourt, 175 ml	9		
Fromage ferme, 30 g	7-10		
Fromage cottage, 125 ml	15		

animale sont généralement de meilleure qualité que les protéines d'origine végétale. Par exemple, la plupart des céréales sont dépourvues de lysine, tandis que la méthionine est généralement absente des légumineuses. Il est toutefois possible d'atteindre un haut degré de qualité protéique à partir des protéines végétales en combinant les aliments déficitaires dans un même repas ou au cours d'une même journée. Par exemple, un mets qui serait élaboré à partir de maïs et de lentilles (on les trouve dans plusieurs traditions culinaires d'Amérique latine) fournirait tous les acides aminés nécessaires à l'organisme malgré le fait qu'individuellement ces aliments présentent des profils d'acides aminés incomplets. Ainsi, le principe de «complémentarité» des protéines devrait être appliqué lorsque l'alimentation privilégie les protéines d'origine végétale tel qu'on le voit chez les végétariens de stricte obédience. Toutefois, dès lors qu'une alimentation admet les protéines d'origine animale, même en petites quantités, la qualité protéique de l'alimentation est généralement assurée. Par exemple, les lacto-ovo-végétariens, c'est-à-dire les personnes qui ne consomment ni viande, ni poisson, ni volaille, mais qui admettent les produits laitiers et les œufs, n'ont pas à se soucier de la complémentarité des protéines qu'ils ingèrent.

Nous avons vu dans ce chapitre que les glucides, les lipides et les protéines constituaient les principales sources d'énergie de l'organisme. Leur action est toutefois largement tributaire d'un deuxième groupe d'éléments nutritifs : les vitamines et les minéraux (qu'on appelle micronutriments parce que l'organisme en a besoin en très petites quantités). En effet, bien qu'ils ne génèrent pas d'énergie eux-mêmes, ces derniers participent aux réactions qui libèrent l'énergie contenue dans les macronutriments. Nous étudierons les micronutriments dans les deux chapitres qui suivent : d'abord les vitamines (chapitre 3), puis les minéraux (chapitre 4).

Références

Desaulniers, M. et M. Dubost, *Table de composition des aliments*, vol. 1 et 2, 2e édition, Montréal, Département de nutrition/Université de Montréal, 2006.

Dubost, M., *La Nutrition*, 3e éd., Montréal, Chenelière Éducation, 2005, 366 p.

Institute of Medicine and Food and Nutrition Board, *Dietary Reference Intakes for Energy, Carbohydrate, Fiber, Fat, Fatty Acids, Cholesterol, Protein, and Amino Acids*, Washington DC, National Academy Press, 2002.

Jones P. et A. A. Papamandjaris, «Lipids: Cellular metabolism», dans R.M. Russell et B. Bowman (dir.), *Present Knowledge in Nutrition*, 9e éd., Washington DC, ILSI Press, 2006, p. 125-137.

Lichtenstein A. H. et P. Jones, «Lipids: Absorption and transport», dans R. M. Russell et B. Bowman (dir.), *Present Knowledge in Nutrition*, 9e éd., Washington DC, ILSI Press, 2006, p. 111-124.

Mahan, K. L. et S. Escott-Stump (dir.), *Krause's Food, Nutrition & Diet Therapy*, 11e édition, Philadelphie/Toronto, W. B. Saunders, 2004, 1321 p.

3
LES VITAMINES

Bien que les peuples bénéficient des vertus des vitamines depuis des siècles – par exemple, les Égyptiens soignaient la cécité nocturne avec du foie (excellente source de vitamine A) et les Amérindiens traitaient le scorbut avec des aiguilles de pin (source de vitamine C) –, ce n'est qu'en 1911 que le mot « vitamine » apparaît dans la littérature scientifique. La notion de « vitamine » est donc relativement récente. L'appellation tire son origine des travaux relatifs à la thiamine (dont les caractéristiques allaient être déterminées vingt-cinq ans plus tard) en raison de son caractère essentiel à la vie (*vita*) et de sa nature azotée (*amine*). Si les vitamines identifiées comme telles par la suite n'ont pas nécessairement répondu au critère « aminé », toutes sans exception se sont avérées essentielles à la vie.

Par définition, les vitamines sont apportées en petites quantités (microgrammes ou milligrammes) par l'alimentation, les espèces animales – incluant l'humain – étant incapables de les synthétiser ou de les produire en quantités suffisantes pour répondre aux besoins de l'organisme. À ce jour, on compte treize vitamines dont quatre sont solubles dans les graisses, les vitamines *liposolubles*, et neuf sont solubles dans l'eau, les vitamines *hydrosolubles*. Le tableau 3.1 présente la classification des vitamines.

TABLEAU 3.1

Classification des vitamines

VITAMINES LIPOSOLUBLES	VITAMINES HYDROSOLUBLES
Vitamine A	Thiamine
Vitamine D	Riboflavine
Vitamine E	Niacine
Vitamine K	Vitamine B_6
	Acide folique
	Vitamine B_{12}
	Acide pantothénique
	Biotine
	Vitamine C

Sur le plan chimique, les vitamines sont formées essentiellement d'atomes de carbone, d'oxygène et d'hydrogène. Elles sont donc de nature organique. Par conséquent, et comme nous le verrons tout au long de ce chapitre, les vitamines sont généralement sensibles aux conditions de l'environnement, plusieurs facteurs tels que la chaleur, l'oxygène, les rayons ultraviolets entraînant leur déperdition. De plus, les vitamines hydrosolubles auront tendance à migrer dans l'eau de cuisson, ce qui réduit la teneur vitaminique des aliments.

De manière générale, les vitamines liposolubles empruntent la voie d'absorption des autres lipides alimentaires (la voie lymphatique), alors que les vitamines hydrosolubles sont absorbées par diffusion passive ou par transport facilité (circulation porte). En raison de leurs caractéristiques chimiques, les vitamines liposolubles ont tendance à s'accumuler dans les graisses, alors que les vitamines hydrosolubles sont rapidement excrétées dans l'urine. Par conséquent, les vitamines hydrosolubles doivent être consommées presque quotidiennement, ce qui n'est pas le cas des vitamines liposolubles. Aussi, les états de carence auront tendance à survenir plus rapidement pour les vitamines hydrosolubles, tandis que les cas de toxicité concerneront davantage les vitamines liposolubles.

Sur le plan physiologique, les vitamines exercent de multiples fonctions. Plusieurs sont impliquées, à titre de cofacteur, dans des réactions chimiques relatives au métabolisme des macronutriments ou responsables de la production d'énergie, certaines stabilisent les membranes cellulaires par leur propriétés antioxydantes, quelques-unes participent à l'expression génique alors que d'autres ont des actions qui s'apparentent davantage à celles des hormones. De manière générale, les vitamines sont donc essentielles à la croissance et au développement, et elles contribuent au bon fonctionnement de l'organisme.

Dans les pages qui suivent, nous présenterons les vitamines et leurs principales composantes métaboliques (absorption, distribution et excrétion), physiologiques (fonctions) et nutritionnelles (sources alimentaires, biodisponibilité, carence et toxicité). Les besoins vitaminiques, en particulier ceux de l'organisme sénescent, de même que les quantités jugées toxiques seront analysés en détail au chapitre 7. Enfin, ce chapitre traite aussi brièvement de divers composés alimentaires dont les actions s'apparentent à celles des vitamines, bien qu'ils ne répondent pas à la définition des vitamines.

3.1 Les vitamines liposolubles

Dans cette première section, nous abordons les propriétés des vitamines liposolubles, soit les vitamines A, D, E et K.

3.1.1 La vitamine A

Première vitamine liposoluble à être découverte en 1913, la vitamine A est présente de manière naturelle dans les tissus animaux sous forme de rétinol, de rétinal et d'acide rétinoïque. Les esters de rétinol sont la forme de réserve. Ces composés constituent la famille des rétinoïdes. Dans les plantes, on trouve la vitamine A sous forme de précurseurs ou de provitamines dans les pigments caroténoïdes. Plus de six cents caroténoïdes ont été identifiés à ce jour et bien que plusieurs possèdent une activité provitaminique A, trois sont particulièrement importants, à savoir le bêta-carotène, l'alpha-carotène et la bêta-cryptoxanthine. Le bêta-carotène est le plus abondant et forme deux molécules de rétinol, tandis que l'efficacité de conversion en rétinol des deux autres est moindre. Le lycopène, la lutéine et la zéaxanthine sont présents en quantités importantes dans l'alimentation, mais ne possèdent pas d'activité provitaminique A.

ABSORPTION, DISTRIBUTION, EXCRÉTION

La vitamine A préformée est absorbée au niveau de l'intestin grêle après que les esters de rétinol contenus dans les aliments ont été hydrolysés en rétinol, leur absorption étant dépendante de la présence concomitante de matières grasses, de bile et de sucs pancréatiques. L'efficacité moyenne d'absorption du rétinol est de 70 à 90 %. De même, les caroténoïdes doivent être hydrolysés en rétinol dans les cellules intestinales avant d'être absorbés ; cependant, leur efficacité d'absorption est nettement moindre, soit entre 9 et 22 %. Après avoir passé la paroi intestinale, le rétinol est incorporé aux chylomicrons sous forme d'ester de rétinol, puis transporté au foie via la lymphe et le sang. Dans des conditions normales, près de 90 % du rétinol corporel se trouve dans le foie, le reste étant distribué dans le tissu adipeux, les poumons et les reins. Lorsque les besoins en vitamine A augmentent en périphérie, la vitamine quitte le foie liée à une protéine de liaison, la protéine de liaison du rétinol, puis est transportée aux tissus cibles où elle est captée par des récepteurs spécifiques. L'essentiel de la vitamine A est excrétée dans l'urine sous forme de métabolite ; de petites quantités sont également excrétées dans les fèces via la bile.

FONCTIONS

Dans l'organisme, la vitamine A exerce plusieurs fonctions. Elle est essentielle à la vision, car c'est un constituant des pigments contenus dans les bâtonnets et les cônes de la rétine, structures permettant respectivement la vision en luminosité restreinte et la perception des couleurs. Précisons que les pigments contenus dans les bâtonnets sont particulièrement sensibles à la quantité de vitamine A disponible. Par ailleurs, la vitamine A agit sur le plan systémique où elle participe à la différenciation cellulaire et à la morphogenèse. Elle assure notamment l'intégrité des épithéliums, c'est-à-dire les cellules qui composent les surfaces corporelles, dont la peau et les muqueuses (par exemple de la bouche, des yeux, des voies digestive et respiratoire), et les cellules chargées de sécréter le mucus et le sébum. En outre, la vitamine A est essentielle à la croissance osseuse et tissulaire, elle est nécessaire à la reproduction et elle participe au bon fonctionnement du système immunitaire. L'action de la vitamine A sur le plan systémique est d'abord celle de l'acide rétinoïque, qui influence l'expression des gènes contenus dans le noyau de la cellule. Chez l'humain, la seule fonction reconnue des caroténoïdes est celle relative à leur activité provitaminique A. Par ailleurs, ils pourraient agir à d'autres niveaux, des travaux ayant associé ces composés à une amélioration de la fonction immunitaire et à une diminution des risques de maladies cardiovasculaires et de certains types de cancer. Toutefois, d'autres résultats de recherches ont rapporté des effets délétères chez certaines populations, à la suite de l'ingestion de grandes quantités de bêta-carotène.

▶ SOURCES

La vitamine A préformée se trouve essentiellement dans les aliments d'origine animale, les meilleures sources étant le foie, les huiles de poisson, les œufs, le lait et les produits laitiers en général. En revanche, on trouve le bêta-carotène et les autres caroténoïdes dans les végétaux, notamment dans les fruits et les légumes de couleur jaune, rouge ou orange (par exemple, les carottes, les poivrons, les courges, les oranges, le cantaloup) ou vert foncé (par exemple, les épinards, la laitue frisée). Dans sa forme pure, la vitamine A est sensible à la lumière, à l'oxydation et aux températures très élevées ; elle est toutefois relativement protégée dans les aliments.

▶ CARENCE, TOXICITÉ

La carence en vitamine A est l'une des carences vitaminiques les plus répandues dans le monde et constitue la principale cause de cécité chez les enfants dans les pays en voie de développement. La carence en vitamine A s'accompagne d'abord d'une difficulté à s'adapter à l'obscurité, la cécité nocturne. Avec la progression de la maladie, on observe une atteinte des épithéliums, qui s'assèchent et deviennent durs, un processus appelé kératinisation. Le tissu épithélial de la cornée de l'œil sera particulièrement affecté et conduira à la cécité totale si la carence n'est pas traitée. On appelle l'ensemble de ces atteintes le syndrome xérophthalmique. La carence en vitamine A diminue également la fonction immunitaire, augmente les risques de morbidité liée aux infections, particulièrement celles relatives au système respiratoire, et nuit de manière générale à la croissance et à la reproduction.

La vitamine A sous forme de rétinoïde est toxique pour l'organisme lorsqu'elle est consommée en quantités excessives. Dans les cas modérés, elle s'accompagne notamment de nausées, de vomissements, de maux de tête, de rougeurs et d'une desquamation de la peau, et de douleurs articulaires. Dans les cas plus sévères, elle entraîne des altérations des systèmes hépatique et nerveux central, de même que des anomalies osseuses. L'intoxication à la vitamine A peut aussi provoquer des avortements et des anomalies à la naissance (effet tératogène). En revanche, les caroténoïdes ne sont pas toxiques, l'hypercaroténémie associée à des apports élevés entraînant une pigmentation orangée de la peau, une propriété mise en valeur dans plusieurs lotions bronzantes actuellement sur le marché.

3.1.2 La vitamine D

La vitamine D est présente dans la nature sous forme de précurseur de la vitamine ou provitamine D; dans les tissus animaux, on nomme ce précurseur cholécalciférol, tandis que dans les végétaux, il est appelé ergocalciférol. En outre, la vitamine D est une des vitamines que l'être l'humain est capable de produire. Cette synthèse s'effectue au niveau de la peau à partir du 7-déshydrocholestérol, un intermédiaire du cholestérol, après irradiation de ce dernier par les rayons ultraviolets émis par le soleil. On estime que l'exposition des mains et du visage pendant quinze minutes, à raison de deux à trois fois par semaine, permet de synthétiser des quantités suffisantes de vitamine D. Précisons toutefois qu'au Canada et dans les pays de latitudes comparables, la biosynthèse de la vitamine D est grandement réduite durant les mois d'hiver en raison de l'inclinaison de la Terre. En outre, les écrans solaires contenant un facteur de protection (FPS) de plus de 8 et la pollution réduisent la production de vitamine D au niveau de la peau. De même, la biosynthèse du cholécalciférol dans l'épiderme a tendance à diminuer au cours du vieillissement et elle est généralement plus lente chez les personnes de peau noire ou fortement pigmentée.

▶ ABSORPTION, DISTRIBUTION, EXCRÉTION

La vitamine D provenant de l'alimentation est absorbée au niveau de l'intestin grêle avec les lipides alimentaires. Les conditions qui interfèrent avec l'absorption des lipides vont également nuire à son absorption. La vitamine absorbée est ensuite intégrée aux chylomicrons, puis transportée dans la lymphe où elle circule liée à une protéine de liaison. L'efficacité d'absorption de la vitamine varie entre 50 et 80 %. La vitamine D absorbée tout comme celle synthétisée au niveau de la peau est transportée au foie où elle subit une première modification (hydroxylation) et devient la 25 (OH) vitamine D, la principale forme de réserve de la vitamine. Après son passage au foie, la vitamine D subit une deuxième hydroxylation au niveau du rein et devient la 1,25 $(OH)_2$ vitamine D, la forme active de la vitamine, considérée comme une véritable hormone. Cette biotransformation s'effectue grâce à une enzyme, la 1-alpha hydroxylase, dont l'activité diminue au cours du vieillissement, et est sous le contrôle de la parathormone, une hormone produite par les glandes parathyroïdiennes. La vitamine D active est ensuite amenée aux tissus cibles. Contrairement à la vitamine A, la vitamine D n'est pas mise en réserve en grandes quantités dans le foie mais distribuée dans l'ensemble des tissus. La bile constitue la principale voie d'excrétion de la vitamine D bien que de petites quantités se retrouvent dans l'urine sous forme de métabolites.

▶ FONCTIONS

La vitamine D joue un rôle essentiel dans la régulation des taux sanguins de calcium et de phosphore : elle augmente leur concentration dans le sang en facilitant leur absorption dans l'intestin, en réduisant leur excrétion par les reins et en stimulant leur mobilisation de l'os. Dans le rein et dans l'os, la vitamine D agit de concert avec la parathormone, alors que dans l'intestin elle agit seule et augmente l'absorption du calcium en stimulant la production des calbindines, protéines chargées de le lier. La vitamine D joue donc un rôle central dans la santé de l'os. Outre cette fonction, la vitamine D contribuerait, par une action directe sur l'expression des gènes, à la régulation de la prolifération et de la différenciation cellulaire dans de nombreux autres tissus (cerveau, muscles, cœur, peau, pancréas, glandes surrénales) ; plus de cinquante gènes répondent à l'action de la vitamine D.

▶ SOURCES

Peu d'aliments contiennent de la vitamine D. On la trouve toutefois en grandes quantités dans les huiles de foie de poisson et dans certains poissons. Au Canada comme aux États-Unis, le lait et la margarine sont enrichis de vitamine D, ce qui en fait des sources non négligeables. On la trouve également en petites quantités dans les œufs et le foie. La vitamine D est stable à la chaleur et à l'oxydation. Le tableau 3.2 présente la teneur en vitamine D de divers aliments.

TABLEAU 3.2

Teneur moyenne en vitamine D de divers aliments

ALIMENTS	VITAMINE D	
	(IU)	(mcg)**
Lait*, 250 ml	107	2,6
Lait concentré*, 15 ml	14	0,35
Boisson de soya*, 250 ml	88	2,2
Huile de foie de poisson,15 ml	> 1000	> 25
Saumon en filet, 100 g	600	15
Poisson en conserve, 100 g	280-675	7-17
Foie, 100 g	30	0,75
Margarine*, 15 ml	80	2
Œuf, 1	25	0,6

* Ces aliments sont enrichis de vitamine D.
** 1 mcg = 40 UI.

▶ **CARENCE, TOXICITÉ**

La carence en vitamine D altère le métabolisme osseux et entraîne le rachitisme chez l'enfant, une condition caractérisée par une minéralisation insuffisante des os, des déformations osseuses et un retard de croissance. Les enfants dont l'alimentation est pauvre en vitamine D ou qui évoluent dans des régions climatiques susceptibles de réduire sa biosynthèse (présence de brouillard ou villes industrielles fortement polluées) pourraient s'avérer davantage à risque. Chez l'adulte, la carence en vitamine D s'accompagne de douleurs musculaires, d'une déminéralisation des os et d'une plus grande susceptibilité aux fractures, une condition appelée ostéomalacie. À long terme, la carence en vitamine D pourrait également favoriser le développement de l'ostéoporose, une condition associée à une réduction de la masse osseuse (sans anomalie cellulaire cependant). Aussi, les besoins des personnes confinées à l'intérieur, certaines personnes âgées par exemple, pourraient ne pas être satisfaits, surtout si leur consommation d'aliments riches en vitamine D est faible. En marge de ces conditions, des études de nature épidémiologique rapportaient récemment des risques accrus de cancers du sein, de la prostate et du côlon parmi des populations présentant des états vitaminiques D abaissés. Bien que ces études soient intéressantes, des recherches additionnelles doivent être menées avant que ces associations puissent être confirmées.

Tout comme la vitamine A, la vitamine D est toxique pour l'organisme lorsqu'elle est consommée en trop grande quantité. L'hypervitaminose D s'accompagne d'une élévation des taux de calcium et de phosphore sanguins et entraîne des dépôts de calcium dans les tissus mous, notamment dans les poumons, les reins, le cœur, les vaisseaux sanguins et les articulations, condition appelée calcinose. En revanche, rien ne permet de croire qu'une exposition prolongée au soleil entraîne une hypervitaminose D.

3.1.3 La vitamine E

La vitamine E a été découverte en 1922 en tant que facteur de fertilité, son absence étant associée à la mort fœtale chez l'animal. Elle englobe deux familles de composés, les tocophérols et les tocotriénols, qui chacun se présente sous quatre formes (ou isomères): alpha, bêta, gamma et delta. Des huit isomères, l'alpha-tocophérol est de loin celui qui possède la plus grande activité biologique.

▶ ABSORPTION, DISTRIBUTION, EXCRÉTION

La vitamine E est absorbée dans l'intestin grêle en présence de graisses, de bile et de sucs pancréatiques, toutefois son efficacité d'absorption demeure incertaine à ce jour. Les conditions qui interfèrent avec l'absorption des lipides (par exemple, l'insuffisance pancréatique, l'obstruction biliaire, la maladie cœliaque) réduisent inévitablement l'absorption de la vitamine E. Une fois absorbés, les isomères de la vitamine E pénètrent dans les chylomicrons et sont transportés vers le foie via la lymphe où seule l'alpha-tocophérol est incorporée aux lipoprotéines de faible densité pour être réintroduit dans la circulation. La vitamine E se trouve dans la majorité des organes, principalement dans les membranes, où elle est facilement mobilisable. Par contre, dans le tissu adipeux, la vitamine E est intégrée aux lipides et est peu accessible. La vitamine E est essentiellement excrétée dans les fèces via la bile, une quantité minime se retrouvant dans l'urine.

▶ FONCTIONS

La vitamine E constitue le principal antioxydant liposoluble de l'organisme. Plus spécifiquement, elle protège les phospholipides des membranes cellulaires, notamment ceux riches en acides gras polyinsaturés sensibles à l'oxydation, et les lipoprotéines plasmatiques, contre les attaques des radicaux libres. Ces composés, très réactifs, sont produits par les fonctions métaboliques normales du corps lorsque les cellules extraient l'énergie des aliments. Les rayons ultraviolets du soleil, d'autres radiations, la fumée de tabac, l'exercice excessif et le stress augmentent considérablement la présence des radicaux libres dans l'organisme. Par ailleurs, parce que les attaques radicalaires sont souvent évoquées lorsqu'il est question des changement biologiques qui surviennent au cours de la sénescence de même que dans plusieurs maladies associées au grand âge, la vitamine E a été particulièrement étudiée par les chercheurs qui œuvrent dans le domaine du vieillissement.

Enfin, en marge de sa fonction d'antioxydant, la vitamine E améliorerait la dilatation des vaisseaux sanguins et inhiberait l'agrégation plaquettaire.

► SOURCES

On trouve la vitamine E essentiellement dans les aliments d'origine végétale, les principales sources étant les huiles, les produits céréaliers à grains entiers, le germe de blé, les graines, les noix, certains légumes (patate douce) et certains fruits (mangue, bleuets). La vitamine E contenue dans les huiles est sensible à l'oxydation, à la lumière et aux alcalins. Le tableau 3.3 présente la teneur en vitamine E de divers aliments.

► CARENCE, TOXICITÉ

La carence en vitamine E est généralement liée à des conditions qui entravent l'absorption des lipides. Au niveau cellulaire, la carence en vitamine E fragilise les membranes, notamment celles des globules rouges, et entraîne une hémolyse qui peut éventuellement se traduire par de l'anémie. Une carence prolongée se manifeste par de la faiblesse musculaire, par la présence de neuropathies et de rétinopathies.

Contrairement aux vitamines A et D, la vitamine E est très peu toxique et les conséquences de cette toxicité sont généralement moins dramatiques. Chez l'enfant prématuré, des doses massives de vitamine E ont été associées à des perturbations des systèmes hépatique et rénal. Chez l'adulte, l'ingestion de quantités excessives de vitamine E peut entraîner des problèmes de coagulation, notamment en interférant avec l'absorption de la vitamine K ou en exacerbant l'action des médicaments anticoagulants tel le Coumadin®.

TABLEAU 3.3

Teneur moyenne en vitamine E de divers aliments

ALIMENTS	VITAMINE E (mg)*
Huile de germe de blé, 15 ml	20,6
Huile de tournesol, 15 ml	5,8
Autres huiles végétales, 15 ml	0,5-2,5
Graines de tournesol, 60 ml	12,6
Amandes, 60 ml	9,3
Noisettes, 60 ml	5,2
Germe de blé, 30 ml	2,6
Autres noix et graines, 60 ml	1,0-2,0
Patates douces, 250 ml	3,3
Autres légumes, 250 ml	0,2-1,5
Mangue, bleuet, papaye, 250 ml	1,0-2,0
Autres fruits, 250 ml	0,2-1,0
Œufs Omega 3, 1	5,0**
Œufs réguliers, 1	0,5
Viandes et volailles, 100 g	0,2-0,5
Foie, 100 g	0,5
Lait, 250 ml et fromage, 30 g	0,2-0,3

* Alpha-tocophérol
** D'après l'étiquette

3.1.4 La vitamine K

Découverte en 1929, la vitamine K se présente sous deux formes naturelles: la phylloquinone et les ménaquinones. D'origine végétale, la phylloquinone représente la principale source de vitamine K dans l'alimentation et pour l'organisme. En revanche, les ménaquinones sont synthétisées par les bactéries, entre autres celles que l'on trouve dans l'intestin, et forment une famille de composés possédant des activités vitaminiques variables.

▶ ABSORPTION, DISTRIBUTION, EXCRÉTION

La phylloquinone est absorbée dans la partie supérieure de l'intestin grêle et suit la voie des lipides alimentaires. Dans sa forme pure (comprimés ou gouttes), la phylloquinone est absorbée à plus de 80 %; toutefois, son absorption diminue à moins de 20 % lorsqu'elle provient des aliments. Quant aux ménaquinones produites par la flore intestinale, leur absorption est probablement très limitée du fait qu'elles sont synthétisées au niveau du côlon, un site où l'absorption des nutriments est très faible. Pour cette raison, les ménaquinones endogènes contribuent probablement peu à l'état vitaminique K en général.

Après avoir franchi la paroi intestinale, la vitamine K pénètre la circulation lymphatique incorporée aux chylomicrons où elle est transportée au foie. Elle circule dans le sang essentiellement liée aux lipoprotéines de très faible densité (VLDL) bien qu'une fraction se retrouve dans les lipoprotéines de faible densité (LDL) et de haute densité (HDL). Le foie constitue un site privilégié de stockage de la vitamine, mais on la trouve dans tous les tissus de l'organisme, incluant l'os. De 40 à 50 % de la vitamine est excrétée dans la bile et les fèces, tandis que 20 % quitte l'organisme via l'urine sous forme de métabolites.

▶ FONCTIONS

La vitamine K a d'abord été reconnue pour son rôle dans la coagulation sanguine où elle agit comme cofacteur dans une réaction de carboxylation (transfert des résidus de CO_2) et participe à l'activation biologique de plusieurs protéines appelées facteurs de coagulation. Ces protéines sont synthétisées dans le foie sous forme de précurseurs : ce sont la prothrombine, les facteurs VII, IX et X, les protéines C, S et Z. Par ailleurs, nous savons depuis quelques années que la vitamine K est également nécessaire à l'activation de plusieurs protéines d'origine extrahépatique non impliquées dans l'hémostase. Parmi les plus connues, mentionnons l'ostéocalcine, une protéine osseuse, la matrix gla protein (MGP) et la protéine Gas6, ces dernières étant largement distribuées dans l'organisme. Selon les connaissances actuelles, l'ostéocalcine participerait au remodelage osseux, la MGP agirait à titre d'inhibiteur de la calcification dans les tissus mous, tandis que la Gas6 jouerait un rôle important en tant que régulateur de la prolifération cellulaire.

▶ SOURCES

Dans l'alimentation, les principales sources de vitamine K sont les légumes verts feuillus (tels que les épinards, le chou, le brocoli), les fines herbes et certaines huiles, notamment l'huile de canola (colza), de soja et d'olive. On trouve la vitamine K en quantités moindres dans les noix et dans certaines légumineuses. La vitamine K étant très sensible à la lumière, on suggère donc de conserver les huiles dans des contenants de couleur ambre ou opaques. La vitamine K dans les légumes est bien protégée.

▶ CARENCE, TOXICITÉ

La carence en vitamine K est rare et généralement associée à des conditions qui entravent l'absorption des graisses (fibrose kystique, obstruction biliaire, cirrhose, maladies inflammatoires de l'intestin, etc.). Elle se traduit habituellement par une augmentation des temps de coagulation et, dans les cas graves, par des saignements. En raison de l'immaturité hépatique qu'ils présentent à la naissance, les nouveau-nés constituent un groupe à risque de carence en vitamine K.

La vitamine K est peu toxique même lorsqu'elle est administrée à forte dose. Précisons qu'au Canada, la vitamine K n'est pas vendue sous forme de suppléments.

Le tableau 3.4 présente un sommaire des principales propriétés des vitamines liposolubles.

3.2 Les vitamines hydrosolubles

Voyons maintenant les propriétés des vitamines hydrosolubles, soit la thiamine, la riboflavine, la niacine, la vitamine B_6, l'acide folique, la vitamine B_{12}, l'acide pantothénique et la vitamine C.

3.2.1 La thiamine

Première vitamine du complexe B à être découverte, la thiamine aussi appelée vitamine B_1 ou aneurine est présente dans l'organisme à 80 % sous forme de thiamine pyrophosphate (TPP), sa forme active. Elle joue un rôle important dans le métabolisme des glucides et des acides aminés ramifiés.

▶ ABSORPTION, DISTRIBUTION, EXCRÉTION

La thiamine est absorbée dans la partie proximale du petit intestin par un mécanisme de transport actif, lorsqu'elle est présente dans la lumière intestinale en petites quantités, et par diffusion passive, lorsqu'elle est consommée en fortes doses (> 5 mg/jour). En outre, l'absorption de la thiamine est réduite chez les personnes alcooliques ou chez celles qui présentent une carence en acide folique. La TPP présente dans les aliments doit être digérée en thiamine pour être absorbée. Après avoir passé la paroi intestinale, la thiamine est transformée

TABLEAU 3.4

Tableau sommaire des vitamines liposolubles

VITAMINE	FONCTIONS PHYSIOLOGIQUES	PRINCIPALES SOURCES ALIMENTAIRES
A	La vitamine A... • est essentielle à la vision. • participe à l'expression génique : différenciation cellulaire, morphogénèse, santé des épithéliums, croissance osseuse et tissulaire, reproduction et fonction immunitaire.	**Rétinol :** foie, huile de poissons, lait et autres produits laitiers, œufs. **Caroténoïdes :** légumes et fruits jaunes, rouges, orange et vert foncé.
D	La vitamine D... • assure le maintien des taux sériques de calcium et du phosphore et est essentielle à la santé osseuse. • régule la prolifération et la différenciation cellulaire dans plusieurs tissus.	Huiles de foie de poissons, certains poissons, lait, margarine, œufs, foie.
E	La vitamine E... • est un puissant antioxydant (protège les membranes cellulaires, les lipoprotéines). • améliorerait la dilatation des vaisseaux sanguins et inhiberait l'agrégation plaquettaire.	Huiles d'origine végétale, produits céréaliers à grains entiers, germe de blé, graines, noix, certains légumes et fruits.
K	La vitamine K... • est essentielle à la coagulation sanguine. • est nécessaire à l'activation biologique de protéines impliquées dans l'os, le métabolisme calcique et la prolifération cellulaire.	Légumes verts feuillus, fines herbes, huiles (soja, canola, olive), noix, légumineuses.

de nouveau en TPP, s'intègre à la circulation porte, puis est transportée au foie. Dans le sang, la thiamine circule dans sa forme libre ou sous forme de thiamine monophosphate liée à l'albumine ; toutefois, plus de 90 % de la thiamine est transportée dans les érythrocytes (les globules rouges du sang) sous forme de TPP. Sa captation par les tissus périphériques s'effectue par diffusion passive ou par transport actif où elle est présente dans les cellules principalement sous forme d'esters. Toutefois, les teneurs tissulaires en thiamine sont généralement faibles, cette vitamine n'étant pas stockée de manière importante. La thiamine est excrétée dans l'urine.

▶ FONCTIONS

La principale fonction de la thiamine dans l'organisme réside dans sa participation en tant que cofacteur à l'activité de plusieurs enzymes chargées de libérer l'énergie contenue dans les glucides. Elle intervient également dans la synthèse des riboses, des sucres contenus dans le matériel génétique, ainsi que dans le métabolisme des acides aminés ramifiés. Par ailleurs, la thiamine participe à la transmission des influx nerveux.

▶ SOURCES

La thiamine est bien distribuée dans l'alimentation, mais elle se trouve en quantités importantes dans les produits céréaliers enrichis et ses dérivés (pâtes alimentaires, les céréales du petit-déjeuner), le porc, le foie, les pois, les noix et certaines graines (tournesol). La vitamine est sensible à la chaleur et à l'oxydation, particulièrement en milieu alcalin. En outre, elle passe facilement dans l'eau de cuisson, ce qui entraîne sa déperdition alimentaire ; toutefois, les aliments cuits à la vapeur ou par micro-ondes préservent leur teneur vitaminique.

▶ CARENCE, TOXICITÉ

La carence en thiamine conduit au béribéri, un syndrome qui entraîne principalement des perturbations du système nerveux. Il se caractérise par de l'anorexie, la névrite périphérique (inflammation des nerfs), des troubles de la coordination et de la fonte musculaire qui, généralement, s'accompagnent d'une diminution de la capacité de travail. Dans les stades avancés, on observe, en plus des signes neurologiques, des manifestations cardiovasculaires dont l'œdème, la tachycardie et une hypertrophie du cœur (cardiomégalie) pouvant mener à l'arrêt cardiaque. Par ailleurs, la carence en thiamine est associée au syndrome de Wernicke-Korsakoff, une encéphalopathie surtout observée chez les alcooliques et qui se caractérise par de la confusion et dans les cas graves, le coma.

La thiamine est très peu toxique ; toutefois, l'ingestion de doses excessives (1000 fois supérieures aux recommandations) a été associée aux effets secondaires suivants : maux de tête, convulsions, faiblesse musculaire, arythmie et réactions allergiques.

3.2.2 La riboflavine

Identifiée comme vitamine en 1935, la riboflavine se présente dans la nature sous forme de flavine mononucléotide (FMN) et de flavine adénine dinucléotide (FAD). Tout comme la thiamine, la riboflavine contribue à la libération de l'énergie contenue dans les macronutriments et, à ce titre, joue un rôle essentiel dans l'organisme.

▶ ABSORPTION, DISTRIBUTION, EXCRÉTION

La riboflavine est absorbée sous forme libre dans la partie proximale de l'intestin par un mécanisme de transport facilité, et son taux d'absorption est proportionnel à la dose ingérée. En outre, son absorption est augmentée en présence d'aliments et de sels biliaires. Dans la cellule intestinale, la riboflavine libre est transformée en FMN, puis elle passe dans le sang où elle circule liée à l'albumine, mais surtout à d'autres protéines dont les immunoglobulines. Elle pénètre les cellules dans sa forme libre, mais est transformée de nouveau en FMN et en FAD à l'intérieur. Bien que l'on trouve de petites quantités de riboflavine dans la majorité des organes, le petit intestin, le cœur, le foie et les reins en contiennent des quantités plus importantes. La thiamine ingérée en excès n'est pas mise en réserve et est excrétée principalement dans l'urine.

▶ FONCTIONS

Dans l'organisme, la riboflavine participe à de nombreuses réactions d'oxydoréduction associées aux métabolismes des glucides, des lipides et des protéines. Ces réactions, lesquelles impliquent le transfert d'atomes d'hydrogène et d'électron d'une molécule à l'autre, permettent la libération de l'énergie contenue dans les macronutriments. Par ailleurs, la riboflavine contribue à la synthèse de la niacine à partir du tryptophane, un acide aminé essentiel, et participe à l'élaboration des formes actives de la vitamine B_6 et de l'acide folique. De manière générale, la riboflavine est nécessaire à la production d'énergie, à la croissance et au maintien des tissus.

▶ **SOURCES**

La riboflavine est largement présente dans l'alimentation, les meilleures sources étant les produits laitiers, les viandes incluant les volailles et les poissons, les abats (foie), les légumes verts feuillus (brocoli, asperges, épinards), les céréales enrichies et ses produits dérivés (pâtes alimentaires), les noix et les graines. La riboflavine est relativement stable à la chaleur, mais tolère mal les milieux alcalins et elle est très sensible à la lumière.

▶ **CARENCE, TOXICITÉ**

La carence en riboflavine n'est pas associée à un syndrome particulier, mais s'accompagne d'une inflammation de la langue (glossite), des lèvres et de la peau, de fissurations des commissures de la bouche (chéilite), d'une intolérance à la lumière (photophobie), d'une vascularisation de la cornée et d'un retard de croissance. La riboflavine n'est associée à aucune toxicité.

3.2.3 La niacine

La niacine a été découverte dans le cadre d'efforts visant à trouver une cure à la pellagre, un syndrome fréquent au XVIIIe siècle en Espagne et en Italie et, au XIXe siècle, aux États-Unis. La niacine est le terme générique pour désigner deux formes naturelles de cette vitamine: la nicotinamide (ou niacinamide) et l'acide nicotinique. La niacine peut en outre être synthétisée à partir du tryptophane.

▶ **ABSORPTION, DISTRIBUTION, EXCRÉTION**

Présente dans les aliments dans des formes complexes, la niacine doit être digérée avant d'être absorbée. La niacine ainsi libérée est absorbée dans la partie proximale de l'intestin par un mécanisme de transport facilité. Après leur absorption, la niacinamide et l'acide nicotinique passent dans le sang et y circulent sous forme libre. Ils sont captés par les tissus périphériques par diffusion passive bien que les deux vitamères puissent aussi s'intégrer aux globules rouges par transport facilité. La niacine est largement distribuée dans les tissus et l'urine constitue sa principale voie d'excrétion.

▶ FONCTIONS

La niacine est essentielle pour l'organisme en raison du fait qu'elle entre dans la composition de deux coenzymes, le nicotinamide adénine dinucléotide (NAD) et le nicotinamide adénine dinucléotide phosphate (NADP). Ces deux coenzymes sont sans doute les plus importants transporteurs d'électrons de la cellule, agissant de cosubstrat dans plus de deux cents réactions impliquées dans les métabolismes des glucides, des lipides et des protéines. À ce titre, la niacine participe à la production d'énergie et est donc essentielle à l'organisme.

▶ SOURCES

La niacine est bien distribuée dans l'alimentation, on la trouve notamment dans la viande, les volailles, les poissons, les pains fabriqués à partir de farine enrichie et les céréales enrichies (petit-déjeuner), les noix, les graines et les légumineuses. Le lait et les œufs contiennent peu de niacine préformée mais constituent de bonnes sources de tryptophane, l'acide aminé à partir duquel la vitamine est produite ; 60 mg de tryptophane sont requis pour produire 1 mg de niacine. À noter que la niacine contenue dans certains produits céréaliers (ex. : le maïs) se présente sous forme de complexes peu disponibles pour l'organisme. La niacine est relativement peu affectée par la chaleur ou par les autres facteurs de l'environnement ; elle constitue une des vitamines hydrosolubles les plus stables.

▶ CARENCE, TOXICITÉ

La carence en niacine est associée au syndrome de la pellagre, lequel se caractérise par la diarrhée, la dermatite (inflammation de la peau) et la démence : les « trois D ». Les éruptions cutanées touchent habituellement les surfaces exposées au soleil. La progression de la maladie s'accompagne d'une aggravation des troubles mentaux et de paralysie. La pellagre a souvent été observée au sein des populations dont l'alimentation faisait une large part au maïs. Or, la niacine présente dans le maïs est peu biodisponible. Ainsi, la pratique de certains peuples d'Amérique centrale de tremper le maïs dans le lait de chaux lors de la fabrication des tortillas favorise la dissociation de la niacine et expliquerait la faible incidence de la pellagre au sein de ces populations, malgré une consommation élevée de maïs.

Bien que de manière générale la toxicité de la niacine soit faible, l'ingestion de doses massives, notamment d'acide nicotinique, a été associée à la vasodilatation, à l'apparition de rougeurs cutanées, à des nausées et vomissements, à des dommages hépatiques et à une élévation des taux de glucose. La nicotinamide n'engendre pas ces effets.

3.2.4 La vitamine B_6

La vitamine B_6 est un terme générique pour désigner six composés: la pyridoxine (PN), le pyridoxal (PL) et la pyridoxamine (PM) et leurs formes phosphorylées respectives. Le pyridoxal phosphate (PLP) et la pyridoxamine phosphate (PMP) sont les principaux isomères trouvés dans les tissus d'origine animale, incluant l'humain.

▶ ABSORPTION, DISTRIBUTION, EXCRÉTION

Les isomères phosphatés de la vitamine B_6 présents dans l'intestin sont d'abord hydrolysés, puis sont absorbés sous leur forme libre au niveau du jéjunum par un processus de diffusion passive. L'efficacité d'absorption de la pyridoxine est inférieure à celle du pyridoxal et de la pyridoxamine. La vitamine B_6 absorbée est transportée au foie où les principales formes de la vitamine sont phosphorylées. Dans la circulation, la vitamine circule principalement sous forme de PLP lié à l'albumine, bien qu'on trouve de petites quantités de pyridoxine libre. La vitamine est captée par les cellules des tissus dans sa forme libre. Lorsque présente en doses pharmacologiques, la vitamine B_6 s'accumule dans les muscles, le plasma et les globules rouges. L'urine constitue sa principale voie d'excrétion.

▶ FONCTIONS

La vitamine B_6 sert de coenzyme à de nombreuses réactions chimiques mais plus particulièrement à celles qui sont associées au métabolisme protéique. Elle participe notamment aux réactions de désamination et de décarboxylation et intervient ainsi dans la synthèse, la transformation et la dégradation des acides aminés. De manière plus spécifique, la vitamine est requise pour la synthèse de l'hème (partie de l'hémoglobine qui contient le fer), d'anticorps et de certains neurotransmetteurs dont la sérotonine et la noradrénaline. Par ailleurs, la vitamine est nécessaire à la conversion du tryptophane en niacine, elle contribue à la production du glucose, elle participe à la synthèse des sphingolipides (lipides contenus dans la gaine de myéline) et joue un rôle dans l'activité de certaines hormones.

▶ SOURCES

On trouve la vitamine B_6 dans plusieurs aliments, notamment dans la viande, les volailles, les poissons, le foie, les noix, les graines (tournesol), les céréales à grains entiers (surtout le blé), les légumineuses. Elle est également présente dans les fruits et les légumes, notamment dans la banane, l'avocat et la patate sucrée. La biodisponibilité de la vitamine provenant des aliments d'origine animale est généralement supérieure à celle provenant des végétaux. La vitamine B_6 est relativement stable et moins vulnérable aux facteurs de l'environnement.

▶ CARENCE, TOXICITÉ

La carence en vitamine B_6 est assez rare dans les pays industrialisés, mais lorsqu'elle survient, elle se traduit surtout par des symptômes dermatologiques et neurologiques, lesquels incluent dans un premier temps la dermatite, la chéilite, la glossite et, dans les stades plus avancés, des perturbations motrices, des convulsions, de la dépression et de la confusion. La carence en vitamine B_6 peut également entraîner de l'anémie et des altérations du système immunitaire.

Bien que peu toxique lorsqu'elle provient de l'alimentation, la vitamine B_6 peut s'avérer délétère lorsqu'elle est consommée en grande quantités sous forme de supplément (2000 mg/jour ou plus). Sa toxicité est associée à des lésions dermatologiques et à des atteintes neurologiques, notamment la perte de la perception sensorielle et de la coordination motrice.

3.2.5 L'acide folique

L'acide folique, que l'on nomme également folacine, renvoie à une famille de composés, les folates, dont la découverte est associée à une série de travaux qui visaient à identifier les causes d'une certaine forme d'anémie. Sa synthèse en laboratoire et sa reconnaissance en tant que vitamine remontent à 1946. On trouverait dans la nature plus de cent dérivés possédant une activité biologique. L'acide tétrahydrofolique (THFA) constitue le principal composé actif (coenzyme) de la vitamine.

TABLEAU 3.5

Teneur moyenne en folates de divers aliments

ALIMENTS	FOLATES (mcg)
Foie de bœuf, 100 g	220
Viandes, volailles, poissons et abats, 100 g	5-20
Noix et graines, 60 ml	10-30
Légumineuses, 250 ml	150-300
Épinards, 250 ml	130
Asperges, 4 pointes	85
Artichaut, 1 moyen	60
Brocoli, 250 ml	60
Choux de Bruxelles, 250 ml	56
Maïs, 1 épi moyen	35
Autres légumes, 250 ml	10-30
Avocat, 1 moyen	150
Jus d'orange, 250 ml	80
Melon miel, cantaloup, 250 ml	40
Fraises, framboises, mûres, 250 ml	35-45
Agrumes, sauf citron, 250 ml	30-50
Autres fruits, 250 ml	5-15
Œuf, 1	24
Lait, 250 ml	13
Germe de blé, 60 ml	50
Céréales à déjeuner*, 250 ml	50-100
Pain*, 1 tranche	15-45
Pâtes*, 100 g	125

*Ces aliments sont enrichis d'acide folique.

▶ **ABSORPTION, DISTRIBUTION, EXCRÉTION**

L'acide folique est absorbé sous forme de monoglutamate dans la partie proximale de l'intestin par transport actif ou par diffusion passive. Les polyglutamates contenus dans l'alimentation doivent donc être digérés (sous l'action d'une enzyme appelée conjugase) avant d'être absorbés. Par conséquent, la biodisponibilité de l'acide folique provenant de l'alimentation est d'environ la moitié de celle de la vitamine pure, laquelle est absorbée à des taux variant entre 70 et 90 %. L'acide folique absorbé est ensuite réduit, notamment en THFA, puis pénètre la circulation porte où il est amené au foie. Environ deux tiers des folates en circulation seraient liés à des protéines. De là, le THFA est transporté aux tissus cibles où il est capté par des récepteurs spécifiques sous forme de dérivés monoglutamates. On estime que la moitié des réserves normales de l'organisme se trouvent dans le foie. La vitamine est excrétée dans l'urine, la bile et les fèces, à la fois sous une forme active et sous une forme inactive.

► FONCTIONS

La principale fonction de l'acide folique dans l'organisme est sa participation comme coenzyme aux réactions impliquant le transfert des fragments monocarbonés (molécules contenant un seul atome de carbone). À ce titre, l'acide folique participe à la synthèse des acides nucléiques (ADN et ARN) et joue un rôle essentiel dans la division cellulaire. Il intervient également dans le métabolisme des acides aminés ; entre autres, il participe à la synthèse de la méthionine à partir de l'homocystéine, une réaction qui requiert également la présence de la vitamine B_{12}. De manière plus générale, l'acide folique est nécessaire à la synthèse des cellules sanguines, notamment des globules rouges.

SOURCES

L'acide folique est largement répandu dans l'alimentation. On le trouve en quantités plus importantes dans les légumes verts feuillus, dans les fruits, le foie, les abats, le germe de blé, les légumineuses, les noix et les graines. Au Canada, la farine blanche est enrichie d'acide folique; les produits qui en contiennent constituent donc de bonnes sources d'acide folique. Précisons toutefois que l'acide folique est très sensible à l'oxydation et à la chaleur. Le tableau 3.5 présente la teneur moyenne en acide folique de divers aliments.

► CARENCE, TOXICITÉ

Des apports insuffisants en acide folique entraîneront d'abord une diminution des taux sérique et érythocytaire de folate, et une augmentation concurrente des taux d'homocystéine, un acide aminé particulièrement néfaste pour l'organisme. En raison du rôle de l'acide folique dans la division cellulaire, sa carence affectera d'abord les cellules à renouvellement rapide telles que les globules rouges et les cellules intestinales. L'anémie de type mégaloblastique constitue donc un des premiers symptômes de la carence en acide folique et se caractérise par une réduction du nombre de globules rouges, une augmentation de leur volume et une baisse de l'hémoglobine dans le sang. Cliniquement, ces changements se traduisent par de la faiblesse, de la fatigue, de l'irritabilité et de la difficulté à se concentrer. Des apports insuffisants vont également entraîner des désordres intestinaux tels diarrhée, brûlures d'estomac, etc. Chez la femme enceinte, des apports marginaux en acide folique dans les mois qui précèdent la grossesse ont été associés à une plus forte prévalence de malformation du tube neural chez le nouveau-né. Par ailleurs, une consommation insuffisante d'acide folique pourrait contribuer à une augmentation des risques de maladies cardiovasculaires.

L'acide folique est généralement considéré comme non toxique. Toutefois, un excès de folate peut masquer une carence de vitamine B_{12} et ainsi contribuer au développement des complications neurologiques qui y sont associées (cf. section suivante). Par ailleurs, chez l'animal, des doses massives ont été associées à une réduction de l'absorption du zinc et à l'apparition de convulsions.

3.2.6 La vitamine B_{12}

Isolée en 1948, la vitamine B_{12} est la dernière vitamine à avoir été identifiée, et sa synthèse en laboratoire ne date que de 1972. Cette vitamine est également connue sous le nom de cobalamine et se distingue sur le plan chimique par la présence en son centre d'un ion de cobalt. La vitamine B_{12} existe sous plusieurs formes: dans les tissus et le plasma, on la trouve principalement sous forme de méthylcobalamine et de 5-désoxyadénosylcobalamine. La cyanocobalamine représente la principale forme vendue commercialement.

▶ ABSORPTION, DISTRIBUTION, EXCRÉTION

Après son ingestion, la vitamine B_{12} qui arrive dans l'estomac est libérée des protéines alimentaires auxquelles elle est liée sous l'influence de l'acide chlorhydrique et de la pepsine. Elle se lie ensuite au facteur intrinsèque, une glycoprotéine synthétisée par les cellules pariétales de l'estomac, qui favorise son absorption dans la partie distale de l'intestin grêle. Le complexe vitamine B_{12} - facteur intrinsèque est ensuite absorbé par les cellules endothéliales de l'intestin au moyen de récepteurs spécifiques, à des taux inversement proportionnels à la dose. Soulignons qu'en présence de grandes quantités, environ 1% de la vitamine est absorbée, par diffusion. Après son absorption, la cobalamine passe dans le sang où elle circule liée à des protéines spécifiques appelées transcobalamines. Elle est captée par les tissus par le biais de récepteurs spécifiques, puis est intégrée. Chez la personne bien nourrie, la moitié des réserves corporelles de cobalamine se situent dans le foie. Parce qu'une proportion de la vitamine est recyclée par le cycle entérohépatique*, l'organisme peut compter sur des réserves de cinq à sept ans environ. La bile constitue la principale voie d'excrétion de la vitamine B_{12}.

▶ FONCTIONS

La vitamine B_{12} exerce son action dans l'organisme sous forme de deux coenzymes : la méthylcobalamine et la 5-désoxy-adénosylcobalamine. De manière générale, son métabolisme est intimement lié à celui de l'acide folique. Tout comme ce dernier, la vitamine B_{12} joue un rôle central dans le métabolisme des acides aminés et participe à la synthèse de l'ADN et à la prolifération cellulaire. Par ailleurs, la vitamine B_{12} participe à la myélinisation des neurones, l'enveloppe qui entoure les cellules nerveuses et qui facilite la conduction nerveuse. Précisons que l'acide folique n'intervient pas dans cette dernière fonction.

TABLEAU 3.6

Teneur moyenne en vitamine B_{12} de divers aliments

ALIMENTS	VITAMINE B_{12} (mcg)
Bœuf, agneau, 100 g	2,0-3,0
Veau, 100 g	1,5
Porc, 100 g	0,6-0,8
Volailles, 100 g	0,3-0,4
Foie, 100 g	> 50
Autres abats, 100 g	10-40
Poisson, 100 g	1,5-3,0
Crevettes, 100 g	1,5
Huîtres, 6 moyennes	15,0
Moules, 100 g	24,0
Œuf, 1	0,6
Lait, 250 ml	1,1
Yogourt, 250 ml	1,4
Fromage ferme, 30 g	0,3-0,5
Fromage cottage, ricotta, 125 ml	0,4-0,8
Boisson de soja enrichie, 250 ml	1,0

▶ **SOURCES**

La vitamine B_{12} se distingue de toutes les autres vitamines en ce qu'elle se trouve, de manière naturelle, exclusivement dans les aliments d'origine animale ; on l'obtient donc en abondance dans le foie et les abats, la viande, les volailles, les poissons (incluant les produits de la mer), les produits laitiers et les œufs. Toutefois, depuis quelques années, la vitamine B_{12} est ajoutée à certains produits d'origine végétale dont les boissons de soja et les succédanés de la viande. Il importe de souligner que la cobalamine présente dans la majorité des algues, dont la spiruline, est en grande partie inactive et donc inutile pour l'organisme. La vitamine B_{12} est relativement stable à la chaleur, mais une proportion est perdue lors des processus de transformations alimentaires. Le tableau 3.6 présente la teneur en vitamine B_{12} de divers aliments.

▶ **CARENCE, TOXICITÉ**

Les cas de carence en vitamine B_{12} sont très majoritairement causés par une réduction de son absorption plutôt que par des apports insuffisants. Toute condition qui abaisse la production ou la sécrétion d'acide chlorhydrique, de pepsine ou de facteur intrinsèque diminue la biodisponibilité et l'absorption de la vitamine et augmente les risques de carence. Ainsi, l'anémie pernicieuse, une condition associée à une production inadéquate de facteur intrinsèque, constitue la principale cause de carence en vitamine B_{12}. Par ailleurs, et comme nous le verrons en détail au chapitre 5, l'atrophie gastrique, une condition présente chez un certain nombre de personnes âgées, réduit la biodisponibilité et l'absorption de la vitamine des suites d'une diminution de sécrétion de l'acide chlorhydrique. L'anémie associée à la carence en vitamine B_{12} entraîne les mêmes symptômes que celle qui est causée par la carence en acide folique, elle s'accompagne d'une hypertrophie des globules rouges et éventuellement entraîne la fatigue et la faiblesse. Soulignons qu'en raison de la complicité métabolique qui existe entre ces deux vitamines, l'administration d'acide folique pourra masquer la carence en vitamine B_{12} engendrant ainsi des conséquences néfastes au niveau neurologique. En effet, en raison de son rôle dans la myélinisation des neurones, la carence en cobalamine conduit à des altérations neurologiques qui se caractérisent par la paresthésie, la raideur et la perte de coordination des mouvements, la confusion, les hallucinations et, dans les cas avancés, la psychose.

Les lacto-ovo-végétariens, c'est-à-dire les personnes qui excluent la viande, les volailles et les poissons mais qui consomment des produits laitiers et des œufs, ont généralement accès à des quantités suffisantes de vitamine B_{12}. Toutefois, les végétariens stricts, soit ceux dont l'alimentation exclut tout aliment d'origine animale, pourraient à long terme développer une carence en cobalamine, à moins de consommer des produits enrichis (par exemple, le lait de soja) ou de prendre un supplément.

La vitamine B_{12} n'est associée à aucune toxicité apparente.

3.2.7 L'acide pantothénique

L'acide pantothénique tire son appellation du fait qu'il est présent dans une très grande variété d'aliments (*pantos* signifiant «en tout»). D'abord isolée en 1938, la structure chimique de cette vitamine a été précisée en 1940.

▶ ABSORPTION, DISTRIBUTION, EXCRÉTION

L'acide pantothénique présent dans les aliments doit être digéré avant d'être absorbé. Il pénètre les cellules intestinales par voie de transport actif (faible concentration) ou par diffusion simple (forte concentration). Il circule dans le sang sous forme d'acide pantothénique et est capté par les tissus périphériques par un mécanisme de transport actif favorisé par la présence de récepteurs spécifiques. Dans les tissus, l'acide pantothénique est converti en coenzyme A (CoA). On le trouve notamment dans le foie, les reins, les glandes surrénales, le cerveau et le cœur. Il subit peu de transformations métaboliques dans l'organisme, et l'urine constitue sa voie d'excrétion.

▶ FONCTIONS

La principale fonction de l'acide pantothénique dans l'organisme est sa participation en tant que constituant de la coenzyme A, un transporteur privilégié des groupements acétyl. À ce titre, l'acide pantothénique permet de libérer l'énergie contenue dans les macronutriments ; il participe à la synthèse des acides gras, du cholestérol et des hormones stéroïdiennes ; il intervient dans la formation de l'hémoglobine du sang ; il est nécessaire à la synthèse de l'acétylcholine, un neurotransmetteur impliqué dans la transmission nerveuse.

▶ SOURCES

L'acide pantothénique est présent dans tous les groupes d'aliments, mais on le trouve en quantités particulièrement importantes dans les viandes et substituts incluant les abats, les produits céréaliers à grains entiers ou enrichis, certains légumes (champignons, avocats, brocoli), les produits laitiers et les œufs. La vitamine est relativement stable dans des conditions normales de cuisson, mais elle est affectée par plusieurs procédés de transformation alimentaire.

▶ CARENCE, TOXICITÉ

En raison de son omniprésence dans l'alimentation, la carence en acide pantothénique est rare mais peut survenir chez des personnes souffrant de malnutrition, chez les alcooliques ou chez les personnes dont l'alimentation ferait une large part aux aliments raffinés. Lorsqu'elle survient, la carence en acide pantothénique entraîne les symptômes suivants: fatigue, faiblesse, dépression, paresthésie des pieds, crampes musculaires et troubles de la coordination.

L'acide pantothénique est peu toxique, les conséquences associées à l'administration de doses massives se limitant à un inconfort gastrique.

3.2.8 La biotine

La biotine a été découverte en 1936 dans le cadre de travaux où il était observé que des animaux nourris avec de grandes quantités de blancs d'œuf crus développaient des problèmes cutanés, une condition qui pouvait être normalisée par l'ajout dans la ration du jaune de l'œuf. Le facteur actif du jaune d'œuf s'avéra être la biotine. Par ailleurs, les anomalies observées à la suite de l'ingestion du blanc de l'œuf seront ultérieurement expliquées par la présence d'une protéine qui nuit à l'absorption de la vitamine.

▶ ABSORPTION, DISTRIBUTION, EXCRÉTION

La biotine liée aux protéines alimentaires atteint l'estomac et doit être digérée avant d'être absorbée. Elle pénètre la partie proximale de l'intestin sous forme libre par diffusion simple ou facilitée. À souligner que les bactéries de la flore intestinale produisent une certaine quantité de biotine qui est absorbée au niveau du côlon; la quantité absorbée par cette voie est toutefois difficile à évaluer. La biotine circule dans le sang sous forme libre ou de métabolites et elle est transportée aux tissus cibles où elle est captée au moyen de récepteurs spécifiques. Bien que la biotine tende à s'accumuler dans le foie, elle semble peu mobilisable en cas de besoin. La biotine est excrétée dans l'urine sous une forme intacte (50 %) et métabolisée (50 %). On la trouve également dans les fèces, mais cette biotine résulterait de la synthèse bactérienne.

▶ FONCTIONS

Dans l'organisme, la biotine agit comme coenzyme dans les réactions de carboxylation et participe au métabolisme des macronutriments. Elle est notamment requise pour la synthèse et l'oxydation du glucose et des acides gras et contribue au catabolisme des acides aminés.

▶ SOURCES

La biotine est bien répandue dans les aliments, notamment dans le foie, le jaune d'œuf, les légumineuses, les noix, les graines et certains légumes tels que le chou-fleur. Comme on l'a mentionné précédemment, le blanc d'œuf cru contient une protéine, l'avidine, qui se lie à la vitamine et réduit sa biodisponibilité. Toutefois, cette interaction a probablement peu d'impact sur le statut en biotine, compte tenu que l'avidine est détruite lors de la cuisson. La biotine est relativement stable aux facteurs de l'environnement.

▶ CARENCE, TOXICITÉ

La carence en biotine est rare mais peut être induite par l'ingestion de fortes quantités de blanc d'œuf cru. Dans ce cas, la carence en biotine se manifeste par la dermatite, la glossite, la conjonctivite, l'alopécie, la nausée, l'anorexie, la fatigue et la dépression.

La biotine est généralement considérée comme non toxique, l'administration de doses élevées n'entraînant pas de symptômes précis.

3.2.9 La vitamine C

La vitamine C – et plus particulièrement sa carence – est historiquement associée aux longues traversées transatlantiques qui, il y a plus de 250 ans, faisaient de nombreuses victimes au sein des équipages. En effet, le scorbut associé à la carence en vitamine C était alors une condition fréquente sur les navires au long cours. Dans un effort visant à trouver une solution au problème, le médecin britannique James Lind réalisa en 1747 une étude qui lui fit découvrir que les citrons protégeaient les marins contre cette terrible maladie. L'introduction, quelques années plus tard, du jus de lime dans l'alimentation des équipages britanniques valut d'ailleurs aux marins anglais le sobriquet de *limeys*! En 1928, on isola le fameux composé antiscorbutique, et on définit sa structure chimique en 1932. Aujourd'hui, nous savons que la vitamine C est présente dans l'organisme principalement sous deux formes: une forme réduite, aussi appelée acide ascorbique, et une forme oxydée ou acide déshydroascorbique. Précisons que la plupart des plantes et des espèces animales peuvent synthétiser la vitamine C. Cependant, l'humain, le singe et le cobaye constituent des espèces d'exception, qui doivent se la procurer de sources exogènes.

▶ ABSORPTION, DISTRIBUTION, EXCRÉTION

La vitamine C est absorbée dans la partie distale de l'intestin grêle par transport actif et par diffusion passive à des taux qui diminuent en fonction de la dose ingérée. Ainsi, l'efficacité d'absorption, qui est de l'ordre de 80 à 90 % en présence de doses physiologiques (< 100 mg/jour), diminue à moins de 50 % lorsque la vitamine est ingérée en quantité de plus de un gramme par jour; la vitamine non absorbée va entraîner une pression osmotique dans l'intestin et pourra causer de la diarrhée. La vitamine C circule dans le sang sous forme d'acide ascorbique (forme réduite) et est transportée aux tissus où elle est intégrée par le biais de récepteurs spécifiques. Elle est présente dans la plupart des tissus, mais on la trouve en quantités plus importantes dans la glande pituitaire, les glandes surrénales, le cerveau et les yeux. Normalement, la vitamine C est excrétée dans l'urine sous forme de métabolites (surtout sous forme d'acide oxalique). Toutefois, on la trouve dans sa forme intacte lorsqu'elle est consommée en grandes quantités.

▶ FONCTIONS

Les fonctions de la vitamine C dans l'organisme sont nombreuses et variées. La vitamine C constitue un important agent réducteur et protège l'organisme contre les dommages oxydatifs; cette vitamine est donc un antioxydant. Elle est par ailleurs essentielle à la synthèse du collagène, une importante protéine du tissu conjonctif, et à la synthèse de la carnitine, un composé organique qui favorise le transport des acides gras dans les mitochondries des cellules. La vitamine C intervient également dans la biosynthèse de nombreux neurotransmetteurs, dont la sérotonine, et participe à l'activation de plusieurs hormones, par exemple le facteur de libération de l'hormone de croissance. Elle favorise l'absorption du fer alimentaire, en particulier celle du fer non hémique (voir le chapitre 4) et contribue à la conversion de l'acide folique en sa forme active. La vitamine C participe également au métabolisme des médicaments, en permettant notamment leur élimination après que ces derniers ont exercé leur action. Enfin, elle intervient dans la fonction immunitaire et augmente la résistance de l'organisme aux infections.

TABLEAU 3.7

Teneur moyenne en vitamine C de divers aliments

FRUITS	VITAMINE C (mg)	LÉGUMES	VITAMINE C (mg)
Orange :		Poivron vert :	
• fruit moyen	70	• cru, 250 ml	126
• jus frais, 250 ml	132	• bouilli, 250 ml	107
Fraises, 250 ml	90	Poivron rouge, 250 ml	300
Kiwi, 1 moyen	70	Poivron jaune, 250 ml	288
Cantaloup, 250 ml	62	Brocoli, 1 tige + fleur :	
Pamplemousse :		• frais	135
• ½ fruit, moyen	38	• congelé	60
• jus frais, 250 ml	100	Jus de légumes, 250 ml	70
Mangue, 1 moyenne	58	Chou-fleur, 250 ml	50
Melon miel, 250 ml	32	Tomate :	
Framboises, 250 ml	34	• fraîche, 1 moyenne	16
Ananas, 250 ml	28	• jus, 250 ml	20
Bleuets, 250 ml	14	Chou, 250 ml	24
Melon d'eau, 250 ml	14	Épinards, 250 ml	10
Canneberges, 100 g	14	Courge, 250 ml	20
Cerises, 250 ml	11	Pomme de terre, 250 ml	20
Banane, 1 moyenne	10	Maïs, 250 ml :	
Pomme :		• frais	10
• fruit, 1 moyen	5	• congelé	6
• jus frais, 250 ml	2	Céleri, 250 ml	4
Poire, 1 moyenne	7	Laitue, 250 ml	5-10
Pêche, 1 moyenne	6	Carotte, 250 ml	8
Raisins, 250 ml	6		

▶ SOURCES

La vitamine C est surtout présente dans les aliments d'origine végétale, en particulier dans les fruits et les légumes ; on la trouve en grandes quantités dans les agrumes (orange, citron, pamplemousse, lime), les fraises, le cantaloup, le kiwi, la tomate, les légumes verts feuillus (brocoli, chou) et les poivrons. Précisons que cette vitamine est sensible à plusieurs facteurs de l'environnement, notamment l'oxydation, la chaleur, la lumière et les milieux alcalins. Le tableau 3.7 présente la teneur moyenne en vitamine C de divers aliments.

▶ CARENCE, TOXICITÉ

La carence en vitamine C entraîne le scorbut, une condition qui met entre cinquante jours et quatre-vingt-dix jours à se développer, et qui se caractérise par les symptômes suivants : anorexie, fatigue, douleur et atrophie musculaires, manifestations hémorragiques (pétéchies, ecchymoses), lésions cutanées, enflure et saignement des gencives pouvant conduire à la perte des dents, perturbations psychologiques (dépression, hystérie). Dans les cas plus avancés, on observe un retard de la cicatrisation et des altérations des systèmes osseux et cardiovasculaire. Non traité, le scorbut entraîne la mort.

Les principaux symptômes de toxicité associés à l'ingestion de grandes quantités de vitamine C sont les nausées, les vomissements et la diarrhée osmotique. Par ailleurs, comme le métabolisme de cette vitamine conduit à la production d'oxalates, l'ingestion de doses massives pourra favoriser la formation de calculs rénaux chez les personnes qui présentent des prédispositions. En outre, les doses pharmacologiques de vitamine C pourront fausser les résultats de certains tests biochimiques, notamment ceux qui sont associés au diagnostic du diabète.

Le tableau 3.8 présente un sommaire des principales propriétés des vitamines hydrosolubles.

TABLEAU 3.8

Tableau sommaire des vitamines hydrosolubles

MINÉRAL	FONCTIONS PHYSIOLOGIQUES	PRINCIPALES SOURCES ALIMENTAIRES
Thiamine	La thiamine... • Libère l'énergie des glucides. • participe à la synthèse du matériel génétique (riboses). • participe au métabolisme des acides aminés ramifiés. • facilite la transmission nerveuse.	Produits céréaliers enrichis et ses dérivés, porc, foie, pois, noix et certaines graines.
Riboflavine	La riboflavine... • est un constituant des coenzymes FMN et FAD. • libère l'énergie des glucides, des lipides et des protéines. • participe à la synthèse de la niacine et aux formes actives de la vitamine B6 et de l'acide folique.	Produits laitiers, viandes, volailles, poissons, abats, légumes verts feuillus, céréales enrichies et produits dérivés, noix et graines.
Niacine	La niacine... • est un constituant des coenzymes NAD et NADP. • libère l'énergie des glucides, des lipides et des protéines.	Viandes, volailles, poissons, foie, pains et céréales enrichis, noix, graines et légumineuses.
Vitamine B_6	La vitamine B_6... • joue un rôle majeur dans le métabolisme des protéines. • participe à la synthèse de certains neurotransmetteurs, de sphingolipides, de l'hème et d'anticorps. • participe à la conversion du tryptophane en niacine. • participe à la production de glucose et à l'activité de certaines hormones.	Viandes, volailles, poissons, foie, noix, graines, céréales à grains entiers, légumineuses, certains fruits et légumes.
Acide folique	L'acide folique... • participe en tant que coenzyme à la synthèse des acides nucléiques et à la division cellulaire. • participe à la formation des globules rouges. • participe au métabolisme des acides aminés.	Légumes verts feuillus, fruits, foie, abats, produits céréaliers à base de farine enrichie, germe de blé, légumineuses, noix, graines.

TABLEAU 3.8 (*suite*)

Tableau sommaire des vitamines hydrosolubles

MINÉRAL	FONCTIONS PHYSIOLOGIQUES	PRINCIPALES SOURCES ALIMENTAIRES
Vitamine B_{12}	La vitamine B_{12}… • participe en tant que coenzyme à la synthèse des acides nucléiques et à la prolifération cellulaire. • participe au métabolisme des acides aminés. • participe à la synthèse de la myéline.	Aliments d'origine animale : foie, abats, viandes, volailles, poissons, œufs, produits laitiers. Aliments enrichis : boissons de soja, succédanés de viande.
Acide pantothénique	L'acide pantothénique… • est un constituant de la coenzyme A. • libère l'énergie des macronutriments. • participe à la synthèse de divers composés métaboliques (acides gras, cholestérol, hormones stéroïdiennes, hémoglobine, acétylcholine).	Tous les groupes d'aliments, notamment viandes et substituts, abats, produits céréaliers à grains entiers ou enrichis, certains légumes (champignons, avocats, brocoli), produits laitiers, œufs.
Biotine	La biotine… • participe au métabolisme des macronutriments : glucose, acides gras, acides aminés.	Foie, jaune d'œuf, légumineuses, noix, graines, certains légumes.
Vitamine C	La vitamine C… • possède des propriétés antioxydantes. • participe à la synthèse du collagène et de la carnitine. • favorise l'absorption du fer. • participe à la biosynthèse de neurotransmetteurs et à l'activation de certaines hormones. • contribue à la fonction immunitaire. • participe à la conversion de l'acide folique en sa forme active et contribue au métabolisme des médicaments.	Fruits, surtout agrumes, fraise, cantaloup, kiwi, tomate ; légumes, surtout verts feuillus (chou, brocoli), poivron.

3.3 Autres composés alimentaires

Dans ce chapitre, nous avons examiné les caractéristiques des vitamines. Toutefois, en marge de ces dernières, il existe dans l'alimentation d'autres facteurs nutritionnels dont les caractéristiques et l'action s'apparentent à celles des vitamines, mais qui ne peuvent être considérés ainsi, soit parce qu'ils sont produits au sein de l'organisme en quantité qui semble combler les besoins, soit parce que leur rôle physiologique n'est pas encore clairement établi. Nous discuterons ici de ceux qui ont fait l'objet d'une attention plus particulière ces récentes années, à savoir la choline, la carnitine et la coenzyme Q10, ainsi que les composés phytochimiques qui comprennent les flavonoïdes et les composés à base de souffre.

La choline. La choline est un composé azoté qui dans l'organisme participe à la structure des membranes cellulaires, intervient dans la transmission nerveuse, facilite le transport des lipides dans le sang et participe aux métabolismes de la vitamine B_{12} et des folates. Au niveau membranaire, la choline est en effet un constituant de la phosphatidylcholine, un des principaux phospholipides contenus dans les membranes cellulaires. La choline entre également dans la composition de l'acétylcholine, un important neurotransmetteur associé à la mémoire, à l'humeur et au contrôle musculaire. Toujours à titre de composant des phospholipides, la choline entre dans la composition de la bile et des lipoprotéines et participe au transport des lipides dans le sang. Enfin, via son métabolite, la bétaïne, la choline participe aux métabolismes de la vitamine B_{12} et des folates à titre de donneur de groupement méthyl. L'humain peut fabriquer de la choline à partir de molécules précurseurs, mais l'obtient généralement des aliments sous forme de lécithine; les œufs (jaune), le germe de blé, les légumineuses (soja) et les arachides en constituent d'excellentes sources. Par ailleurs, on trouve la choline sous forme libre dans le foie, l'avoine et plusieurs choux. Récemment, Santé Canada, en collaboration avec l'Institut de médecine américain, émettait des recommandations pour la choline, reconnaissant ainsi son importance pour l'organisme (voir chapitre 7). Toutefois, et tel que discuté au chapitre 2 (section 2.2.2), rien n'indique pour le moment que la choline doive être consommée sous forme de suppléments.

La carnitine et la coenzyne Q_{10}. La carnitine est un acide aminé dérivé des acides aminés essentiels, lysine et méthionine, qui participe au transport des acides gras à chaînes longues dans les mitochondries et en favorise l'oxydation; une réaction qui libère leur énergie. L'humain a la capacité de produire la carnitine, et les viandes, les volailles, les poissons et les produits laitiers en constituent d'excellentes sources. De même, la coenzyme Q10, un composé de la famille des ubiquinones, est un constituant du système enzymatique chargé de libérer l'énergie contenue dans les glucides, les lipides et les protéines. La coenzyme Q_{10} posséderait également des propriétés antioxydantes, notamment à l'égard des lipides. Tout comme la carnitine, la coenzyme Q_{10} est produite par l'organisme; elle se trouve notamment dans les huiles de poisson, les noix et les viandes.

Tablant sur leurs actions biologiques (utilisation des lipides, production d'énergie, pouvoir antioxydant), ces produits sont vendus sous forme de suppléments, avec des allégations en regard de la perte de poids, d'une amélioration des performances sportives et de leur potentiel à contrer certaines conditions associées au vieillissement (atteintes cognitives, maladie d'Alzheimer, etc.). Or, si certains effets bénéfiques ont pu être observés dans le cadre d'études chez l'animal, les résultats chez l'humain sont beaucoup moins concluants. Aussi, dans l'attente de données plus solides et considérant que les besoins en ces composés sont largement comblés par l'organisme lui-même et les aliments, la prise de ces substances sous forme de suppléments ne semble pas indiquée pour le moment.

Les composés phytochimiques. Tel que l'indique la racine grecque de leur appellation (phyto), les composés phytochimiques sont produits par les plantes; l'humain n'est donc pas en mesure de les fabriquer lui-même. Parties intégrantes de la structure des végétaux, les composés phytochimiques protègent les plantes des infections et des invasions microbiennes en plus de contribuer à leurs couleurs, à leurs saveurs et à leurs arômes. Ils forment une famille de plusieurs milliers de substances parmi lesquelles on compte les flavonoïdes et les composés à base de souffre, dont nous traitons ici brièvement.

Les flavonoïdes. Six milles flavonoïdes ont été identifiés à ce jour. Ils se répartissent en six grandes classes fondées sur leurs structures chimiques:

les flavonols, les flavanols (qui incluent la catechine), les flavones, les flavanones, les isoflavones (ou phytoestrogènes) et les anthocyanidines.

Les *flavonols* sont les plus répandus. Dans les légumes, on les trouve en grandes quantités dans le brocoli, les poireaux et les choux frisés, et dans les fruits, dans les pelures de pommes, de bleuets, de raisins et de tomates. Quant aux *flavanols*, on les trouve dans une grande variété de fruits dont les abricots, les pommes, les raisins rouges, en plus du thé vert et du chocolat noir qui en contiennent de bonnes quantités également. Les *flavones* se trouvent principalement dans le céleri et les céréales, et en concentration particulièrement importante dans le persil. Certains composés de cette catégorie (tangeretine) sont logés dans la pelure des fruits citrins. Les flavanones se trouvent aussi principalement dans les fruits citrins et en plus grande concentration dans les pelures. Les isoflavones, que l'on appelle aussi phytoestrogènes, se retrouvent uniquement dans les légumineuses, le soja et ses produits dérivés (tofu et tempeh) comptant parmi les meilleures sources. Enfin, les anthocyanidines qui sont au nombre de 400, sont des pigments bleus et rouges présents dans les cerises, les radis, le chou rouge, les oignons rouges et le vin rouge, et en quantités particulièrement élevées dans les baies rouges et bleues. À noter que ces composés sont particulièrement instables et peuvent être facilement détruits lors des processus de transformation alimentaire.

L'engouement que suscite les flavonoïdes depuis quelques années tient très certainement à leur grand pouvoir antioxydant et à leur potentiel de contrer le développement de maladies telles les maladies cardiovasculaires (MCV), les cancers et autres maladies dégénératives associées aux dommages oxydatifs. En regard des maladies cardiovasculaires, les flavonoïdes diminueraient l'oxydation du cholestérol contenu dans les lipoprotéines, un des principaux facteurs de risque des MCV, ils (notamment les isoflavones) réduiraient la synthèse et l'absorption du cholestérol et aideraient à normaliser la tension artérielle et la coagulation sanguine. De même, selon des travaux récents, les flavonoïdes comporteraient des actions anti-inflammatoires, un autre facteur de protection. Par ailleurs, les flavanoïdes pourraient s'avérer bénéfique en regard du cancer, par leur action antioxydante et aussi par celle, plus spécifique, des isoflavones sur les récepteurs des œstrogènes.

Les composés à base de soufre. Les composés à base de soufre aussi appelés thiols, se trouvent plus particulièrement dans les légumes crucifères, soit le brocoli et les choux (de Bruxelles, chou-fleur, etc.), l'ail, les oignons et les poireaux. Leur action a surtout été étudiée en regard du cancer, pour lequel ces composés offriraient une certaine protection. Contrairement aux flavonoïdes qui sont de puissants antioxydants, les thiols exerceraient leur action en augmentant le pouvoir de détoxification de l'organisme et en stimulant le système immunitaire.

En somme, bien qu'il reste encore beaucoup à préciser en regard de leurs actions dans l'organisme, les composés phytochimiques constituent déjà une bonne raison d'opter pour une alimentation riche en fruits et légumes.

Lorsque l'on considère leurs fonctions dans l'organisme, il ne fait aucun doute que les vitamines méritent amplement leur statut de composés essentiels à la vie. Grâce à leur action, l'organisme produit l'énergie nécessaire aux cellules et assure le bon fonctionnement de l'ensemble des fonctions physiologiques. Cependant, les vitamines peuvent s'avérer toxiques lorsqu'elles sont consommées en trop grandes quantités et, à ce titre, elles nous rappellent l'adage selon lequel la modération a bien meilleur goût ! Par ailleurs, plusieurs composés non vitaminiques dont les vertus nous sont peu à peu révélées, nous rappellent la richesse et le caractère irremplaçable des aliments. Le prochain chapitre traitera d'un autre groupe essentiel de composés contenus dans les aliments : les minéraux et l'eau.

Références

Bates, C. J., « Thiamin », dans R. M. Russell et B. Bowman (dir.), *Present Knowledge in Nutrition*, 9e éd., Washington DC, ILSI Press, 2006, p. 242-249.

Blumberg J. B. et P. E. Milbury, « Dietary flavonoids », dans R. M. Russell et B. Bowman (dir.), *Present Knowledge in Nutrition*, 9e éd., Washington DC, ILSI Press, 2006, p. 361-370.

Desaulniers, M. et M. Dubost, *Table de composition des aliments*, vol. 1 et 2, 2e édition, Montréal, Département de nutrition/Université de Montréal, 2006.

Dubost, M., *La nutrition*, 3e éd., Montréal, Chenelière Éducation, 2005, 366 p.

Institute of Medicine and Food and Nutrition Board, *Dietary Reference Intakes for Calcium, Magnesium, Phosphorus, Vitamin D, and Fluoride*, Washington DC, National Academy Press, 1997.

Institute of Medicine and Food and Nutrition Board, *Dietary Reference Intakes for Thiamin, Riboflavin, Niacin, Vitamin B6, Folate, Vitamin B12, Pantothenic Acid, Biotin, and Choline,* Washington DC, National Academy Press, 1998.

Institute of Medicine and Food and Nutrition Board, *Dietary Reference Intakes for Vitamin E, Vitamin C, Selenium, and Carotenoids,* Washington DC, National Academy Press, 2000.

Institute of Medicine and Food and Nutrition Board, *Dietary Reference Intakes for Vitamin A, Vitamin K, Arsenic, Boron, Chromium, Copper, Iodine, Iron, Manganese, Molybdenum, Nickel, Silicon, Vanadium, and Zinc,* Washington DC, National Academy Press, 2001.

Mahan, K. L. et S. Escott-Stump (dir.), *Krause's Food, Nutrition and Diet Therapy,* 11e édition, Philadelphie/Toronto, W.B. Saunders, 2004, 1360 p.

Pryor, R. L., « Phytochemicals», dans M. E. Shils, J. A. Olson, M. Shike et A. C. Ross (dir.), *Modern Nutrition in Health and Disease,* 10e éd., Philadelphie, Lippincott Williams & Wilkins, 2005, p. 582-594.

Rebouche C. J., «Carnitine», dans R. M. Russell et B. Bowman (dir.), *Present Knowledge in Nutrition,* 9e éd., Washington DC, ILSI Press, 2006, p. 340-351.

Zeizel S. H., «Choline and brain development», dans R. M. Russell et B. Bowman (dir.), *Present Knowledge in Nutrition,* 9e éd., Washington DC, ILSI Press, 2006, p. 352-360.

4
LES MINÉRAUX ET L'EAU

Les minéraux, tout comme les vitamines, font partie du groupe des micronutriments. Ils constituent environ de 4 à 5% du poids corporel et sont généralement divisés en deux grandes catégories: les macroéléments et les oligoéléments, aussi appelés microéléments. Par définition, les macroéléments contribuent à 0,005% ou plus de la masse corporelle et sont requis en quantités de 100 mg par jour ou plus. Les oligoéléments sont quant à eux consommés en quantités beaucoup plus petites et contribuent à moins de 0,005% de la masse corporelle.

Contrairement aux vitamines, qui sont de nature organique, les minéraux constituent des composés inorganiques. Ainsi, alors que les vitamines peuvent être affectées par des facteurs tels que la chaleur, l'oxygène, la lumière ou les transformations de l'industrie alimentaire, les minéraux gardent leur identité chimique quelle que soit leur destinée. Par conséquent, la teneur en minéraux des aliments varie généralement très peu, bien que certaines composantes alimentaires pourront en augmenter ou en diminuer la biodisponibilité au niveau intestinal.

Les minéraux se présentent dans l'organisme sous plusieurs formes. En effet, on les trouve sous forme ionique, soit en tant qu'ions positifs (cations) – c'est le cas notamment du potassium et du sodium –, soit en tant qu'ions négatifs (anions) – le chlore et le phosphore, par exemple. Par ailleurs, les minéraux se retrouvent intégrés à de nombreux composés organiques tels que les phospholipides et les métalloprotéines.

Essentiels au bon fonctionnement de l'organisme, les minéraux participent à l'ensemble des fonctions physiologiques, et leurs actions sont des plus diversifiées:

- ils participent à la composition de plusieurs composés (par exemple, l'acide chlorhydrique, l'hémoglobine) et éléments de structure de l'organisme (par exemple, les os, les dents);
- ils participent au maintien de l'équilibre acido-basique et hydrique, et de la pression osmotique;
- ils facilitent le transfert membranaire des nutriments et autres molécules;
- ils participent en tant que cofacteurs à des centaines de réactions biologiques impliquant des enzymes, des hormones et des vitamines;
- ils participent à la transmission nerveuse et aux contractions musculaires.

Dans les pages qui suivent, nous présenterons individuellement les minéraux dont le caractère essentiel chez l'humain est bien établi. Le tableau 4.1 classe les minéraux selon qu'il s'agit de macroéléments ou d'oligoéléments.

TABLEAU 4.1

Minéraux essentiels chez l'humain

MACROÉLÉMENTS	OLIGOÉLÉMENTS
Calcium (Ca)	Chrome (Cr)
Chlore (Cl)	Cuivre (Cu)
Magnésium (Mg)	Fer (Fe)
Phosphore (P)	Fluor (F)
Potassium (K)	Iode (I)
Sodium (Na)	Manganèse (Mn)
	Molybdène (Mo)
	Sélénium (Se)
	Zinc (Zn)

Pour chacun de ces minéraux, nous traiterons des principales composantes métaboliques (absorption, distribution et excrétion), physiologiques (fonctions) et nutritionnelles (sources alimentaires, biodisponibilité, carence et toxicité). Notez que les besoins nutritionnels et les apports de référence relatifs à chaque minéral seront quant à eux traités de manière spécifique au chapitre 7.

Ce chapitre traite également de l'eau, élément essentiel s'il en est un. Nous en verrons l'importance pour l'organisme de même que ses composantes métaboliques, physiologiques et nutritionnelles.

4.1 Les macroéléments

Dans cette première partie du chapitre, nous présenterons les propriétés des macroéléments, soit du calcium, du phosphore, du magnésium, du sodium, du potassium et du chlore. Bien que le soufre appartienne chimiquement à la grande famille des minéraux, il est de moins en moins étudié comme tel en nutrition en raison du fait qu'il se présente exclusivement en tant que constituant de molécules organiques. Par exemple, il existe dans l'organisme en tant que constituant des acides aminés (méthionine, cystine et cystéine), les ions sulfures contribuant à stabiliser la structure des protéines. Les protéines des cheveux, des ongles et de la peau sont particulièrement riches en acides aminés soufrés. Le soufre fait également partie d'autres composés organiques, à savoir l'héparine, un anticoagulant que l'on trouve dans le foie, dans certaines hormones (par exemple, l'insuline), dans certaines vitamines (par exemple, la biotine, l'acide pantothénique et la thiamine) et dans le glutathion (un peptide possédant des propriétés antioxydantes).

4.1.1 Le calcium

Le calcium représente de 1,5 à 2% du poids corporel, ce qui, pour une personne de 70 kg, représente de 1000 g à 1400 g. Quatre-vingt-dix-neuf pour cent du calcium corporel se trouve dans les os et dans les dents, le reste, soit environ 10 g, se distribue dans les liquides extracellulaires et dans les cellules des tissus mous tels que le foie, le cœur et les muscles.

Environ 40 % du calcium sanguin circule lié à des protéines (essentiellement à l'albumine), 50 % circule sous forme libre, tandis que 10 % est lié à des anions (par exemple, le citrate, le phosphate). La concentration sanguine du calcium (calcémie) varie entre 9 mg et 11 mg par décilitre et fait l'objet d'un contrôle très rigoureux, cette dernière variant rarement de plus de 3 %. Trois hormones sont plus particulièrement impliquées dans la régulation du taux de calcium sanguin : la parathormone, sécrétée par les glandes parathyroïdes ; la calcitonine, une hormone sécrétée par la glande thyroïde ; et la forme active de la vitamine D.

Comme on le voit à la figure 4.1, une baisse de la calcémie résulte en une augmentation des taux de parathormone, laquelle entraîne une mobilisation du calcium contenu dans les os, une diminution de l'excrétion du calcium par les reins et une augmentation de la synthèse de la forme active de la vitamine D, ce qui favorise l'absorption du calcium au niveau de l'intestin. Au contraire, une hausse de la calcémie s'accompagne d'une augmentation de sécrétion de la calcitonine, laquelle réduit la résorption osseuse, diminuant ainsi la calcémie. Ces systèmes hormonaux sont inactivés lorsque la calcémie redevient normale. Comme on peut le constater, l'os sert de réserve de calcium pour l'organisme et joue un rôle primordial dans le maintien de la calcémie.

FIGURE 4.1

Régulation de la calcémie

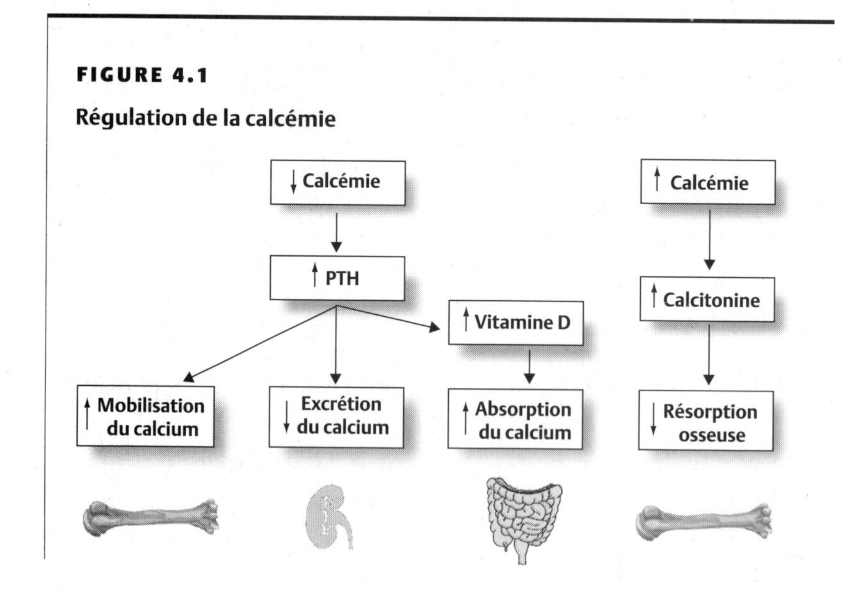

▶ **ABSORPTION, DISTRIBUTION, EXCRÉTION**

De manière générale, environ 30% du calcium ingéré est absorbé dans l'organisme, mais cette proportion peut s'élever à 50% en présence d'un régime pauvre en calcium ou en cas de besoins accrus (par exemple, en période de croissance chez l'enfant ou chez la femme enceinte). En revanche, la proportion de calcium absorbée aura tendance à être plus faible dans un contexte d'abondance. Le calcium est absorbé par deux mécanismes: le transport actif, qui intervient lorsque les concentrations intestinales sont faibles, et la diffusion passive, laquelle opère en présence de concentrations intestinales élevées. L'absorption du calcium par transport actif est un procédé saturable contrôlé par la 1,25 $(OH)_2$ vitamine D (la forme active de la vitamine D), qui stimule la synthèse de protéines qui lient le calcium, les calbindines, au niveau de la bordure en brosse de l'intestin. Un appauvrissement du statut vitaminique D peut ainsi réduire l'absorption du calcium, une condition fréquemment rencontrée dans la population âgée. Par ailleurs, et sans prendre en compte la vitamine D, l'efficacité d'absorption du calcium tend à diminuer au cours du vieillissement. En effet, on observe, autour de la cinquième décennie, une diminution de l'efficacité de l'absorption du calcium d'environ 0,2% par année.

La biodisponibilité du calcium est généralement supérieure lorsque ce dernier fait partie intégrante d'un repas. En effet, l'acide chlorhydrique sécrétée par l'estomac lors de l'ingestion des aliments favorise la digestion du calcium alimentaire et augmente sa solubilité. En outre, les régimes riches en lactose (sucre contenu dans le lait) ont également tendance à favoriser l'absorption du calcium. Au contraire, certains facteurs de l'alimentation se lient au calcium et réduisent sa biodisponibilité; c'est le cas notamment des phytates présents dans le son des céréales et des oxalates contenus dans certains fruits et légumes (rhubarbe, épinards, bette à carde). Par exemple, seulement 5% du calcium contenu dans les épinards serait absorbé. Quant aux fibres, elles ne réduiraient l'absorption du calcium que lorsqu'elles sont présentes dans l'alimentation en grande quantité (ex.: plus de 30 g/jour). Par ailleurs, les régimes riches en lipides favorisent la formation de sels insolubles (savons) avec le calcium et diminuent sa biodisponibilité. Enfin, une motilité intestinale accrue et l'atrophie gastrique, une condition qui touche une proportion non négligeable de personnes âgées (voir chapitre 5), pourront réduire l'absorption de calcium.

TABLEAU 4.2

Facteurs qui affectent l'absorption du calcium

AUGMENTATION DE L'ABSORPTION	DIMINUTION DE L'ABSORPTION
• Vitamine D	• Vieillissement
• Acidité de l'intestin	• Phytates et oxalates
• Régime riche en lactose	• Régime riche en lipides
• Besoins accrus en calcium	• Régime très élevé en fibres
	• Motilité gastrique accrue
	• Atrophie gastrique

Le tableau 4.2 résume les principaux facteurs qui influent sur l'absorption du calcium.

Le calcium est excrété dans l'urine à des taux qui varient selon les besoins de l'organisme et en fonction des conditions hormonales ambiantes. Par exemple, l'excrétion urinaire est faible chez l'enfant en croissance, alors qu'elle est augmentée chez la femme à la ménopause par suite de la perte osseuse qui survient lors de l'arrêt de sécrétion des œstrogènes. Toutefois, après 65 ans, l'excrétion urinaire de calcium tend à diminuer à la suite de la baisse d'absorption de calcium au niveau de l'intestin. En outre, chez l'adulte, des apports élevés de caféine et de sodium (sel) vont augmenter l'excrétion urinaire de calcium (hypercalciurie). Ainsi, ayant des apport normaux de sodium, chaque gramme additionnel de sodium ingéré entraîne l'excrétion additionnelle de 26,3 mg de calcium. Par ailleurs, bien que des études aient lié l'hyercalciurie à des apports élevés de protéines animales, cet effet a surtout été observé lorsque les protéines étaient consommées de manière isolée ou en quantités anormalement élevées. Aussi, les quantités de protéines ingérées dans un contexte alimentaire normal ont probablement peu d'impact sur l'excrétion urinaire du calcium. Chez les personnes âgées, les apports protéiques sont souvent faibles ou insuffisants. Or, des travaux réalisés ces récentes années ont mis en évidence des taux inférieurs de perte minérale osseuse et de fractures chez les personnes dont les apports protéiques sont légèrement élevés. À la lumière de ceci, les personnes âgées ne devraient en aucun cas craindre les protéines alimentaires, mais au contraire s'assurer que leurs apports quotidiens sont en accord avec les quantités recommandées (voir chapitre 7).

▶ FONCTIONS

Sur le plan physiologique, le calcium exerce de nombreuses fonctions. Il joue un rôle de premier plan dans la formation des os et des dents en formant, de concert avec le phosphore, un complexe minéral appelé hydroxyapatite, lequel constitue la principale structure inorganique de l'os, de l'émail et de la dentine des dents. Parce que le renouvellement des minéraux au sein de l'os est rapide et constant, l'os dépend du calcium exogène davantage que les dents, dont le taux de renouvellement est extrêmement lent. En plus de sa fonction de structure, le calcium joue un rôle vital en tant que cofacteur et régulateur de nombreuses réactions biochimiques. Il influence la perméabilité des membranes cellulaires et contribue ainsi à la libération de neurotransmetteurs, à la sécrétion d'hormones et à l'activation d'enzymes. De plus, il est nécessaire à la transmission nerveuse et participe à la régulation des contractions musculaires (son action au niveau du muscle cardiaque est à signaler). Enfin, le calcium contribue à la coagulation sanguine en agissant comme cofacteur dans les réactions enzymatiques menant à la formation de caillots de fibrine. Un apport faible en calcium a été identifié comme un facteur de risque de l'hypertension et du cancer du côlon; l'impact clinique d'apports élevés reste toutefois à démontrer.

▶ SOURCES

Les principales sources de calcium sont le lait et les produits laitiers en général, les poissons en conserve incluant les arêtes (par exemple le saumon et les sardines), certains légumes verts (notamment le brocoli et les légumes feuillus, par exemple les épinards), certaines légumineuses (soja, tofu, haricots blancs), certaines noix et graines (amandes, noix du Brésil, graines de sésame, de tournesol), les figues séchées, les boissons de soja enrichies et la mélasse noire. Précisons qu'en ce qui concerne les produits laitiers, leur teneur en calcium varie en fonction de la quantité de lait ou de solides du lait qu'ils contiennent. Par exemple, le yogourt, dans lequel les composants du lait sont habituellement plus concentrés, contiendra plus de calcium par portion que la crème glacée.

Soulignons également que la teneur en calcium du lait est la même indépendamment de la quantité de matières grasses qu'il contient, le processus d'écrémage n'ayant pas d'impact significatif sur le calcium contenu dans le lait. Enfin, n'oublions pas que le calcium provenant de la rhubarbe, des épinards, de la bette à carde et des feuilles de betterave est généralement peu disponible en raison des sels insolubles qu'il forme avec les oxalates contenus dans ces aliments. Le tableau 4.3 présente la teneur en calcium de certains aliments.

TABLEAU 4.3

Teneur moyenne en calcium de divers aliments

ALIMENTS	CALCIUM (mg)
Lait, 250 ml	315
Yogourt, 175 ml	270
Fromage cheddar, 30 g	210
Fromage cottage, crème glacée , 125 ml	90
Autres fromages (mozzarella, bleu, camembert, feta), 30 g	150
Sardines en conserve égouttées, 100 g	380
Saumon en conserve avec os, 100 g	225
Poissons, crustacés, 100 g	50
Œuf, 1	25
Amandes, 60 ml	65
Noix, 60 ml	20-25
Graines (de sésame, de tournesol), 60 ml	40-45
Fèves de soja, haricots blancs, 250 ml	170-185
Autres légumineuses, 250 ml	50-120
Tofu préparé avec sulfate de calcium, 100 g	683
Tofu préparé avec chlorure de magnésium, 100 g	205
Pain de blé entier, pain blanc, 1 tranche	20-27
Céréales à déjeuner à grains entiers, 250 ml	30-40
Riz, pâtes alimentaires, 100 g	20-50
Figues séchées, 125 ml	95
Brocoli, 250 ml	100
Épinards, 125 ml	130
Autres fruits secs, 125 ml	45
Autres fruits et légumes, 250 ml	40
Mélasse noire, 15 ml	180

CARENCE, TOXICITÉ

La carence en calcium chez l'adulte entraîne l'ostéomalacie et contribue à l'ostéoporose. Dans le premier cas, la qualité de l'os est diminuée alors que la masse osseuse est inchangée, tandis que dans le deuxième on observe une réduction de la masse osseuse totale. Soulignons que l'ostéoporose touche plus particulièrement les femmes ménopausées qui ne reçoivent pas d'hormonothérapie de remplacement.

En revanche, le calcium est toxique lorsqu'il est consommé en quantités excessives. L'hypercalcémie consécutive à des apports élevés de calcium et de vitamine D peut entraîner des dépôts de calcium dans les tissus mous, notamment les reins. En outre, des apports excessifs de calcium peuvent réduire l'absorption d'autres minéraux tels que le fer, le zinc, le phosphore et le magnésium. Enfin, des travaux ont rapportés de la constipation chez des femmes qui prenaient des suppléments de calcium.

4.1.2 Le phosphore

Le phosphore, présent dans l'organisme essentiellement sous forme de phosphates (PO_4), représente le deuxième minéral le plus abondant après le calcium, comptant pour environ 1% du poids corporel. De 80 à 85% du phosphore se trouve dans les os et les dents sous forme de cristaux d'hydroxyapatite, le reste s'intégrant aux liquides cellulaires et extracellulaires; environ la moitié de ce dernier se trouve dans le muscle strié. Le phosphore est présent dans le sang à des concentrations qui varient entre 3 mg et 4 mg par décilitre, la phosphatémie (le taux sanguin de phosphore) étant sous le contrôle de la parathormone. Dix pour cent du phosphore sanguin est lié aux protéines, 40% forme des complexes avec des anions et 50% circule sous forme libre.

ABSORPTION, DISTRIBUTION, EXCRÉTION

La grande majorité du phosphore est absorbée par diffusion passive sous forme inorganique, les phosphates organiques étant hydrolysés dans la lumière intestinale par l'enzyme phosphatase alcaline. Une fraction très limitée du phosphore est absorbée par transport actif (procédé saturable), une voie facilitée par la 1,25 $(OH)_2$ vitamine D. Le phosphore ingéré est absorbé à environ 60 %, ce qui correspond à un taux d'absorption deux fois plus élevé que celui du calcium, qui est d'environ 30 %. De plus, il est absorbé plus rapidement que le calcium, le phosphore ingéré apparaissant dans la circulation une heure après son ingestion, alors que le calcium ne se retrouve dans le sang qu'après trois ou quatre heures. Par ailleurs, contrairement à ce qui est observé pour le calcium où l'efficacité d'absorption diminue en présence d'apports de calcium élevés (et inversement), le taux d'absorption du phosphore est insensible à ses apports. De même, l'efficacité d'absorption du phosphore n'est pas affectée par l'âge. En revanche, les antiacides contenant de l'aluminium, lorsque consommés en grande quantité, tout comme les doses pharmacologiques de calcium (surtout sous forme de carbonate), peuvent diminuer le taux d'absorption du phosphore. Toutefois, dans le contexte d'une alimentation normale, le calcium alimentaire n'a pas d'effet délétère sur l'absorption du phosphore.

Le rein constitue la principale voie d'excrétion du phosphore, l'excrétion urinaire de ce minéral variant en fonction des apports et de la phosphatémie. En outre, l'excrétion urinaire du phosphore est sous le contrôle de la parathormone (qui augmente son excrétion), mais sa régulation est moins stricte que pour le calcium. De plus, elle n'est pas affectée de manière sensible par l'âge. Environ 10 % des phosphates sont excrétés dans les fèces, mais cette proportion pourra augmenter en présence d'excès de phosphore dans l'organisme.

▶ FONCTIONS

Comme le calcium, le phosphore participe à la minéralisation des os et des dents en tant que constituant de l'hydroxyapatite. En marge de cette fonction de structure, le phosphore sous forme de phosphate participe à la mise en réserve et à la libération de l'énergie dans l'organisme en tant que constituant des molécules d'adénosine-triphosphate (ATP), générées par l'oxydation des nutriments énergétiques. De plus, il entre dans la composition des enzymes, des acides nucléiques (ARN et ADN), de certaines vitamines ainsi que des membranes cellulaires dans lesquelles il est un constituant des phospholipides. Par le biais des réactions de phosphorylation et de déphosphorylation auxquelles il participe, le phosphore facilite l'absorption et le transport de plusieurs nutriments, dont le glucose et les lipides, et participe à l'activation de nombreuses enzymes. Enfin, en raison de sa capacité de lier les ions hydrogènes, le phosphate joue un rôle de premier plan dans le maintien de l'équilibre acido-basique des liquides corporels. Ainsi, on l'associe à une substance tampon.

▶ **SOURCES**

Bien que largement distribué dans l'alimentation, le phosphore se trouve en quantité particulièrement importante dans les aliments riches en protéines; chaque gramme de protéine apporte en moyenne 15 mg de phosphore. Ainsi, la viande, le poisson, les œufs, les produits laitiers et les produits céréaliers à grains entiers constituent de bonnes sources de phosphore. En outre, le phosphore d'origine animale est généralement davantage biodisponible que celui contenu dans les végétaux. En effet, celui présent dans certaines céréales, notamment le blé, se présente sous forme d'acide phytique (une forme de réserve du phosphore) et n'est pas absorbé. Soulignons également que les boissons gazeuses peuvent fournir des quantités non négligeables de phosphore. La teneur en phosphore de la diète nord-américaine serait de 62 mg/100 Kcal. Le tableau 4.4 présente la teneur en phosphore de quelques aliments courants.

TABLEAU 4.4

Teneur moyenne en phosphore de divers aliments

ALIMENTS	PHOSPHORE (mg)
Lait, 250 ml	240
Fromage ferme, 30 g	150-250
Fromage ricotta ou à la crème, 125 ml	250-300
Yogourt, 175 ml	230
Viandes, volailles, poissons, 100 g	150-250
Mollusques et crustacés, 100 g	100-200
Œuf, 1	65
Légumineuses, 250 ml	250
Tofu, 100 g	190
Noix, graines, 60 ml	100-250
Céréales à déjeuner à grains entiers, 250 ml	150-250
Pâtes, riz à grains entiers, 100 g	80
Pâtes, riz à grains raffinés, 100 g	40
Pain de blé entier, 1 tranche	50
Pain blanc, 1 tranche	25
Légumes, 250 ml	50-100
Fruits, 250 ml	30-50
Boissons gazeuses type cola, 341 ml	40-60

▶ **CARENCE, TOXICITÉ**

Le phosphore étant abondant dans l'alimentation, sa carence est très rare chez l'humain. Lorsqu'elle survient, elle est généralement associée à la prise de médicaments qui lient les phosphates, notamment les antiacides. La carence en phosphore se caractérise par des anomalies sur les plans neuromusculaire, hématologique, rénal et osseux.

Bien que les cas de toxicité soient rares dans la population, des apports excessifs de phosphore nuisent à l'absorption du calcium ; ils peuvent en outre entraîner des dépôts de calcium dans les organes tels que les reins.

4.1.3 Le magnésium

Le corps d'un adulte contient environ 25 g de magnésium réparti de la façon suivante : 60 % se trouve dans les os ; 25 %, dans les muscles ; le reste, dans les autres tissus mous et dans les liquides corporels. Seulement un tiers du magnésium contenu dans les os est mobilisable et donc disponible pour le maintien des concentrations extracellulaires. On trouve environ 1 % du magnésium dans le sang, dont 50 % dans une forme libre, 33 % lié à l'albumine, le reste lié à des composés tels que les citrates, les phosphates et autres anions. Contrairement aux taux sanguins de calcium et de phosphore, les taux de magnésium ne semblent pas sous un contrôle hormonal spécifique. La magnésémie (taux de magnésium dans le sang) varie entre 1,8 à 2,3 mg par décilitre et est régulée par l'absorption et l'excrétion urinaire. À l'instar du potassium, le magnésium se concentre à l'intérieur de la cellule plutôt que dans les liquides extracellulaires. Pour cette raison, les taux de magnésium tel que mesurés dans les érythrocytes offriraient davantage de sensibilité que les taux sériques pour détecter les états d'insuffisance ou d'excès. Peu de données relatives à cette mesure sont toutefois disponibles.

▶ **ABSORPTION, DISTRIBUTION, EXCRÉTION**

L'absorption du magnésium ingéré varie entre 35 et 45 % et s'effectue selon deux mécanismes : le transport facilité et la diffusion passive. Le premier mécanisme qui, selon certains travaux, impliquerait la forme active de la vitamine D, opère lorsque les concentrations intestinales sont faibles, alors que le deuxième agit en présence de quantités élevées de magnésium. L'efficacité d'absorption du magnésium varie selon l'état magnésémique de la personne et la quantité de magnésium contenu dans la diète, l'absorption du magnésium étant moindre lorsque les apports sont élevés. L'excrétion du magnésium s'effectue principalement par les reins, lesquels conservent le magnésium lorsque les apports sont faibles. Inversement, l'excrétion urinaire est augmentée lorsque les apports sont élevés, notamment avec la prise de suppléments.

▶ FONCTIONS

Présent dans l'os, le magnésium contribue à sa structure. Par ailleurs, il est le cofacteur de plus de trois cents réactions enzymatiques dont un grand nombre sont impliquées dans le transfert d'énergie. Parce qu'il sert de catalyseur dans les réactions enzymatiques qui impliquent l'ATP, le magnésium joue un rôle dans la synthèse des acides gras, des protéines et des acides nucléiques, et permet l'utilisation du glucose par l'organisme. De plus, le magnésium est impliqué dans la transmission de signaux provenant de l'extérieur de la cellule, notamment ceux qui sont suscités par les hormones. Plus spécifiquement, il participe à la conduction nerveuse et à l'activité neuromusculaire où il agit généralement comme antagoniste du calcium ; alors que le calcium stimule la contraction, le magnésium favorise sa relaxation. D'ailleurs, de larges doses de magnésium vont entraîner une répression du système nerveux central et provoquer l'anesthésie. Le magnésium intervient également au niveau des muscles lisses où, par son action, il participe au contrôle du tonus vasculaire et à la tension artérielle.

▶ SOURCES

Le magnésium est relativement bien distribué dans l'alimentation. Toutefois, on le trouve en quantités importantes dans les légumes vert foncé (le magnésium est un constituant de la chlorophylle), les céréales à grains entiers, les noix, les graines et les légumineuses, incluant le tofu. Les viandes, les féculents, et le lait en constituent également des sources, bien que moins importantes. En outre, parce que les apports de magnésium sont généralement associés aux apports caloriques totaux, les apports de magnésium des personnes âgées, notamment ceux des femmes, se situent généralement parmi les plus faibles. Enfin, le taux d'absorption du magnésium est généralement moindre en présence d'acide phytique et d'apports élevés de phosphore et de calcium (> 2,6 mg/j). De même, des apports faibles de protéines (< 30 g/j) nuiront à l'absorption du magnésium. Le tableau 4.5 présente la teneur en magnésium de certains aliments.

TABLEAU 4.5

Teneur moyenne en magnésium de divers aliments

ALIMENTS	MAGNÉSIUM (mg)
Légumineuses, 250 ml	75-125
Tofu avec chlorure de magnésium, 100 g	30
Noix, graines, 60 ml	60-100
Viandes, volailles, 100 g	20-30
Poissons, crustacés et mollusques, 100 g	30-50
Flétan, 100 g	100
Œuf, 1	5
Légumes vert foncé, 250 ml	50-100
Autres légumes, 250 ml	15-40
Banane, 250 ml	60
Autres fruits, 250 ml	10-25
Pâtes, riz à grains entiers, 100 g	140
Pâtes, riz à grains raffinés, 100 g	25-50
Céréales à déjeuner à grains entiers, 250 ml	50-100
Pain de blé entier, 1 tranche	25
Pain blanc, 1 tranche	5
Lait, 250 ml	28
Fromage ferme, 30 g	5-10
Fromage ricotta ou à la crème, 30 g	<5
Yogourt, 175 ml	30

▶ CARENCE, TOXICITÉ

Bien que rare, la carence en magnésium est associée à l'hypocalcémie et à une résistance aux traitements à la vitamine D. Cliniquement, elle se manifeste par des tremblements, des spasmes musculaires, l'irritabilité, l'anorexie et la tétanie. Diverses conditions peuvent engendrer la carence en magnésium : une réduction des apports alimentaires, la malabsorption, la carence protéique, les désordres rénaux, l'usage de diurétiques, l'abus d'alcool, les diarrhées chroniques et les vomissements prolongés. Un faible apport en magnésium a récemment été identifié comme un facteur de risque de l'hypertension et de l'ostéoporose ; ces liens de causalité restent toutefois à être démontrés de façon rigoureuse.

Le magnésium n'est associé à aucune toxicité dans le contexte d'une alimentation normale, mais peut entraîner de la diarrhée, des nausées et des crampes abdominales lorsque consommé en quantité excessive sous forme de suppléments, les personnes qui souffrent d'insuffisance rénale étant davantage à risque de toxicité.

4.1.4 Le sodium, le potassium, le chlore

Le sodium, le potassium et le chlore sont trois minéraux essentiels et forment le groupe des électrolytes du fait qu'ils sont présents dans l'organisme essentiellement sous forme d'ions. Ils constituent respectivement 2, 5 et 3 % du contenu minéral de l'organisme. Ces minéraux sont largement distribués dans les liquides corporels, le sodium et le chlore étant concentrés dans les liquides extracellulaires, alors que le potassium se trouve principalement à l'intérieur des cellules.

▶ ABSORPTION, DISTRIBUTION, EXCRÉTION

Les trois électrolytes sont absorbés dans le petit intestin et sont excrétés principalement par la voie urinaire ; des quantités variables peuvent également être excrétées dans les fèces et dans la transpiration. La concentration sanguine du sodium est sous le contrôle de l'hormone aldostérone (sécrétée par la partie corticale des glandes surrénales), laquelle stimule la réabsorption du sodium par le rein. Par ailleurs, l'excrétion du sodium et du chlore pourra être augmentée par certains diurétiques. Au cours du vieillissement, les mécanismes responsables de l'excrétion de sodium perdent de leur efficacité, c'est pourquoi les personnes âgées ont tendance à être plus sensibles aux variations d'apports de sodium que les adultes plus jeunes. Quant au potassium plasmatique, il reflète le métabolisme cellulaire, augmentant au cours du catabolisme et diminuant lors des processus anaboliques (par exemple, lors de la synthèse protéique). En outre, des apports élevés de potassium augmenteront l'excrétion urinaire de sodium et de chlore et contribuera à limiter l'effet hypertenseur du sodium.

▶ FONCTIONS

Sur le plan physiologique, les électrolytes ont des fonctions communes et leurs actions sont intimement liées :

- ils assurent, collectivement, une distribution normale de l'eau dans l'organisme ;
- ils contribuent à l'équilibre osmotique et acido-basique ;

- ils participent à l'influx nerveux, aux contractions musculaires et au transport membranaire des molécules en créant un gradient ionique transmembranaire.

En marge de ces actions, précisons que le chlore est un constituant de l'acide chlorhydrique sécrété par l'estomac et, qu'à ce titre, il joue un rôle important dans la digestion.

► SOURCES

Le sodium, le potassium et le chlore sont largement distribués dans l'alimentation. Les principales sources de sodium et de chlore sont le sel de table (une cuillère à thé ou 5 g de sel de table apportent environ 2 g de sodium) et les aliments transformés auxquels du sel a été ajouté: charcuteries, condiments et « grignotines » (croustilles, maïs éclaté, bretzels, etc.). Soulignons que les aliments d'origine animale contiennent généralement davantage de sodium que les aliments d'origine végétale. Quant au potassium, il est présent dans la majorité des aliments, mais on le trouve en quantités plus importantes dans les légumes et fruits, les viandes et les substituts ainsi que dans les produits laitiers.

► CARENCE, TOXICITÉ

En raison de leur grande distribution dans l'alimentation, les carences en électrolytes sont rares. Elles peuvent toutefois survenir à la suite d'une diarrhée prolongée, d'un vomissement abondant et lors de sudation intense; elles se caractérisent par de l'anorexie, de la fatigue et de l'irritabilité. En outre, l'hypokaliémie (diminution des taux circulants de potassium) est associée à l'arythmie, à la faiblesse musculaire et à une moins bonne tolérance au glucose. Lorsque modérée, la carence en potassium peut contribuer à l'hypertension, à une hypersensibilité au sodium, à un risque accru de calculs rénaux ainsi qu'à un renouvellement osseux accéléré.

La consommation prolongée de fortes doses de sodium résulte en une hypernatrémie (augmentation des taux circulants de sodium), une condition qui entraîne une augmentation du volume sanguin et qui favorise l'hypertension chez les personnes à risque. Rappelons que l'hypertension constitue un important facteur de risque de maladies cardiovasculaires, d'accidents vasculaires cérébraux (AVC) et de problèmes rénaux. Par ailleurs, l'hyperkaliémie

TABLEAU 4.6

Tableau sommaire des macroéléments

MINÉRAL	FONCTIONS PHYSIOLOGIQUES	PRINCIPALES SOURCES ALIMENTAIRES
Calcium	Le calcium… • est nécessaire à la formation des os et des dents. • est un régulateur de plusieurs réactions biologiques (perméabilité cellulaire, neurotransmetteurs, hormones, enzymes, transmission nerveuse, contractions musculaires, coagulation sanguine).	Produits laitiers, poissons en conserve avec arêtes, certains légumes verts (brocoli, épinard), certaines légumineuses (soja, tofu, haricots blancs), certaines noix (du Brésil, amandes) et graines (tournesol, sésame), boissons de soja enrichies, figues séchées, mélasse noire.
Phosphore	Le phosphore… • est un constituant des os et des dents. • contribue à la mise en réserve et à la libération de l'énergie (constituant de l'ATP). • entre dans la composition de certaines enzymes, des acides nucléiques, de certaines vitamines et des membranes cellulaires (phospholipides). • facilite l'absorption et le transport de certains nutriments (glucose et lipides). • participe à l'équilibre acido-basique.	Aliments riches en protéines : viandes et substituts (poissons, œufs), produits laitiers, produits céréaliers à grains entiers.
Magnésium	Le magnésium… • participe à la structure des os et des dents. • est un cofacteur de plusieurs réactions enzymatiques. • libère l'énergie. • participe à la synthèse des acides gras, des protéines et des acides nucléiques. • participe à la signalisation cellulaire. • participe à la conduction nerveuse et à l'activité neuromusculaire comme antagoniste du calcium. • participe au contrôle du tonus vasculaire et à la tension artérielle.	Légumes vert foncé, céréales à grains entiers, noix, graines et légumineuses (incluant le tofu).

TABLEAU 4.6 (*suite*)

Tableau sommaire des macroéléments

MINÉRAL	FONCTIONS PHYSIOLOGIQUES	PRINCIPALES SOURCES ALIMENTAIRES
Sodium, chlore, potassium	Le sodium, le chlore et le potassium… • contribuent à l'équilibre hydrique, osmotique et acido-basique. • participent à l'influx nerveux, aux contractions musculaires et au transport membranaire des molécules. • Le chlore est un constituant de l'acide chlorhydrique.	**Sodium et chlore**: sel de table et produits transformés, charcuterie, condiments, grignotines. **Potassium**: fruits et légumes, viandes et substituts, produits laitiers.

causée par des apports excessifs de potassium peut entraîner une paralysie des muscles squelettiques, la paresthésie, la confusion et, dans les cas graves, des anomalies du muscle cardiaque. Les conséquences d'un excès de chlore sont peu documentées.

Le tableau 4.6 présente un sommaire des fonctions et principales sources alimentaires des macroéléments.

4.2 Les oligoéléments

Dans cette deuxième partie du chapitre, nous examinerons brièvement les propriétés de chacun des oligoéléments (ou microéléments): le fer, le zinc, le cuivre, l'iode, le sélénium, le chrome, le manganèse, le molybdène et le fluor.

4.2.1 Le fer

Le corps contient de 2,5 g à 4 g de fer dont plus des deux tiers se présentent sous forme hémique (aussi appelé fer fonctionnel), le reste étant présent sous forme non hémique (aussi appelé fer de réserve). On entend par fer hémique le fer incorporé dans les molécules d'hème, un constituant protéique de l'hémoglobine contenue dans les globules rouges.

TABLEAU 4.7

Répartition du fer dans l'organisme

TYPE DE FER	POURCENTAGE
Hémique (fonctionnel) :	
• hémoglobine du sang	60 %-75 %
• myoglobine du muscle	5 %-10 %
• enzymes	2 %-3 %
Non hémique (de réserve) :	
• ferritine	10 %-15 %
• hémosidérine	env. 5 %
• enzymes	env. 3 %
• transferrine du plasma	1 %

L'hémoglobine sert essentiellement à capter l'oxygène et à l'amener aux cellules afin que puissent s'effectuer les réactions d'oxydation qui permettent de libérer l'énergie des glucides, des lipides et des protéines; l'hémoglobine contient de 60 à 75% du fer hémique. On trouve également des molécules d'hème dans la myoglobine, une protéine chargée de la mise en réserve de l'oxygène au niveau du muscle ainsi que dans certaines enzymes (par exemple, les cytochromes, la catalase, les peroxydases); la contribution de ces deux composantes au fer hémique sont respectivement de 5 à 10% et de 2 à 3%. La majorité du fer non fonctionnel se trouve intégrée à deux protéines de réserve présentes dans le foie, dans la rate et dans la moelle épinière: la ferritine (10 à 15%) et l'hémosidérine (environ 5%). Le reste du fer non hémique se trouve dans des métalloenzymes (environ 3%) et dans la transferrine (moins de 1%), principale protéine de transport du fer dans le sang. La répartition du fer dans l'organisme est présentée dans le tableau 4.7.

▶ ABSORPTION, DISTRIBUTION, EXCRÉTION

Environ 85% du fer provenant de l'alimentation est sous forme non hémique, le reste (soit environ 15%) étant de nature hémique. En outre, parce qu'il est relativement protégé au sein de la molécule d'hème, l'efficacité d'absorption du fer hémique est supérieure à celle du fer non hémique. Aussi, chez une personne présentant des réserves de fer normales, les taux d'absorption du fer hémique et non hémique sont estimés à 25 et 17 % respectivement. En outre, parce que la diète végétarienne comporte par définition très peu d'aliments riches en fer hémique, la biodisponibilité du fer associé à cette diète est estimée à 10 % comparativement à 18 % pour une diète occidentale mixte. En raison de leur nature différente, les mécanismes d'absorption du fer hémique et non hémique au niveau de l'entérocyte (cellule épithéliale de l'intestin) diffèrent légèrement selon les formes. Le fer hémique est d'abord libéré des composés organiques auxquels il est attaché, puis il passe de la lumière intestinale à la partie luminale de l'entérocyte (cellule intestinale responsable de l'absorption des nutriments) par endocytose*, après s'être lié à son récepteur. Le fer est ensuite incorporé au cytosol cellulaire, puis libéré de sa molécule d'hème par l'action d'une enzyme, où il se lie à une protéine présente dans le cytosol cellulaire, l'apoferritine, et forme la ferritine. Le fer se dirige ensuite vers la partie basolatérale de

FIGURE 4.2

Absorption du fer

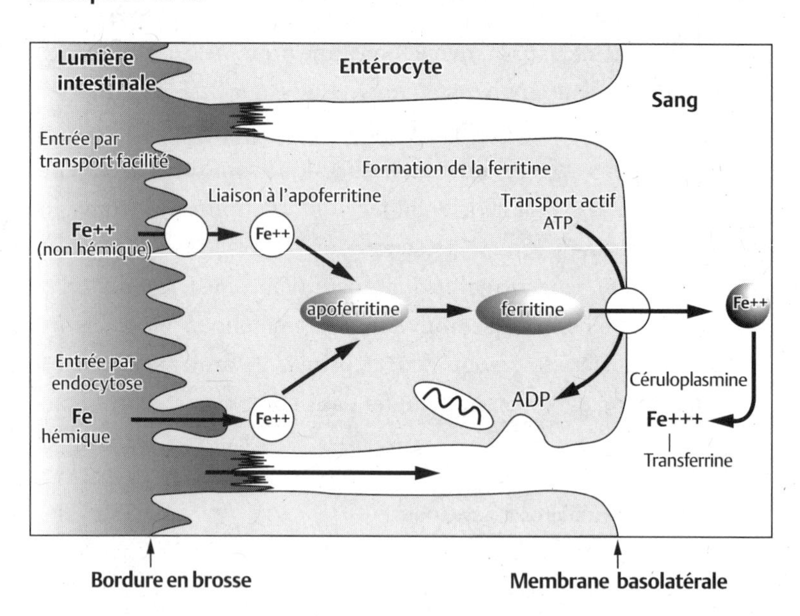

Source : Adapté de Mahan, K. L. et S. Escott-Stump (dir.), *Krause's Food, Nutrition & Diet Therapy*, 11e éd., Philadelphie/Toronto, W. B. Sauders, 2004.

l'entérocyte où il se lie à la transferrine et passe dans la circulation pour être transporté aux tissus ; la liaison du fer à la transferrine est facilitée par une protéine appelée céruloplasmine (protéine contenant du cuivre) dans une réaction qui requiert de l'énergie (transport actif). La transferrine, qui peut transporter deux molécules de fer, joue un rôle de premier plan en regard de la quantité de fer qui est transférée à la circulation. En effet, lorsque la transferrine est saturée à environ un tiers de sa capacité totale (environ 35 %), le fer demeure dans l'entérocyte et est éventuellement excrété dans les fèces lors de la desquamation cellulaire, les entérocytes étant renouvelés tous les cinq à six jours.

Quant au fer non hémique, son absorption diffère essentiellement de celle du fer hémique dans les premiers stades de l'absorption. Le fer non hémique étant majoritairement de forme ferrique (Fe+++ ; forme oxydée), nettement moins soluble que la forme ferreuse (Fe++ ; forme réduite), il est d'abord solubilisé dans le milieu acide de l'estomac, puis réduit dans la lumière intestinale. Le fer passe ensuite de l'intestin à l'entérocyte par transport facilité, est intégré au pool de fer du cytosol, puis se lie à l'apoferritine suivant les étapes décrites plus haut et illustrées dans la figure 4.2.

Divers agents réducteurs tels que la vitamine C (l'acide ascorbique), l'acide citrique, le glutathion et les acides aminés soufrés (méthionine, cystine et cystéine) favorisent la réduction du fer ferrique et ainsi augmentent son absorption. Inversement, l'hypochlorhydrie et/ou l'alcalinisation du milieu gastro-intestinal pouvant découler de conditions telles que l'atrophie gastrique (voir chapitre 5) ou de la prise de certains médicaments (par exemple, les antiacides) vont diminuer l'absorption du fer. Par ailleurs, plusieurs autres facteurs de l'alimentation vont affecter la quantité de fer non hémique absorbée. Ainsi, l'absorption est augmentée en présence de protéines animales et est diminuée en présence de phytates, d'oxalates et de tanins (composés polyphénoliques contenus dans le thé et dans une moindre mesure dans le café). De même, les régimes riches en lipides, en calcium ou en phosphore, et une motilité intestinale accrue pourront réduire l'absorption du fer. Par ailleurs, bien que la biodisponibilité du fer non hémique soit davantage affectée par les composantes de la diète que celle du fer hémique, l'absorption totale de l'une ou l'autre des deux formes varie en fonction du statut ferrique de l'organisme. Ainsi, l'absorption est plus élevée lorsque le statut ferrique est faible et que les besoins sont grands. Inversement, l'absorption du fer non hémique peut

TABLEAU 4.8

Facteurs qui affectent l'absorption du fer

AUGMENTATION DE L'ABSORPTION	DIMINUTION DE L'ABSORPTION
• Acidité de l'estomac • Agents réducteurs (vitamine C, acides aminés soufrés, glutathion, acide citrique) • Régime riche en protéines animales • Besoins accrus en fer	• Phytates oxalates et tanins • Régime riche en lipides, Ca et P • Motilité gastrique accrue • Alcanisation du milieu gastro-intestinal (atrophie gastrique, anti-acides)

atteindre 20% lorsque les réserves sont faibles. Un sommaire des facteurs qui influent sur l'absorption du fer non hémique est présenté dans le tableau 4.8.

Comme on l'a mentionné précédemment, la transferrine constitue la principale protéine de transport du fer dans le sang. Environ 200 g à 1500 g du fer corporel sont stockés dans la ferritine et l'hémosidérine, 30 % des réserves de fer se trouvant dans le foie, 30 % dans la moelle épinière et le reste dans la rate et les muscles. Les taux de ferritine dans le sang reflètent généralement les réserves de fer. Les fèces constituent la principale voie d'excrétion du fer et reflètent essentiellement le fer qui n'a pas été absorbé. Toutefois, de petites quantités de fer sont également excrétées dans la sueur ou par suite de l'exfoliation de la peau. Les pertes de fer associées aux menstruations sont de l'ordre de 0,5 mg par jour bien qu'il existe des variations individuelles importantes, des quantités trois fois supérieures à cette estimation ayant été observées chez une minorité de femmes. On ne trouve à peu près pas de fer dans l'urine.

▶ FONCTIONS

Le fer participe à plusieurs fonctions physiologiques importantes. Il contribue au transport de l'oxygène dans le sang et dans les muscles, en tant que constituant de l'hémoglobine et de la myoglobine, et participe au métabolisme énergétique (production d'ATP) en tant qu'élément constitutif des cytochromes, une famille d'enzymes impliquées dans la chaîne respiratoire. Par ailleurs, plusieurs autres enzymes, dont certaines impliquées dans la synthèse d'ADN et d'autres actives au niveau du cerveau, contiennent du fer. Des apports adéquats de fer sont également nécessaire à une fonction immunitaire normale.

TABLEAU 4.9

Teneur moyenne en fer de divers aliments

ALIMENTS	FER (mg)
Sources hémiques	
Bœuf, 100 g	2,0-3,0
Porc, 100 g	1,0-1,5
Agneau, 100 g	2,0-2,5
Veau, 100 g	1,0-1,5
Poulet, 100 g	1,0-1,4
Dinde, 100 g	1,5-2,5
Foie, 100 g	5,0-7,0
Poisson, 100 g	0,9-1,4
Crevettes, 100 g	2,5-3,0
Crabe, homard, 100 g	0,4
Huîtres, 6 moyennes	4,5-5,5
Sources non hémiques	
Légumineuses, 250 ml	4,0-7,0
Tofu ferme nature, 100 g	5,0
Amandes, 60 ml	1,9
Arachides, 60 ml	0,8
Graines de tournesol, 60 ml	2,2
Œuf, 1	0,6
Pâtes de blé entier, 100 g	3,6
Pâtes de blé raffiné*, 100 g	2,9-4,3
Pain de blé entier, 1 tranche	0,95
Pain blanc*, 1 tranche	0,75
Farine de blé entier, 100 g	3,9
Farine blanche*, 100 g	4,4
Riz brun, riz blanc**, 100 g	1,5
Céréales à déjeuner à grains entiers***, 250 ml	5,0-7,0
Épinards, pois verts, 250 ml	1,7
Pomme de terre avec pelure,1 moyenne	1,1
Autres légumes, 250 ml	0,5-1,0
Fruits séchés, 100 ml	2,0-3,0
Fruits, 250 ml	0,5-1,2
Lait, 250 ml	0,15
Fromage, 30 g	0,2
Yogourt, 175 ml	0,15
Mélasse noire, 15 ml	3,5

* Au Canada, ces aliments sont enrichis.

** S'applique au riz précuit seulement.

*** S'applique à certaines céréales seulement.

▶ **SOURCES**

Les aliments d'origine animale constituent de meilleures sources de fer que les produits d'origine végétale. Les meilleures sources de fer sont le foie, les mollusques (huîtres, palourdes), les viandes (surtout les viandes rouges), les volailles et les poissons. On trouve également du fer sous forme non hémique dans les produits céréaliers à grains entiers ou enrichis, dans les légumineuses, dans les fruits séchés, dans les noix, dans les graines et dans la mélasse noire. Le tableau 4.9 présente la teneur en fer de certains aliments usuels.

▶ **CARENCE, TOXICITÉ**

La carence en fer entraîne l'anémie et la faiblesse musculaire, laquelle s'accompagne habituellement d'une diminution des performances physiques. La carence en fer a aussi été associée à un retard du développement psychomoteur et à des troubles d'apprentissage chez l'enfant, à une diminution de la résistance aux infections et à des anomalies durant la grossesse.

Des apports excessifs de fer entraînent l'hémosidérose, une condition où le fer s'accumule dans le foie et cause la cirrhose. L'impact d'apports élevés en fer sur les maladies cardiovasculaires et sur la maladie d'Alzheimer fait présentement l'objet d'études.

4.2.2 Le zinc

Le zinc est le deuxième oligoélément en importance dans l'organisme après le fer. Le corps contient en effet de 2 g à 3 g de zinc, dont près de 90% se trouve dans les muscles et les os, le reste dans la prostate, la cornée, le sperme, la peau, les cheveux et les ongles. Environ 95% du zinc corporel est incorporé à des métalloenzymes et aux membranes cellulaires, le sang comprenant moins de 0,1% du *pool* de zinc total.

TABLEAU 4.10

Facteurs qui affectent l'absorption du zinc

AUGMENTATION DE L'ABSORPTION	DIMINUTION DE L'ABSORPTION
• Besoins accrus en zinc • Diète riche en protéines animales	• Diète riche en phytates • Apport élevés de fer, de calcium et de phosphore

▶ ABSORPTION, DISTRIBUTION, EXCRÉTION

Le taux d'absorption du zinc varie entre 15 et 40 % et dépend de l'état nutritionnel de la personne, des quantités ingérées et de la composition de la diète. De manière générale, le zinc organique est mieux absorbé que le zinc inorganique et il est peu affecté par la présence d'autres facteurs alimentaires. Au contraire, l'absorption du zinc inorganique est modifiée de diverses façons ; ainsi, une diète riche en phytates, de même que des apports élevés de fer, de phosphore et de calcium réduisent l'absorption du zinc. En revanche, le zinc est généralement mieux absorbé lorsqu'il provient d'une diète riche en protéines animales (par opposition à une diète riche en protéines végétales). Un sommaire des principaux facteurs qui influent sur l'absorption du zinc est présenté dans le tableau 4.10.

Le zinc est absorbé selon deux mécanismes distincts qui rappellent ceux qui sont impliqués dans l'absorption du calcium. Dans un contexte d'abondance, le zinc pénètre l'entérocyte par diffusion passive, alors qu'en présence d'apports faibles son absorption s'effectue par un mécanisme de transport facilité saturable. Après son passage dans l'entérocyte, le zinc se lie à une métalloprotéine appelée métallothionéine capable de lier les métaux divalents tels que le zinc et le cuivre. Le complexe zinc-métallothionéine se dirige ensuite vers la partie basolatérale de l'entérocyte où il est largué dans la circulation par un mécanisme de transport actif. Lorsque les réserves corporelles en zinc sont élevées, le zinc reste dans l'entérocyte et est éliminé de l'organisme lors de la desquamation des cellules. Aussi, la concentration de métallothionéine dans l'entérocyte varie en fonction des quantités de zinc qui arrivent à l'intestin ; en présence de grandes quantités de zinc, la synthèse de métallothionéine augmente, ce qui permet la captation d'une plus grande proportion de zinc.

Le zinc circule dans le sang prioritairement lié à l'albumine, soit dans des proportions variant entre 60 et 80 % ; entre 20 et 40 % du zinc est lié à la protéine alpha-2-macroglobuline tandis qu'une petite proportion (environ 3 %) circule attachée à des acides aminés. Le zinc sanguin est contenu dans les érythrocytes et dans les globules blancs.

Le zinc est essentiellement excrété dans les fèces, mais de petites quantités sont également excrétées dans l'urine, la peau, les cheveux, la sueur, le sang menstruel et le sperme.

▶ FONCTIONS

Le zinc est un élément essentiel de l'organisme et son rôle sur le plan physiologique est varié du fait de sa participation à l'activité d'un très grand nombre de protéines, notamment d'enzymes. Par exemple, près de cent enzymes dépendent de lui pour leur activité catalytique. À ce titre, il intervient dans le métabolisme des acides nucléiques, des glucides, des lipides et des protéines. Il exerce également un rôle de structure pour de nombreuses protéines cellulaires dont certaines sont impliquées dans la signalisation cellulaire et la régulation génique. En outre, le zinc stabilise l'enzyme superoxide dismutase, une enzyme chargée de contrer les radicaux libres (c'est-à-dire antioxydante ; voir section suivante sur le cuivre). Il aide également à la stabilisation des membranes cellulaires par son action au niveau du métabolisme des acides gras essentiels. De manière générale, le zinc est donc essentiel à la croissance et au développement, il contribue à la fonction immunitaire, il est nécessaire à la reproduction et participe à l'expression de certains gènes.

▶ SOURCES

Les principales sources alimentaires du zinc sont les huîtres, les viandes rouges, le foie, les produits céréaliers à grains entiers ou enrichis, les légumineuses (y inclus le tofu) et les noix et les graines. De manière générale, les apports en zinc sont bien corrélés aux apports en protéines. Le tableau 4.11 présente la teneur en zinc d'un certain nombre d'aliments.

▶ CARENCE, TOXICITÉ

La carence en zinc se manifeste, entre autres, par un retard de croissance et de maturation sexuelle, par des lésions au niveau de la peau et un retard de cicatrisation des plaies, par des désordres immunitaires, de l'anorexie et une perte du goût.

Par ailleurs, le zinc apparaît relativement peu toxique, des doses pharmacologiques de 150 mg par jour de zinc n'ayant pas été associées à des effets nocifs manifestes. Toutefois, des apports élevés en zinc peuvent, s'ils sont chroniques, engendrer des carences en cuivre et en fer, compte tenu des liens antagonistes qui existent entre ces éléments en regard de l'absorption. Des apports excessifs de zinc pourront également nuire à la fonction immunitaire.

TABLEAU 4.11

Teneur moyenne en zinc de divers aliments

ALIMENTS	ZINC (mg)
Bœuf, agneau, veau, 100 g	5,0
Porc, 100 g	2,5
Volaille (viande brune), 100 g	2,0-3,0
Volaille (viande blanche), 100 g	1,0
Foie, 100 g	5,0-7,0
Poisson, 100 g	0,5
Crustacés,100 g	1,5-3,0
Huîtres, 6 moyennes	>50,0
Œuf, 1	0,5
Légumineuses, 250 ml	2,6
Tofu, 100 g	1,5
Noix, graines, 60 ml	1,5
Lait, 250 ml	1,0
Fromage, 30 g	1,0
Yogourt, 175 ml	1,0-1,4
Blé, riz à grains entiers, 100 g	2,0
Blé, riz à grains raffinés, 100 g	1,0
Céréales à déjeuner à grains entiers, 250 ml	1,5-2,0
Pain de blé entier, 1 tranche	0,5
Pain blanc, 1 tranche	0,25
Légumes, 250 ml	0,1-0,5
Légumes verts, 250 ml	0,5-1,2
Fruits, 250 ml	0,2

4.2.3 Le cuivre

L'organisme contient environ entre 75 mg et 150 mg de cuivre, le tiers dans les muscles, un autre tiers dans le foie et le cerveau, le reste dans les os, les reins, le sang et autres tissus mous.

▶ ABSORPTION, DISTRIBUTION, EXCRÉTION

Le cuivre pénètre l'entérocyte par diffusion facilitée, et son taux d'absorption est inversement proportionnel aux apports (il peut varier de 25 à 60 %). À l'intérieur de l'entérocyte, le cuivre se lie à la protéine métallothionéine avec une affinité qui dépasse celle du zinc. D'ailleurs, des travaux récents laissent penser que la quantité de cuivre absorbée serait en partie régulée par la métallothionéine contenue dans l'entérocyte. Des apports élevés en zinc interfèrent avec l'absorption du cuivre et ont été associés à une diminution des taux sanguins de cuivre et de céruloplasmine.

Quatre-vingt-dix pour cent du cuivre sanguin est incorporé à la céruloplasmine, le reste étant lié à d'autres protéines telles que l'albumine. Le cuivre est transporté aux tissus surtout lié à l'albumine. Les fèces constituent la principale voie d'excrétion du cuivre, quoique de petites quantités soient excrétées dans l'urine et dans la sueur.

► FONCTIONS

À l'instar du zinc, le cuivre agit comme cofacteur dans un nombre important de réactions enzymatiques. Plus spécifiquement, il participe à l'activité d'enzymes impliquées dans le métabolisme des neurotransmetteurs (sérotonine, épinephrine, norépinephrine et dopamine). Il est un constituant de la superoxyde dismutase, une enzyme possédant des propriétés antioxydantes, et participe à l'activité de la cytochrome C oxydase, une enzyme au cœur de la respiration cellulaire. Par cette dernière action, le cuivre contribue donc à la production d'énergie. Toujours à titre de cofacteur enzymatique, le cuivre participe à la synthèse des tissus conjonctifs tels que le collagène et l'élastine, de même qu'à l'activation de molécules impliquées dans les réactions allergiques. Enfin et comme nous l'avons vu précédemment, le cuivre entre dans la composition de la céruloplasmine, aussi appelée ferroxydase, une enzyme chargée d'oxyder le fer ferreux contenu dans les entérocytes en fer ferrique, cette étape étant nécessaire pour la liaison du fer à la transferrine. Le cuivre joue donc un rôle important dans le métabolisme du fer au sein de l'organisme. À ce titre, il est associé à de nombreuses fonctions physiologiques.

► SOURCES

Le cuivre est relativement bien distribué dans l'alimentation ; les abats (notamment le foie), les mollusques, les noix, les graines et les céréales à grains entiers, le son de blé et le cacao (y compris le chocolat) en constituent de bonnes sources. La biodisponibilité du cuivre pourra varier de manière importante selon la quantité de cuivre de la diète et ses composantes. Tel que mentionné plus haut, des apports élevés de fer et de zinc vont réduire la biodisponibilité du cuivre.

▶ **CARENCE, TOXICITÉ**

La carence en cuivre est rare chez l'humain et, lorsqu'elle survient, elle se manifeste par de l'anémie, des altérations au niveau des globules blancs (leucopénie, neutropénie) et de l'ostéoporose (chez l'enfant en croissance).

Les états de toxicité en cuivre sont également rares et presqu'exclusivement liés à la prise de suppléments. Ainsi, des apports excessifs de cuivre vont se traduire par des malaises gastro-intestinaux tels que douleurs abdominales, crampes, nausées, vomissements et diarrhée.

4.2.4 L'iode

L'organisme contient de très petites quantités d'iode, soit entre 20 et 30 mg, dont 75% se trouve dans la glande thyroïde. Le reste de l'iode corporel se distribue dans l'ensemble de l'organisme, notamment dans les glandes mammaires, salivaires et gastriques et dans les reins.

▶ **ABSORPTION, DISTRIBUTION, EXCRÉTION**

L'iode est un des minéraux les mieux absorbés avec un taux d'efficacité de l'ordre de 90 à 95%. Il est intégré à l'organisme en grande partie sous forme inorganique d'iodure d'iodate et circule dans le sang sous forme libre ou lié à des protéines. L'urine constitue sa principale voie d'excrétion; de petites quantités d'iode sont également excrétées dans la sueur et les fèces.

▶ **FONCTIONS**

L'iode est un minéral essentiel à l'organisme et sa seule fonction connue est de participer à la synthèse des hormones thyroïdiennes à partir de la thyroglobuline, une glycoprotéine contenue dans la glande thyroïde. Les hormones thyroïdiennes contenant de l'iode sont la triiodothyronine, aussi appelée T_3, et la thyroxine ou T_4; la synthèse de la T_3 requiert la présence du sélénium. Ces hormones jouent un rôle de premier plan dans le métabolisme énergétique cellulaire, la synthèse protéique et l'activité enzymatique, et sont essentielles à la croissance, au développement et à la reproduction. Les organes particulièrement ciblés par leurs actions sont le cerveau, le muscle, le cœur, la glande pituitaire et le rein.

▶ SOURCES

Les aliments contiennent de l'iode en quantités variables, mais les produits de la mer, dont les palourdes, les crevettes, le homard, les huîtres et les sardines, en constituent d'excellentes sources. Bien que sensiblement moins riches en iode que les poissons d'eau salée, les poissons d'eau douce en contiennent des quantités non négligeables. Au Canada, comme dans plusieurs autres pays, on ajoute de l'iode au sel de table à raison de 76 µg d'iode par gramme, une initiative qui fait du sel de table la principale source d'iode au pays. De même, on trouve de l'iode dans les aliments contenant du sel iodé ou des additifs à base d'iode, ainsi que dans le lait et les œufs.

▶ CARENCE, TOXICITÉ

La carence en iode est moins fréquente de nos jours en raison de l'enrichissement du sel de table; elle demeure toutefois très répandue dans les pays en développement. La carence en iode réduit la production d'hormones thyroïdiennes et se manifeste par le goitre, une condition où la glande thyroïde s'hypertrophie pour capter les faibles quantités d'iode disponibles. Certains aliments sont dits goitrogènes et exacerbent la carence parce qu'ils empêchent la captation de l'iode par la glande thyroïde; c'est le cas notamment de certains légumes, dont le chou, le navet, le millet, de même que certaines variétés de manioc. Soulignons que les substances goitrogènes contenues dans ces aliments sont inactivées lors de la cuisson. En outre, la carence en iode réduit la fertilité et est associée à une augmentation de la mortalité fœtale; les enfants nés de mères atteintes de carence souffrent de crétinisme, une condition qui se caractérise par un retard mental et physique, par des troubles neuromusculaires et par la surdité.

Lorsqu'il est consommé en quantités excessives, l'iode entraîne une hypertrophie de la glande thyroïde similaire à ce qui est observé lors de la carence, une condition pouvant être associée au développement d'un goitre, à de l'hypothyroïdisme ou à de l'hyperthyroïdisme.

4.2.5 Le sélénium

Le sélénium est un minéral essentiel à l'organisme. Son contenu corporel est d'environ 15 mg, dont une grande partie apparaît concentrée au niveau du foie.

On le trouve dans la nature, principalement incorporé à deux acides aminés, la sélénométhionine et la sélénocystéine. Il se présente sous forme inorganique dans les suppléments nutritionnels.

▶ ABSORPTION, DISTRIBUTION, EXCRÉTION

Ce minéral est généralement bien absorbé avec des taux d'efficacité de l'ordre de 50 à 60 % et son absorption ne semble pas régulée par un mécanisme particulier. Le sélénium circule lié à l'albumine et aux globulines. La sélénométhionine est généralement considérée comme une forme de réserve du sélénium, cette dernière n'ayant aucune activité physiologique ; pour être fonctionnel, le sélénium doit être lié à la cystéine. L'urine constitue la principale voie d'excrétion de ce minéral.

▶ FONCTIONS

Sur le plan physiologique, le sélénium est un constituant du glutathion peroxydase, une enzyme chargée de contrer la formation des radicaux libres et les dommages oxydatifs qui peuvent détériorer les membranes cellulaires. Il fait également partie d'autres glutathions peroxydases, le glutathion peroxydase cellulaire, et la phospholipide hydroperoxyde glutathion peroxydase. Dans tous les cas, le sélénium catalyse la réduction des hydroperoxydes lipidiques et des peroxydes d'hydrogène, ces composés étant souvent donnés comme facteurs étiologiques de certaines maladies (par exemple, les maladies cardiovasculaires, le cancer) et même du vieillissement. À ce titre, le sélénium constitue un antioxydant de l'organisme au même titre que les vitamines C et E. En plus de ce rôle, et comme nous l'avons vu dans la section précédente, le sélénium est nécessaire à la production de la T_3, une hormone thyroïdienne formée à partir de la T_4.

▶ SOURCES

Le contenu en sélénium des aliments varie en fonction de la teneur en sélénium des sols et de l'eau là où ils sont produits, et de leur degré de raffinage. De manière générale, on trouve le sélénium en quantités appréciables dans la viande, les produits de la mer, les fruits, les légumes, les produits laitiers et les produits céréaliers ; la teneur de ces derniers diminue toutefois en fonction du raffinage.

▶ **CARENCE, TOXICITÉ**

La carence en sélénium a surtout été observée dans les régions où la teneur en sélénium des sols est particulièrement pauvre. De nombreux cas ont ainsi été rapportés en Chine, notamment à Keshan. La carence en sélénium, aussi appelée myocardiopathie de Keshan, se caractérise par des anomalies cardiaques. Par ailleurs, des carences en sélénium ont également été observées chez des enfants nourris par voie parentérale et dont les préparations ne contenaient pas de sélénium. Dans ces cas, la carence s'est traduite par des douleurs et de la faiblesse musculaires.

Le sélénium est toxique lorsqu'il est consommé en quantités excessives, une condition aussi appelée sélénose qui s'accompagne de troubles gastro-intestinaux (vomissements, diarrhée), d'une détérioration des ongles, des cheveux et des dents, de lésions au niveau de la peau et d'anomalies neurologiques.

4.2.6 Le chrome

Le chrome se présente essentiellement sous les formes Cr^{3+} et Cr^{6+} et tend à se concentrer dans le foie, la rate, les tissus mous et les os.

▶ **ABSORPTION, DISTRIBUTION, EXCRÉTION**

Le chrome est très peu absorbé dans l'intestin, son taux d'absorption variant entre 0,4 et 2,5 %. Le chrome circule dans le sang lié à la transferrine ; l'albumine peut toutefois transporter le chrome lorsque les taux de saturation de la transferrine sont élevés. Un rapport récent mettait en évidence une diminution des concentrations de chrome dans les cheveux, la sueur et l'urine au cours du vieillissement ; l'impact clinique de ces changements reste toutefois à démontrer.

Le chrome qui est absorbé est excrété principalement via l'urine alors que les fèces constituent la voie d'excrétion du chrome non absorbé.

▶ **FONCTIONS**

Physiologiquement, le chrome potentialise l'action de l'insuline en augmentant sa captation et en favorisant une meilleure utilisation du glucose par les cellules. Ainsi, le chrome participe aux métabolismes des lipides, des glucides et des protéines. Soulignons que des apports réduits en chrome ont été associés à des diminutions de la tolérance au glucose et des réserves de glycogène, à des anomalies des lipides, à des perturbations du métabolisme des acides aminés et à des retards de croissance. En revanche, l'administration de chrome lors d'états chromiques marginaux a permis d'améliorer la tolérance au glucose et de réduire les taux de cholestérol sanguin. Les allégations récentes selon lesquelles des doses élevées de chrome pourraient améliorer la force physique, l'endurance et les performances physiques en général sont très controversées, plusieurs études n'ayant pas confirmé les bienfaits du chrome à cet égard.

▶ SOURCES

Le chrome est largement distribué dans les aliments, mais il se présente souvent en faibles concentrations. Néanmoins, il est présent en quantités appréciables dans les produits céréaliers à grains entiers, la viande, les volailles et les poissons, de même que dans la levure de bière. Précisons que le raffinage des céréales réduit sensiblement leur contenu en chrome. La teneur en chrome des fruits et des légumes est éminemment variable.

▶ CARENCE, TOXICITÉ

Comme nous l'avons déjà souligné ci-dessus, la carence en chrome perturbe le métabolisme des glucides et entraîne une intolérance au glucose. Pour ce qui est de la toxicité, les études réalisées à ce jour indiquent peu d'effets toxiques du chrome. Toutefois, cet aspect mériterait d'être étudié davantage.

4.2.7 Le manganèse

L'organisme contient entre 10 mg et 20 mg de manganèse, les plus fortes concentrations se trouvant dans le foie, les reins et le pancréas.

▶ ABSORPTION, DISTRIBUTION, EXCRÉTION

Le manganèse est un minéral faiblement absorbé, avec des taux d'efficacité variant entre 3 et 8 %, et sa biodisponibilité peut être réduite encore davantage en présence d'apports élevés de calcium et de fibres alimentaires riches en phytates. L'absorption du manganèse s'effectuerait par diffusion passive bien que la voie saturable (transport facilité) ait également été proposée. Ce minéral circule dans le sang lié à la transferrine et peut-être à l'alpha-2-globuline. Le manganèse est essentiellement excrété dans la bile et les fèces ; on le retrouve très peu dans l'urine.

▶ FONCTIONS

À l'instar de plusieurs autres minéraux, le manganèse agit comme cofacteur de plusieurs enzymes. À ce titre, il intervient dans le métabolisme des acides aminés, du cholestérol et des glucides. Il participe, en outre, à la formation des os et des tissus conjonctifs, et est essentiel à la croissance et à la reproduction.

▶ SOURCES

Les meilleures sources de manganèse proviennent des aliments d'origine végétale quoique, comme pour le sélénium, leur contenu en manganèse a tendance à varier en fonction de la teneur en manganèse du sol et de l'eau où ils sont produits. Aussi, les céréales à grains entiers, le thé et les légumes constituent les principales sources de manganèse de l'alimentation.

▶ CARENCE, TOXICITÉ

La carence en manganèse est rare et, lorsqu'elle survient, elle s'accompagne des symptômes suivants : dermatite, dépigmentation des cheveux et hypocholestérolémie.

Les cas de toxicité au manganèse sont généralement d'origine environnementale et ont surtout été observés chez des mineurs qui inhalaient des quantités importantes de manganèse dans le cadre de leur travail. La toxicité du manganèse se manifeste par des troubles moteurs qui s'apparentent à ceux observés dans la maladie de Parkinson.

4.2.8 Le molybdène

Le corps contient environ 10 mg de molybdène, lesquels sont surtout concentrés dans le foie, les reins et les os.

▶ ABSORPTION, DISTRIBUTION, EXCRÉTION

Le molybdène alimentaire est généralement bien absorbé et ce, indépendamment des niveaux d'apports. L'absorption s'effectue par diffusion passive et le surplus de molybdène est excrété principalement dans l'urine en quantités qui varient selon le contenu en sulfates du régime ; un régime riche en sulfates augmente l'excrétion urinaire du molybdène. Dans le sang, le molybdène circule lié à des protéines, notamment l'alpha-macroglobuline. L'urine constitue la principale voie d'excrétion de ce minéral ; la quantité de molybdène excrétée étant équivalente à celle ingérée.

▶ **FONCTIONS**

Le molybdène entre dans la composition d'enzymes impliquées dans des réactions d'oxydoréduction. De par ces enzymes, le molybdène participe au métabolisme des acides nucléiques formant le matériel génétique et des acides aminés soufrés.

▶ **SOURCES**

La teneur en molybdène des végétaux varie en fonction du sol dans lequel ils sont cultivés. Néanmoins, les légumineuses, les produits céréaliers à grains entiers et les noix constituent les principales sources de molybdène dans l'alimentation.

▶ **CARENCE, TOXICITÉ**

Les seuls cas de carence en molybdène observés chez l'humain sont ceux associés à un défaut génétique conduisant à la carence des enzymes contenant habituellement ce minéral. Les enfants qui naissent avec ce défaut développent des troubles neurologiques sévères et ne survivent que quelques jours. De même, la toxicité du molybdène est peu documentée chez l'humain. Toutefois, lorsque présente, elle est associée à un syndrome qui s'apparente à celui de la goutte.

4.2.9 Le fluor

Le fluor est un élément naturel présent dans presque tous les sols et les eaux, bien qu'en quantités variables. Il n'est pas, à proprement parler, considéré comme un minéral essentiel à l'organisme, mais il joue un rôle de premier plan dans la prévention de la carie dentaire. En effet, dès les années quarante, il était établi que des apports adéquats en fluor contribuaient à réduire la prévalence de caries dentaires notamment chez les enfants.

▶ **ABSORPTION, DISTRIBUTION, EXCRÉTION**

En l'absence de fortes concentrations de calcium dans le tractus gastro-intestinal, l'absorption du fluor est très efficace, variant entre 80 et 90 %. Toutefois, dans le contexte d'une alimentation normale, on estime le taux d'absorption du fluor à environ 50 %. Les concentrations en fluor des liquides et

TABLEAU 4.12

Tableau sommaire des oligoéléments

MINÉRAL	FONCTIONS PHYSIOLOGIQUES	SOURCES ALIMENTAIRES
Fer	Le fer... • contribue au transport de l'oxygène. • participe à l'action de plusieurs enzymes (production d'énergie, synthèse d'ADN, fonction cérébrale). • est nécessaire à la fonction immunitaire.	**Sources hémiques :** foie, viandes (en particulier, viandes rouges), mollusques, volailles, poissons. **Sources non hémiques :** produits céréaliers à grains entiers ou enrichis, noix, graines, mélasse noire, légumineuses, fruits séchés.
Zinc	Le zinc... • participe à l'action catalytique d'enzymes impliquées dans le métabolisme des macronutriments et des acides nucléiques. • exerce un rôle de structure (protéines cellulaires, superoxyde dismutase, membranes cellulaires). • En général : est nécessaire à la croissance, au développement, à la fonction immunitaire, à l'action de certaines hormones et à l'expression génique.	Huîtres, viandes rouges, foie, produits céréaliers à grains entiers ou enrichis, légumineuses (tofu), noix et graines.
Cuivre	Le cuivre... • est un cofacteur d'enzymes associées : au métabolisme des neurotransmetteurs, à l'activité antioxydante, à la production d'énergie, à la synthèse des tissus conjonctifs, aux réactions allergiques. • est un constituant de la céruloplasmine et participe au métabolisme du fer.	Abats (foie), mollusques, noix, graines, produits céréaliers à grains entiers, son de blé et cacao.
Iode	L'iode... • participe à la synthèse des hormones thyroïdiennes.	Sel iodé et aliments qui en contiennent, produits de la mer, lait, œufs.
Sélénium	Le sélénium... • agit à titre d'antioxydant. • participe à la formation de la T_3.	Viande, produits de la mer, fruits et légumes, produits laitiers et produits céréaliers.

TABLEAU 4.12 (*suite*)

Tableau sommaire des oligoéléments

MINÉRAL	FONCTIONS PHYSIOLOGIQUES	SOURCES ALIMENTAIRES
Chrome	Le chrome… • potentialise l'action de l'insuline et participe au métabolisme des glucides, des lipides et des protéines	Produits céréaliers à grains entiers, viande, volailles, poissons, levure de bière.
Manganèse	Le manganèse… • est un cofacteur d'enzymes associées : au métabolisme des acides aminés, du cholestérol et des glucides. • participe à la formation des os et des tissus conjonctifs. • est nécessaire à la croissance et à la reproduction.	Produits céréaliers à grains entiers, thé et légumes.
Molybdène	Le molybdène… • est un cofacteur d'enzymes impliquées dans le métabolisme des acides nucléiques et des acides aminés soufrés.	Légumineuses, produits céréaliers à grains entiers et noix.
Fluor	Le fluor… • prévient la carie dentaire. • stabilise les os et les dents.	Eau fluorée, thé, produits de la mer.

des tissus corporels reflètent les apports antérieurs et ne sont pas soumis à un contrôle homéostasique. Environ 99 % du fluor de l'organisme se trouve dans les tissus calcifiés. Dans les os, le fluor existe sous forme de *pools* à la fois rapidement et lentement mobilisables. L'urine constitue la principale voie d'excrétion du fluor.

▶ **FONCTIONS**

De manière générale, le fluor participe à la formation et à la stabilité des os et des dents en tant que constituant de l'hydroxyapatite ; il forme alors des cristaux de fluoroapatite. Il contribue à la santé dentaire en diminuant la production d'acides cariogènes, notamment en modifiant le métabolisme des polysaccharides utilisés par les micro-organismes normalement présents dans la bouche. En outre, le fluor réduit l'activité enzymatique des bactéries de la plaque dentaire et active la reminéralisation de la dent au cours de l'étape initiale de la carie.

▶ **SOURCES**

Pour un grand nombre de personnes, l'eau fluorée constitue la principale source quotidienne de fluor en raison de l'ajout de fluor à l'eau potable. Au Canada, il est recommandé d'ajouter du fluor à l'eau à raison de une partie par million ou 1 mg par litre lorsque les teneurs naturelles sont inférieures à cette concentration. Toutefois, certaines municipalités ont choisi de ne pas suivre cette recommandation, les raisons les plus souvent évoquées étant une augmentation des risques de toxicité pour la population, une violation des droits de l'individu et la pollution de l'environnement. On trouve peu de fluor dans les aliments à l'exception du thé et des produits de la mer.

▶ **CARENCE, TOXICITÉ**

La carence en fluor diminue la résistance à la carie dentaire. Par contre, l'ingestion de quantités excessives de fluor entraîne la fluorose, une condition qui se caractérise par la décoloration et la fragilisation des dents ; elle n'apparaît que pendant la formation des dents. Selon des études récentes, la consommation de fluor aurait augmenté sensiblement chez les enfants ces dernières années en raison de la fluoration de l'eau et de la présence de quantités importantes de fluor dans les dentifrices et autres produits hygiéniques buccaux.

Le tableau 4.12 présente un sommaire des principales fonctions et sources des oligoéléments.

4.3 L'eau

De tous les éléments nutritifs, l'eau est sans contredit le plus essentiel à la vie. En effet, alors que nous pouvons survivre plusieurs semaines sans nourriture, l'organisme ne peut vivre que quelques jours sans eau. L'eau représente entre 50 et 60% du poids d'un adulte en santé et environ de 45 à 50% de celui d'une personne âgée. Par ailleurs, l'eau se répartit en deux grands compartiments, à savoir le liquide intracellulaire et le liquide extracellulaire. Le liquide intracellulaire compte pour environ 60% de l'eau corporelle totale et correspond à l'eau qui se trouve à l'intérieur des cellules. Comme son nom l'indique, le liquide extracellulaire correspond à l'eau qui se trouve à l'extérieur des cellules et comprend, entre autres, le plasma sanguin, la lymphe, le liquide interstitiel (qui baigne les cellules). Ainsi, toutes les cellules de l'organisme contiennent de l'eau: par exemple, le cerveau et les muscles sont constitués à 75% d'eau, tandis que les os en contiennent environ 20%.

L'eau est absorbée rapidement du fait qu'elle se diffuse librement à travers les membranes. Un adulte consomme et excrète environ 2500 ml d'eau par jour. Tel qu'on peut le voir à la figure 4.3, la majorité de l'eau ingérée provient des boissons (60%) et des aliments (30%), tandis que le reste, soit environ 10%, est d'origine métabolique et provient des réactions d'oxydation.

Par ailleurs, l'eau quitte l'organisme par plusieurs voies. La plus grande partie, soit environ 60%, est excrétée dans l'urine, 28% s'évapore des poumons dans l'air expiré et se diffuse à travers la peau, environ 8% est perdue dans la transpiration et 4% est excrétée dans les matières fécales. Soulignons que les quantités d'eau perdues par la peau et dans la transpiration peuvent être beaucoup plus importantes lors d'activités physiques intenses ou dans des conditions de grande chaleur.

Chez la personne en santé, l'équilibre hydrique est soumis à un contrôle très strict et dépend en grande partie de la concentration des électrolytes (potassium, sodium et chlore) présents dans les liquides intra et extracellulaires. En effet, lorsque des changements importants surviennent, plusieurs mécanismes concourent à rétablir l'équilibre hydrique. Par exemple, la transpiration associée à l'exercice physique intense s'accompagne d'une baisse du volume d'eau corporelle et d'une augmentation de la concentration du liquide extracellulaire. Ces changements entraînent habituellement une sécheresse de la bouche (xérostomie), laquelle stimule le centre de la soif situé dans l'hypothalamus et incite la personne à boire. Parallèlement, la baisse du volume d'eau corporelle stimule la libération de l'hormone antidiurétique, une hormone de la glande hypophyse, qui favorise la réabsorption de l'eau au niveau rénal. Le rein intervient également en produisant une enzyme, la rénine, qui éventuellement stimule la libération de l'aldostérone, une hormone des glandes surrénales, qui à son tour favorise la réabsorption du sodium et de l'eau au niveau du rein. Soulignons que des pertes équivalentes à 10% de l'eau corporelle totale causent généralement des désordres importants, et que des pertes de l'ordre de 20% peuvent entraîner la mort.

Chez le jeune adulte en santé, les mécanismes chargés d'assurer l'équilibre hydrique opèrent promptement et de manière efficace. Par contre, et comme nous le verrons plus en détail au prochain chapitre, les mécanismes qui régissent la soif perdent de leur efficacité au cours du vieillissement, atténuant la sensation de la soif chez la personne âgée. Les personnes vieillissantes ont donc intérêt à surveiller tout particulièrement leur apport hydrique afin de réduire les risques de déshydratation.

FIGURE 4.3

Bilan hydrique : sources d'apports et voies de déperdition

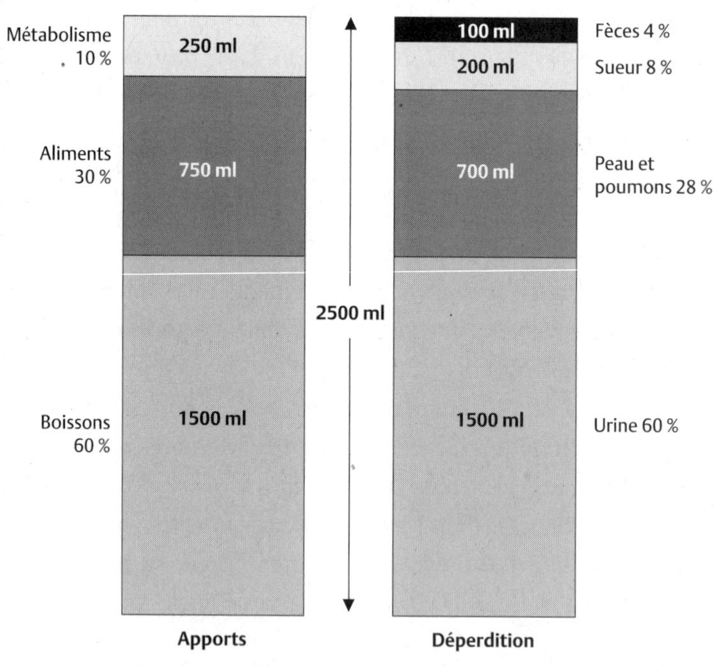

Source : E. N. Marieb, *Anatomie et physiologie humaines*, ERPI, 2005.

L'eau est essentielle à l'organisme en ce qu'elle constitue le fluide dans lequel toutes les réactions essentielles à la vie s'effectuent. En tant que constituant du sang et de la lymphe, l'eau participe au transport des nutriments et des déchets dans l'ensemble du corps. C'est un solvant pour de nombreuses molécules, dont les minéraux, les vitamines, les acides aminés et le glucose. Elle permet les réactions chimiques en plus d'agir comme substrat dans plusieurs d'entre elles. L'eau est essentielle aux processus physiologiques que sont la digestion, l'absorption et l'excrétion. Agissant comme lubrifiant pour les articulations, elle joue un rôle d'amortisseur dans l'œil et dans la moelle épinière, et elle protège le fœtus. En outre, l'eau contribue au maintien de la température corporelle en distribuant la chaleur dans l'organisme et en favorisant sa dissipation par la transpiration. Enfin, elle permet aux cellules de garder leur forme et assure le volume sanguin. Les quantités d'eau requises pour répondre aux besoins de l'organisme varient selon le degré d'activité physique et selon les conditions ambiantes de température et d'humidité. Néanmoins, on estime à environ 1 ml par kilocalorie ingérée ou encore à 30 ml d'eau par kilogramme de poids corporel les besoins quotidiens en eau d'un adulte en santé. Des apports de l'ordre de 2500 ml par jour apparaissent satisfaisants pour la majorité des personnes.

L'eau pénètre dans l'organisme soit sous forme de boisson pure (eau du robinet ou achetée en bouteille), soit incorporée à d'autres boissons ou intégrée aux aliments. De manière générale, les boissons contiennent entre 85 et 99% d'eau, certaines d'entre elles comme le thé ou les boissons gazeuses à faible teneur calorique pouvant en contenir plus de 95%. Par contre, la teneur hydrique des aliments varie davantage. Ainsi, les fruits et les légumes contiennent au moins 70% d'eau et certains d'entre eux peuvent en contenir jusqu'à 95%. En outre, l'eau représente plus de 50% du poids de la viande, de la volaille, des poissons et des œufs, alors que les aliments secs tels que les légumineuses, les farines et les pâtes renferment moins de 15% d'eau.

L'ingestion de quantités insuffisantes d'eau est assez fréquente, notamment chez les personnes âgées, ce qui entraîne la déshydratation. Les symptômes de la déshydratation sont une sécheresse de la bouche, une perte d'élasticité de la peau, des yeux creux, un débit urinaire diminué, de la faiblesse, de la confusion et, dans les cas extrêmes, la mort. En revanche, l'intoxication hydrique est beaucoup plus rare et est généralement associée à des apports excessifs ou à des désordres de la fonction rénale. L'intoxication hydrique entraîne la confusion, des convulsions et, dans les cas extrêmes, la mort.

Comme on peut le constater au terme de ce chapitre, les minéraux et l'eau se situent au cœur des réactions chimiques de l'organisme, et leur présence en quantité suffisante est par conséquent essentielle au maintien des processus vitaux.

Avec ce chapitre se termine une section de l'ouvrage qui avait pour but de fournir les notions nécessaires à la compréhension des sujets traités dans les chapitres subséquents. Forts de ces connaissances, nous pouvons donc maintenant entrer dans le vif de notre sujet, à savoir les particularités de l'alimentation au cours de la vieillesse. Dans un premier temps, il importe de bien connaître ce qui caractérise la personne âgée sur le plan physiologique, une question abordée dès le chapitre qui suit.

Références

Dubost, M., *La nutrition*, 3e éd., Montréal, Chenelière Éducation, 2005, 366 p.

Institute of Medicine and Food and Nutrition Board, *Dietary Reference Intakes for Calcium, Magnesium, Phosphorus, Fluorine, and Vitamin D*, Washington DC, National Academy Press, 1997.

Institute of Medicine and Food and Nutrition Board, *Dietary Reference Intakes for Vitamin C, Vitamin E, Selenium, and Carotenoids*, Washington DC, National Academy Press, 2000.

Institute of Medicine and Food and Nutrition Board, *Dietary Reference Intakes for Vitamin A, Vitamin K, Arsenic, Boron, Chromium, Copper, Iodine, Iron, Manganese, Molybdenum, Nickel, Silicon, Vanadium, and Zinc*, Washington DC, National Academy Press, 2001.

Institute of Medicine and Food and Nutrition Board, *Dietary Reference Intakes for Water, Potassium, Sodium, Chloride and Sulfate*, Washington DC, National Academy Press, 2004.

Mahan, K. L. et S. Escott-Stump (dir.), *Krause's Food, Nutrition and Diet Therapy*, 11e éd., Philadelphie/Toronto, W. B. Saunders, 2004, 1360 p.

5
PRINCIPAUX CHANGEMENTS PHYSIOLOGIQUES AYANT UN IMPACT NUTRITIONNEL

Dans les chapitres précédents, nous avons tenté de définir ce qu'est la science de la nutrition, puis nous avons présenté la notion d'aliments et les principaux éléments nutritifs qui les constituent. Nous savons maintenant que chaque fois que nous consommons des aliments, nous contribuons à fournir aux cellules de notre organisme l'énergie et les nutriments dont elles ont besoin pour fonctionner. S'il ne fait aucun doute que la nutrition joue un rôle essentiel dans le maintien de la santé à tous les âges de la vie, il est également vrai que la quantité de nutriments dont notre organisme a besoin à trente ans n'est pas nécessairement celle dont il a besoin cinquante ans plus tard. En effet, en vieillissant, l'organisme subit des modifications physiologiques qui pourront influer sur les besoins nutritionnels. Pour pleinement apprécier les subtilités de l'alimentation « idéale » d'une personne vieillissante – un sujet qui sera traité au chapitre 7 –, nous nous devons d'abord de bien comprendre ce qui caractérise l'organisme sénescent.

Le vieillissement physiologique est très hétérogène, et les changements observés ne touchent pas toutes les personnes au même degré. De plus, la limite entre le vieillissement dit « normal » et les changements associés aux états pathologiques est parfois très ténue. Comme nous le verrons dans ce chapitre, le vieillissement s'accompagne de changements, au niveau de la composition corporelle, des systèmes sensoriel et digestif; et la perte d'appétit souvent présente chez la personne âgée comporte des assises physiologiques.

5.1 L'anthropométrie et la composition corporelle

La composition corporelle, qui comprend la masse maigre* et la masse grasse, dépend de nombreux facteurs dont les plus importants sont les gènes, l'hygiène de vie et les conditions générales de santé. Au cours du vieillissement, les compartiments corporels (la masse maigre et la masse grasse) subissent des modifications qui seront plus ou moins marquées selon les individus. Si certains de ces changements sont plus facilement modifiables – c'est le cas notamment pour la masse musculaire qui peut être augmentée par la pratique de l'activité physique –, d'autres le sont beaucoup moins. Voyons quels sont ces changements et quel est leur impact sur le plan nutritionnel.

5.1.1 La taille

Pour la très grande majorité des individus, le vieillissement s'accompagne d'une réduction de la taille. D'après les études longitudinales réalisées dans divers pays nord-américains et européens, la perte moyenne entre 30 et 70 ans serait de l'ordre de 3 cm chez l'homme et de 5 cm chez la femme. À partir de 70 ans, la taille diminuerait d'environ 2 cm par décennie. Une enquête nationale menée par Santé Canada il y a une trentaine d'années rapportait des diminutions de cet ordre entre les tranches d'âges «20-29 ans» et «plus de 70 ans», ce qu'illustre la figure 5.1. De même, l'enquête de Santé Québec, publiée au début des années 1990, révélait des pertes de 5,6 cm pour les hommes et de 7,1 cm pour les femmes, entre les personnes âgées de 18 ans à 34 ans et celles âgées de 65 ans à 74 ans. Le tableau 5.1 présente les données de cette enquête.

Ce déclin de la taille est en grande partie attribuable à un rétrécissement de la colonne vertébrale, amorcé par un tassement des disques intervertébraux et par une diminution de la hauteur des vertèbres elles-mêmes. Compte tenu des changements observés au niveau des vertèbres,

FIGURE 5.1

Variation de la taille avec l'âge

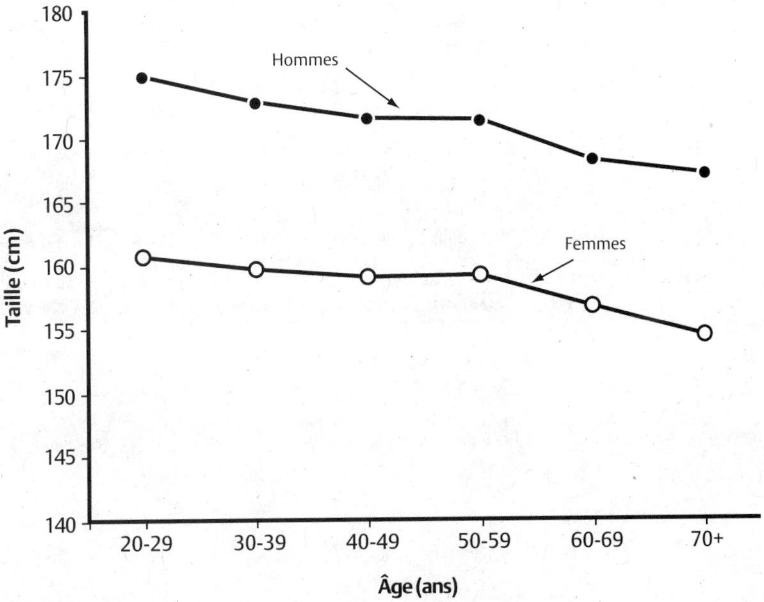

une alimentation favorisant la santé osseuse, c'est-à-dire adéquate en calcium, en vitamine D et autres éléments nutritifs[1], pourrait contribuer à minimiser ces changements.

5.1.2 Le poids

Les enquêtes nutritionnelles réalisées à ce jour révèlent que, pour la majorité des personnes, le poids moyen augmente jusque dans les cinquième et sixième décennies de vie pour diminuer graduellement par la suite. Dans l'enquête nationale de Santé Canada, les hommes atteignaient leur poids maximal en moyenne entre 40 et 49 ans, et les femmes, entre 50 et 59 ans. Dans les deux cas, on observait une réduction du poids dans les années subséquentes, de sorte que lorsqu'ils étaient comparés aux adultes

1. Voir les chapitres 3 et 4 à ce sujet.

TABLEAU 5.1

Données de l'enquête Santé Québec pour la taille, le poids et l'indice de masse corporelle

	HOMMES			FEMMES		
GROUPE D'ÂGE	TAILLE (cm)	POIDS (kg)	IMC	TAILLE (cm)	POIDS (kg)	IMC
18-34	174,9 ± 6,8* (152-194)	74,5 ± 13,1 (45-149)	24,3 ± 3,8 (16,7-40)	162,2 ± 6,3 (135-182)	59,4 ± 10,3 (36-112)	22,7 ± 4,1 (15,0-44,3)
35-49	173,0 ± 6,9 (145-178)	78,7 ± 12,7 (50-121)	26,3 ± 4,0 (17,3-40,3)	160,1 ± 6,1 (145-178)	62,8 ± 12,6 (117-78)	24,5 ± 4,7 (15,9-44,0)
50-64	170,8 ± 7,0 (152-186)	77,5 ± 11,4 (52-109)	26,5 ± 3,5 (19,03-35,3)	158,7 ± 5,4 (142-171)	65,7 ± 13,4 (40-119)	26,1 ± 5,4 (15,6-45,3)
65-74	169,3 ± 6,6 (151-191)	74,8 ± 13,3 (45-134)	26,1 ± 4,2 (17,8-46,9)	155,1 ± 6,6 (120-175)	64,1 ± 11,7 (41-118)	26,7 ± 5,2 (15,4-48,5)

* Présentation des données : Moyenne ± écart-type
(Min.–Max.)

Source : *Les Québécoises et les Québécois mangent-ils mieux? Rapport de l'Enquête québécoise sur la nutrition*, Québec, Gouvernement du Québec, Ministère de la Santé et des Services sociaux, 1990.

de 20 ans à 29 ans, les hommes et les femmes âgés de plus de 70 ans avaient perdu en moyenne 2,8 kg et 4,3 kg respectivement, ce qu'illustre la figure 5.2.

Dans l'enquête menée par Santé Québec, des pertes de poids de 3,9 kg et de 1,6 kg ont été observées pour les hommes et les femmes respectivement, entre les âges correspondant au poids maximal (cinquième décennie pour les hommes, sixième pour les femmes) et la tranche d'âge 65-74 ans (voir le tableau 5.1). Par ailleurs, la taille ayant tendance à diminuer plus rapidement au cours du vieillissement que le poids corporel, l'indice de masse corporelle (IMC) – ratio correspondant au poids corporel divisé par la taille au carré (kg/m^2) – tend à augmenter avec l'avancée en âge, une tendance observée dans l'enquête de Santé Québec.

Il importe de préciser que si la perte de poids peut parfois s'avérer utile dans le traitement de certaines pathologies associées au grand âge, par exemple le diabète, une perte non intentionnelle de poids à un âge avancé

FIGURE 5.2

Variation du poids au cours de l'âge

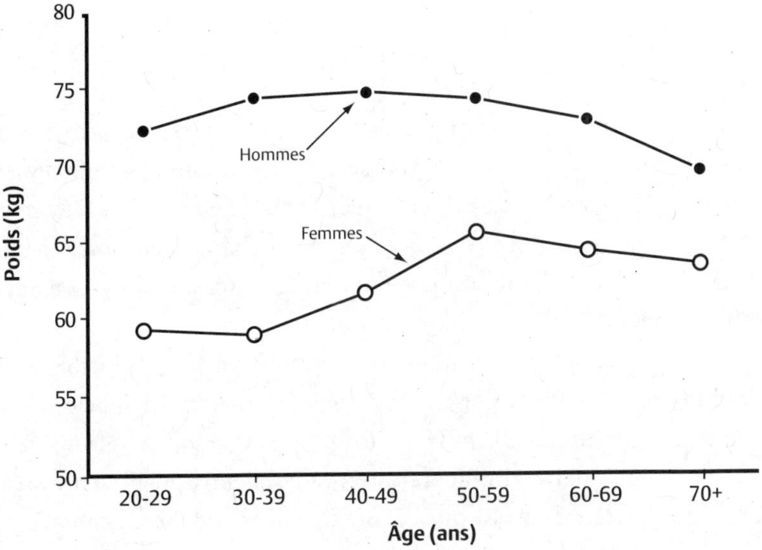

est souvent périlleuse. En effet, contrairement à ce qui est observé chez l'adulte plus jeune, la perte de poids chez l'individu âgé est plus souvent associée à une perte de masse maigre, notamment de masse musculaire. Or, comme nous le verrons dans la section suivante, la perte de masse maigre tend à fragiliser l'organisme et à entraîner un déclin des capacités physiques. En outre, la perte non intentionnelle de poids est maintenant reconnue comme l'un des principaux facteurs de risque de la dénutrition et a souvent été associée à des états de morbidité[2].

5.1.3 Les compartiments corporels

Voyons maintenant de manière spécifique comment le vieillissement influe sur les compartiments corporels.

2. Cette question sera traitée de manière détaillée au chapitre 11.

5.1.3.1 *Aspects anatomophysiologiques*

Au cours du vieillissement, nous observons une diminution de la masse maigre et une augmentation de la masse grasse. La perte de masse maigre serait d'environ 6% par décennie, ce qui expliquerait les pertes de 35 à 40% rapportées entre l'âge de 20 et 80 ans. De même, alors qu'à 18 ans la masse grasse correspond à 18% de la masse corporelle totale chez l'homme et à 33% chez la femme, elle passe à 36% et à 44% respectivement à l'âge de 80 ans. Outre l'augmentation de la masse grasse, la sénescence s'accompagne d'une redistribution des graisses vers les régions abdominales viscérales. Les raisons à la base de cette redistribution ne sont pas totalement élucidées mais pourraient être associées à des changements hormonaux, notamment à la diminution des taux de testostérone, d'œstrogènes et d'hormones de croissance chez l'individu vieillissant.

Le déclin de la masse maigre est en grande partie attribuable à une diminution de la masse musculaire, un phénomène aussi appelé «sarcopénie» (du grec *sarx* pour chair et *penia* pour perte), illustré à la figure 5.3. La masse musculaire diminuerait de 35 à 45% entre 20 et 80 ans. Chez l'homme, la perte de masse musculaire semble particulièrement marquée

FIGURE 5.3

Sarcopénie

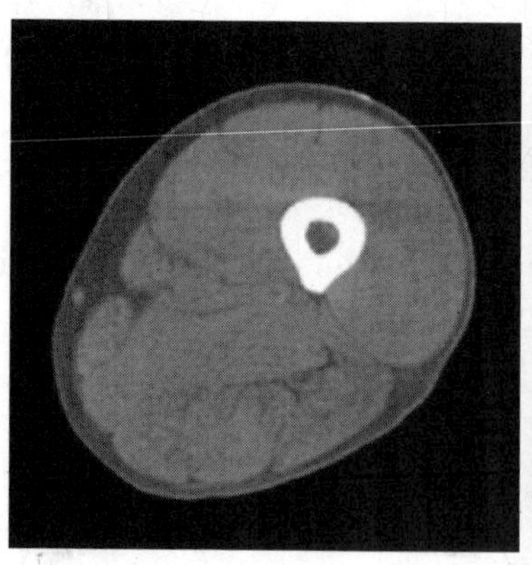

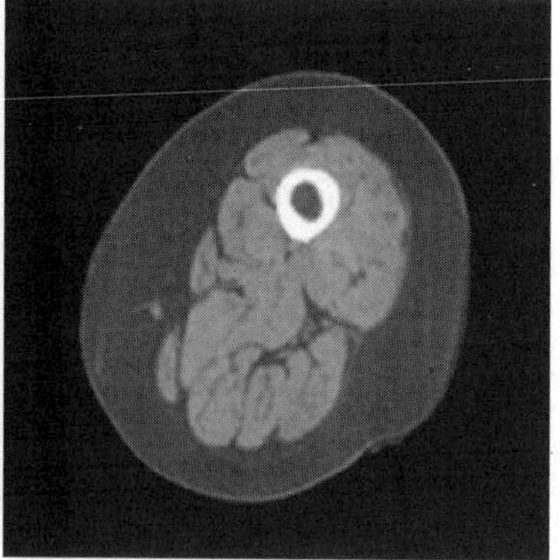

Comparaison de la taille d'un muscle (en grisé) d'un jeune actif (à gauche) et d'une personne âgée sédentaire (à droite).

Source: Roubenoff, R., «Sarcopenia: effects on body composition and function», *The Journal of Gerontology Biological Sciences and Medical Sciences*, vol. 58, nº 11, 2003, p. 1012-1017.

entre 41 et 60 ans, alors que chez la femme elle survient généralement après 60 ans. Des pertes de masse musculaire de 15 à 18% pour les muscles des jambes et de 19 à 22% pour ceux des bras ont notamment été observées entre 50 et 80 ans. Sur le plan microscopique, la diminution de la masse musculaire découle principalement d'une perte des fibres de type II* et d'une diminution de l'efficacité des unités motrices. De plus, le vieillissement s'accompagne d'une augmentation intramusculaire de gras et de tissu conjonctif, ce qui diminue la capacité contractile du muscle. Par ailleurs, la perte de masse musculaire qui survient au cours du vieillissement se traduit par une diminution de la contribution des protéines musculaires aux protéines totales. En effet, alors que chez le jeune adulte environ 35% du catabolisme protéique corporel est attribuable aux protéines du muscle, cette contribution diminue à environ 25% pour les personnes âgées de plus de 70 ans.

Une des principales conséquences de la perte de masse musculaire associée à la sénescence est la diminution de la force musculaire qu'elle engendre. Des études menées auprès de femmes ont en effet mis en évidence une perte de la force musculaire de l'ordre de 25 à 35% entre les âges de 50 et 70 ans. Toutefois, c'est après l'âge de 70 ans que ce déclin est particulièrement marqué. En effet, alors qu'au cours des sixième et septième décennies on estime à 15% par décennie la réduction de la force musculaire, cette proportion augmente à 30% par la suite. Sur le plan fonctionnel, la puissance musculaire a été corrélée positivement à la vitesse de la marche de même qu'à des activités telles que la capacité de s'asseoir ou de se lever d'une chaise, et de monter les escaliers. À l'inverse, la perte musculaire (des membres inférieurs tout particulièrement) a été associée à des problèmes de déséquilibre et à une augmentation des risques de chutes et de fractures. Ainsi, selon des travaux récents portant sur la sarcopénie, les personnes atteintes verraient leurs risques de devoir marcher avec une canne augmentés de 2,3 fois et ceux de chuter de 2,6 fois, alors que les risques associés aux problèmes d'équilibre et à la perte d'autonomie seraient, respectivement, 3,2 et 3,7 fois plus élevés. En outre la sarcopénie augmenterait le besoin de prise en charge et d'hébergement et constituerait un important facteur de risque de mortalité.

En marge des changements observés en regard de la masse musculaire, le vieillissement s'accompagne d'une diminution de la masse hydrique corporelle. En effet, alors que chez le jeune adulte l'eau représente entre 50 et 60% du poids corporel total, cette proportion correspond à 45-50% au grand âge. Parmi les facteurs qui concourent à ce changement, mentionnons la diminution de la sensation de la soif qui survient au cours du vieillissement, une capacité réduite du rein à concentrer l'urine ainsi que la perte de masse maigre, la contribution de ce dernier facteur étant lié au fait que 70 à 75% de l'eau corporelle est normalement associée à la masse maigre et que cette dernière diminue au cours de l'âge. Or, la perte de la masse hydrique augmente le risque de déshydratation chez la personne âgée; cet aspect sera traité au chapitre 11.

Enfin, le vieillissement entraîne une réduction de la masse osseuse. Plus importante chez la femme que chez l'homme, la perte de masse osseuse s'élèverait de 15 à 30% entre l'âge adulte et le grand âge. Chez la femme, cette perte débute au moment de la ménopause et est directement associée à une production réduite des œstrogènes alors que chez l'homme, elle survient dans la 8e décennie et découle de changements hormonaux généraux liés à la vieillesse. Par ailleurs, la perte de masse osseuse constitue un important facteur de risque d'ostéoporose, une condition qui touche une grande proportion de personnes âgées et augmente les risques de fractures.

5.1.3.2 *Le métabolisme énergétique*

En plus des changements observés en ce qui a trait à la composition corporelle, et en relation avec ces derniers, le vieillissement s'accompagne d'une diminution de la dépense énergétique totale et d'une redistribution de ses composantes. Comme on le voit à la figure 5.4, la dépense énergétique d'une personne en santé comprend la dépense énergétique associée au métabolisme de base* (60 à 75%), à l'activité physique (15 à 30%) et à la thermogenèse alimentaire* (10%). Alors que chez le jeune adulte la dépense énergétique totale suit généralement cette répartition, celle de la personne âgée voit sa composante «activité physique» réduite de manière importante et sa composante associée au «métabolisme de base» diminuée moyennement alors que celle associée à la thermogenèse alimentaire semble peu affectée par l'âge. Aussi, la dépense énergétique totale diminuerait de 150 kcal/jour/décennie à partir de 30 ans, et ce tant chez la femme que chez l'homme.

Impact de la musculation. Si la sarcopénie constitue, jusqu'à un certain point, un phénomène inéluctable du vieillissement, la baisse de l'activité physique observée à partir de la cinquantaine (et bien avant pour certains!) contribue pour une grande part à sa gravité. En effet, plusieurs travaux réalisés au cours des dernières années indiquent que les pertes musculaires associées au vieillissement peuvent être atténuées de manière considérable par la pratique de l'exercice physique, notamment par les exercices de musculation. Des gains de l'ordre de 20 à 200% ont ainsi été rapportés relativement à la force musculaire, les effets les plus marqués étant observés chez les personnes présentant une capacité musculaire de départ plus faible.

Outre leurs bienfaits sur le plan de la masse et de la force musculaires, les programmes de musculation ont permis d'améliorer d'autres composantes physiologiques et fonctionnelles. En effet, dans certains cas,

FIGURE 5.4

Composantes de la dépense énergétique - effet de l'âge

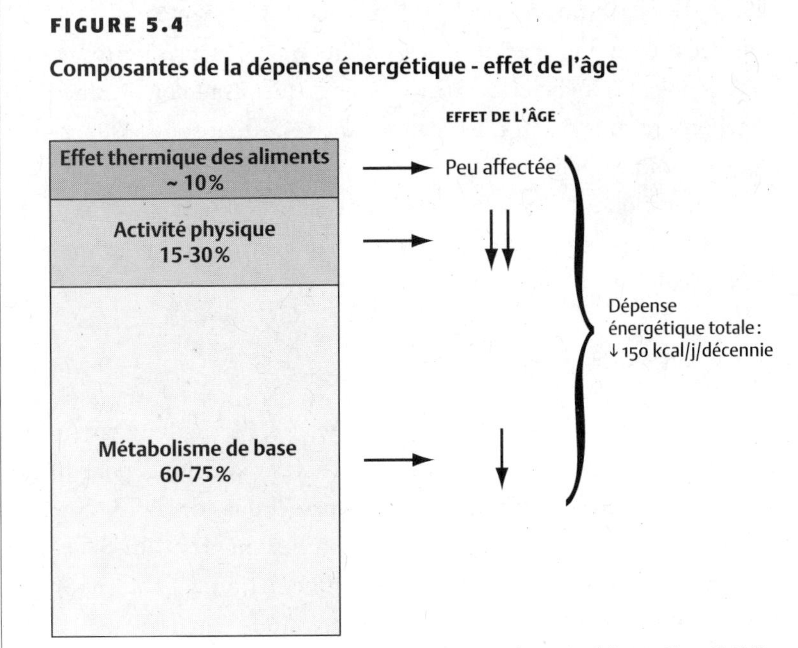

Source: adapté de Morley, J. E., «Nutrition in the order person», dans M. E. Shils, J. A. Olsen, M. Shilke, et A. C. Ross (dir.), *Modern Nutrition in Health and Disease*, 10e éd., Philadelphie, Lippincott Williams & Wilkins, 2005, p. 582-594.

ce type d'entraînement a permis d'atténuer la déminéralisation osseuse associée au vieillissement, favorisant ainsi l'intégrité de l'os. On pense que les pressions exercées par les muscles sur les os lors des exercices de musculation stimuleraient l'os de manière bénéfique. Sur le plan fonctionnel, l'entraînement en musculation s'est également souvent traduit par une amélioration de l'équilibre des personnes, par une diminution des chutes, par une augmentation de la vitesse de marche et par une meilleure mobilité.

Existe-t-il un âge limite pour s'initier à la musculation? Il importe de mentionner que les résultats les plus spectaculaires rapportés à ce jour ont été obtenus chez un groupe de nonagénaires (âge moyen: 90 ± 1 an, 86-96 ans) soumis à un programme de musculation d'intensité progressive de douze semaines (Fiatarone *et al.*, 1992). Au terme du programme d'entraînement, les auteurs ont observé des augmentations de 9% quant à la surface musculaire et de 175% quant à la force musculaire, ainsi qu'une augmentation de 48% de la vitesse de marche. De plus, pour deux des participants, les gains de force musculaire étaient tels qu'ils ont pu se défaire de leur canne à la fin de la période expérimentale. Cette étude audacieuse aura donc permis de démontrer que même les personnes très âgées peuvent bénéficier de l'activité physique. Toutefois, l'adhésion à un tel programme d'entraînement devrait s'effectuer sous la supervision d'une personne qualifiée.

À la question de l'âge limite pour s'initier à la musculation, il semble donc que l'on puisse répondre qu'il n'est jamais trop tard pour se mettre à l'exercice!

5.1.4 Conséquences nutritionnelles

La réduction des dépenses énergétiques relatives à l'activité physique et au métabolisme de base discutée à la section précédente a pour principale conséquence de réduire les besoins énergétiques de la personne, une réalité qui s'accompagne d'une diminution des apports alimentaires qui peuvent compromettre la qualité de l'alimentation. Car il importe de préciser qu'en deçà d'un certain apport calorique (environ 1500 kcal), il devient très difficile de répondre aux besoins en éléments nutritifs (macro et micronutriments) quotidiens. Or, comme nous le verrons au chapitre 9, certains aspects de la qualité de la diète des personnes vieillissantes pourraient être améliorés.

Par ailleurs, l'augmentation parallèle de la masse grasse et la redistribution de cette masse au niveau de la région abdominale viscérale associée à la sénescence serait responsable de la résistance des tissus à l'action de l'insuline. Fréquente chez la personne âgée, la résistance à l'insuline constitue l'un des principaux facteurs de risque de diabète de type 2.

Est-ce que l'exercice physique peut aider? La réponse à cette question est oui. Lorsqu'il est pratiqué sous supervision, l'exercice physique permettra d'atténuer ces conséquences néfastes. En plus d'améliorer la musculature et de contribuer au bien-être général de la personne, l'exercice physique aura pour effet de stimuler l'appétit, ce qui augmente les chances d'une diète variée et de meilleure valeur nutritive.

De même, l'exercice physique est reconnu pour améliorer le métabolisme du glucose et, à ce titre, il aidera les individus à risque de diabète ou qui souffrent de la maladie à mieux contrôler leur condition ou à en ralentir la progression.

5.2 Les fonctions sensorielles

En situation d'abondance, les perceptions sensorielles sont intimement liées aux choix alimentaires et par conséquent aux apports nutritionnels. En effet, le plaisir que procurent certains aliments est au moins aussi important (et pour certaines personnes, davantage!) que leur valeur nutritive. Un repas soigné comportant des aliments frais et savoureux stimule l'appétit, cela est bien connu. Aussi, toute condition susceptible d'altérer notre capacité de savourer les aliments pourrait théoriquement avoir des répercussions sur notre alimentation.

Or, notre capacité d'apprécier les aliments est tributaire, principalement, de deux fonctions sensorielles, le goût et l'odorat. Par exemple, bien que ce soit le goût qui nous permette de détecter l'acidité d'un sorbet au citron, c'est vraiment grâce à l'odorat que nous pouvons reconnaître l'arôme du citron. Dans ce qui suit, nous verrons dans quelle mesure ces fonctions sont affectées par le vieillissement et nous aborderons les conséquences nutritionnelles de ces changements.

5.2.1 Le goût

Les papilles gustatives, formées d'amas de bourgeons, permettent de détecter les quatre saveurs élémentaires, à savoir le salé, le sucré, l'amer et l'acide. Bien que plusieurs études évoquent un déclin de la capacité de goûter de la part des personnes âgées, les travaux réalisés à ce jour ne dégagent pas d'effets systématiques du vieillissement à cet égard. En effet, alors que certaines recherches suggèrent des atteintes plus marquées en regard du salé et du sucré, d'autres semblent davantage cibler l'amer. Par ailleurs, lorsqu'elles sont observées, les atteintes gustatives sont éminemment variables d'une personne à l'autre, certaines pouvant être très affectées, d'autres presque pas. En outre, et contrairement à ce qui était avancé dans les années passées, le vieillissement ne s'accompagnerait pas d'une diminution du nombre de papilles ou de bourgeons gustatifs. Des études récentes indiquent en effet que même si les papilles gustatives se régénèrent généralement plus lentement au grand âge (ces dernières se renouvellent normalement tous les dix jours), leur densité et leur structure ne sont pas modifiées de manière significative. En fait, il semble de plus en plus que les atteintes gustatives liées à l'âge résulteraient davantage de facteurs tels que la prise de médicaments, la présence d'états pathologiques ou de carences nutritionnelles (par exemple, une carence en zinc). On estime, en effet, à plus de deux cent cinquante le nombre de médicaments pouvant altérer le goût.

En outre, selon les données d'une enquête américaine, les pertes gustatives toucheraient 0,6% de l'ensemble des personnes âgées de 65 ans et plus, cette proportion augmentant après 80 ans. Par ailleurs, lorsque présentes, les altérations gustatives semblent avoir peu d'impact sur la prise alimentaire ou sur l'état nutritionnel des personnes âgées. En effet, les travaux réalisés à ce jour n'ont pu établir de lien entre le degré d'atteinte des modalités gustatives, les apports alimentaires et les mesures de poids corporel. On croit que les connaissances en matière de bonne alimentation et de santé auraient davantage d'influence sur les choix alimentaires des personnes âgées que les altérations du goût.

Enfin, malgré que la carence en zinc ait souvent été associée à des désordres gustatifs, les études nutritionnelles d'intervention réalisées jusqu'à présent se sont généralement avérées peu concluantes. Par exemple, dans une étude menée auprès de personnes âgées institutionnalisées, la prise d'un supplément de 15 mg de zinc par jour pendant près de cent jours n'a pas permis d'améliorer la capacité des sujets de reconnaître une solution salée et une solution sucrée préparées à des concentrations liminales (niveau tout juste perceptible). Ces résultats ayant été confirmés dans d'autres travaux, il semble donc que les altérations gustatives soient peu modifiables.

5.2.2 L'odorat

Alors que les changements gustatifs notés chez les personnes vieillissantes sont souvent variables, ceux se rapportant à l'olfaction sont généralement plus fréquents et plus marqués. Ainsi, selon l'enquête américaine mentionnée plus haut, 1,4 % des personnes âgées seraient touchées par les pertes olfactives. Toutefois, comme pour le goût, certaines pathologies dont la maladie d'Alzheimer, peuvent précipiter la perte de l'odorat. De manière générale, le déclin olfactif associé à la sénescence se caractérise par une augmentation des seuils de détection (niveau liminal) et par une diminution des capacités permettant de reconnaître et d'apprécier l'intensité des odeurs au niveau supraliminal (supérieur au niveau perceptible). D'après certains travaux, les aînés présenteraient des seuils de sensibilité liminale de deux à quinze fois supérieurs à ceux d'adultes plus jeunes. En outre, plus de 75 % des personnes âgées de plus de 80 ans éprouveraient de grandes difficultés à percevoir ou à identifier les odeurs au niveau supraliminal. Sur le plan anatomophysiologique, le déclin olfactif serait lié à une réduction du nombre ou à une altération des cellules olfactives au niveau de la cavité nasale et du bulbe olfactif, à des changements cellulaires au niveau de l'hippocampe, de l'hypothalamus et du complexe amygdaloïde, ainsi qu'à une diminution des taux de neurotransmetteurs. Précisons que les cellules olfactives se régénèrent normalement tous les trente jours.

Tout comme pour le goût, les résultats traitant de l'impact du déclin olfactif sur la prise alimentaire sont variables. Alors que certaines études ont observé des apports plus faibles chez les individus atteints d'un déclin olfactif, d'autres n'ont pas confirmé ces résultats. Dans une étude récente menée auprès d'un groupe de femmes âgées de 65 ans à 93 ans, on a constaté, à la suite d'un test standard, que près de la moitié des femmes étudiées (37 femmes sur un total de 80) présentaient des atteintes olfactives. Toutefois, les mesures d'olfaction n'étaient pas associées à l'appétit, à l'apport énergétique, à l'appréciation du repas ou au poids corporel. En outre, les femmes qui souffraient de troubles olfactifs avaient tendance à présenter moins d'intérêt pour les activités associées à la nourriture (par exemple, faire la cuisine), à éviter les aliments à saveur acide (par exemple, les agrumes tels que les oranges, les pamplemousses, etc.), à consommer moins de produits laitiers pauvres en matières grasses et à consommer davantage d'aliments riches en sucres. En somme, les résultats de cette étude laissent penser que les désordres olfactifs influenceraient davantage les choix alimentaires et la qualité de la diète que les apports totaux.

FIGURE 5.5

Interactions possibles entre les fonctions sensorielles, les apports alimentaires et la santé nutritionnelle

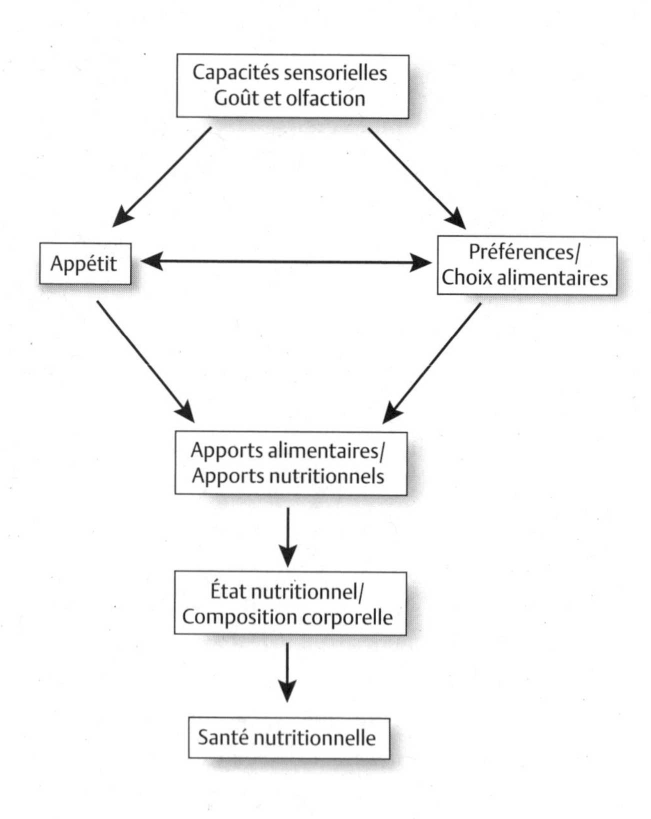

5.2.3 La satiété sensorielle spécifique

Selon certains travaux, le vieillissement s'accompagnerait d'un déclin de la satiété sensorielle spécifique, que l'on peut définir comme l'atténuation du plaisir procuré par un aliment après que ce dernier a été consommé. On l'appelle aussi fatigue sensorielle. Dans des conditions normales, la satiété sensorielle spécifique amène à éviter les aliments déjà consommés et incite à en consommer d'autres, ce qui contribue à la variété de la diète. Or, chez la personne âgée, cette fatigue sensorielle ne semble pas opérer ou est moins efficace, ce qui, selon certains auteurs, pourrait conduire à adopter des diètes plus monotones, moins nutritives. Bien que plausible, cette hypothèse reste à confirmer.

La figure 5.5 présente de façon schématique un modèle illustrant les interactions possibles entre les fonctions sensorielles, les apports alimentaires et la santé nutritionnelle.

5.3 Le système digestif

Comparativement à ce qui se passe dans le cas d'autres entités physiologiques, l'intégrité du système digestif est remarquablement maintenue au cours du vieillissement. En effet, la grande majorité des troubles digestifs relevés au grand âge sont habituellement associés à des pathologies plutôt qu'à la sénescence même. Nous nous limiterons ici aux altérations dont l'impact sur le plan nutritif est plus manifeste.

5.3.1 La cavité buccale

Parmi les principaux changements relevés au cours du vieillissement, on note la récession gingivale et l'ostéoporose de l'os alvéolaire qui peuvent mener à la perte des dents. Selon les données de l'Enquête sur la santé dans les collectivités canadiennes (ESCC) réalisée en 2003, 66 % des femmes et 58 % des hommes âgés de 65 ans et plus indiquaient porter des prothèses dentaires. De plus, 30 % d'entre elles étaient édentées, c'est-à-dire qu'elles n'avaient aucune dent naturelle, ici encore, cette proportion était plus élevée pour les femmes (33 %) que pour les hommes (26 %). L'amélioration des soins dentaires et un accès facilité à ces mêmes soins devraient toutefois changer l'allure de ces statistiques dans les années à venir. Par ailleurs, bien qu'on observe au cours du vieillissement une légère diminution du flot salivaire basal, on ne note aucune différence significative du flot stimulé. Aussi, la xérostomie, ou sécheresse de la bouche, serait davantage liée à certains médicaments ou à des désordres systémiques qu'au vieillissement en soi. On estime ainsi que près de 80% des médicaments couramment utilisées par les personnes âgées réduiraient le flot salivaire. La capacité masticatoire est généralement bien maintenue au grand âge; toutefois, la perte des dents ou le mauvais ajustement des prothèses peuvent réduire cette capacité et affecter les choix alimentaires de manière non négligeable. De même, la capacité de déglutition apparaît maintenue au cours du vieillissement, et les problèmes de dysphagie sont généralement le résultat d'états pathologiques (maladie de Parkinson, accident vasculaire cérébral [AVC], etc.).

Par ailleurs, des études se sont penchées sur les conséquences cliniques et nutritionnelles des changements de la cavité buccale et ont associé ces derniers à l'insuffisance pondérale ou à la perte de poids, à l'inappétence ainsi qu'à une réduction de la qualité de la diète. Ainsi, dans une enquête nutritionnelle britannique menée auprès de 1700 personnes âgées de plus de 65 ans, on observait un déficit de près de 200 kcal/jr chez les personnes édentées par rapport aux personnes possédant leurs dents naturelles. De même, les personnes édentées avaient généralement des apports inférieurs

TABLEAU 5.2

Changements observés au niveau de la cavité buccale et leurs conséquences

CHANGEMENTS	CONSÉQUENCES
Perte des dents Difficultés masticatoires Xérostomie	Perte de poids Insuffisance pondérale Insuffisance des apports alimentaires Baisse de la qualité de la diète Appauvrissement de l'état nutritionnel

pour les nutriments suivants: protéines, glucides complexes, calcium, fer non hémique, niacine et vitamine C. En somme, dans cette étude, la santé buccale était associée à une diète de meilleure qualité.

Sur la base de ces travaux, une attention toute particulière devrait être apportée à la santé buccale, et ce, afin d'assurer le bien-être de la personne et de limiter les conséquences néfastes que les atteintes buccales pourraient éventuellement engendrer.

Le tableau 5.2 résume les principaux changements observés au niveau de la cavité buccale et leurs conséquences.

5.3.2 L'estomac

Le vieillissement s'accompagne généralement d'un ralentissement de la vidange gastrique[3]. Au fil des années, la muqueuse gastrique devient plus vulnérable aux agressions, notamment celles qui sont induites par les anti-inflammatoires non stéroïdiens, ce qui pourrait expliquer la plus grande prévalence d'ulcères chez la personne âgée. On croit que cette plus grande sensibilité de l'estomac aux ulcérations serait liée à une réduction des facteurs de cytoprotection de la muqueuse (prostaglandines, bicarbonates, glutathion), à une diminution du nombre de cellules à mucus, à une réduction de la circulation sanguine locale, ainsi qu'à une diminution des capacités de prolifération et de régénérescence des cellules muqueuses.

Longtemps attribuée à la sénescence, la diminution de sécrétion d'acide chlorhydrique, fréquente chez la personne âgée, serait en fait le résultat de pathologies gastriques sous-jacentes telles que l'atrophie gastrique et les infections à Helicobacter pylori*. Selon une étude réalisée aux États-Unis, l'atrophie gastrique touche de 20 à 30% des personnes âgées de plus de 60 ans et près de 40% des personnes âgées de plus de 80 ans. La diminution de sécrétion d'acide chlorhydrique s'accompagne généralement d'une augmentation du pH ambiant pouvant réduire l'absorption de fer. En plus d'affecter l'acide chlorhydrique, l'atrophie gastrique est associée à une réduction de sécrétion du facteur intrinsèque, protéine requise pour l'absorption de la vitamine B_{12} au niveau de l'iléon. Toutefois, sauf dans

3. Les facteurs pouvant expliquer ce ralentissement sont présentés dans la section qui traite de l'anorexie associée au vieillissement.

TABLEAU 5.3

Principaux changements observés dans l'atrophie gastrique et nutriments affectés

CHANGEMENTS	NUTRIMENTS AFFECTÉS
↓ sécrétion d'acide chlorhydrique	Fer
↑ pH ambiant	Ca
↑ prolifération de la flore bactérienne	Vitamine B_{12}
↓ sécrétion du facteur intrinsèque	

des cas extrêmes, la sécrétion de facteur intrinsèque est généralement suffisante pour permettre une absorption adéquate de la vitamine. Aussi, s'il est vrai que la vitamine B_{12} est parfois mal absorbée chez les personnes atteintes d'atrophie gastrique, cette malabsorption s'expliquerait davantage par une réduction de sa biodisponibilité – libération réduite de la vitamine des protéines alimentaires auxquelles elle est normalement liée – que par une carence de facteur intrinsèque. De même, l'atrophie gastrique peut réduire l'absorption du calcium en limitant sa dissociation des composantes alimentaires (par exemple, les fibres) et en réduisant la solubilité des sels de calcium (par exemple, de carbonate et de phosphate). Le tableau 5.3 résume les changements liés à l'atrophie gastrique.

5.3.3 Le petit intestin (l'intestin grêle)

L'intégrité du petit intestin n'est pas significativement modifiée au grand âge, les changements structurels d'abord rapportés (diminution de la surface de la muqueuse, réduction de la hauteur des villosités, diminution de l'activité des enzymes maltase et sucrase-isomaltase) n'ayant généralement pas été confirmés dans des études subséquentes. La diminution de lactase, une enzyme qui nous permet de digérer le lactose présent dans le lait, qui touche une proportion non négligeable de la population, n'est pas un phénomène lié à la sénescence, cette perte relative survenant dès l'enfance ou tôt dans la vie adulte.

Contrairement à ce qui s'observe au niveau gastrique, le transit intestinal n'est pas modifié au cours du vieillissement. L'absorption des macronutriments ne semble pas non plus altérée avec l'avancée en âge. En effet, des travaux réalisés chez l'humain indiquent qu'en présence d'apports représentatifs de l'alimentation nord-américaine, les aînés absorbent les glucides, les lipides et les protéines tout aussi efficacement que les adultes plus jeunes.

Sur la base des connaissances actuelles, il semble donc que les capacités d'absorption et de digestion du petit intestin soient maintenues jusqu'à un âge avancé.

5.3.4 Le côlon

La motilité du côlon tend à diminuer au cours du vieillissement, un phénomène qui pourrait favoriser la constipation. Toutefois, on croit de plus en plus que l'étiologie de cette condition serait davantage liée à des facteurs tels qu'une consommation insuffisante d'aliments et de liquides, un régime restreint en fibres alimentaires et l'inactivité physique. En outre, dans une étude récente, les plaintes de constipation formulées par les personnes âgées n'étaient pas nécessairement corrélées aux mesures objectives de défécation; la constipation comporterait donc une composante subjective non négligeable. C'est pourquoi la décision de traiter la constipation devrait s'appuyer sur des critères objectifs rigoureux.

5.4 L'anorexie associée au vieillissement

Au cours du vieillissement, nous observons une diminution de l'appétit de même qu'une réduction de la prise alimentaire. En effet, les enquêtes alimentaires réalisées à ce jour au Québec et ailleurs dans le monde (cette question sera traitée en détail au chapitre 9) révèlent une diminution de l'apport énergétique (calorique) total au cours de la vie, diminution qui se fait aux dépens des matières grasses (environ 55%) davantage que des glucides (environ 40%). Bien que des facteurs tels que l'isolement social, la dépression et la polymédication puissent affecter la prise alimentaire, plusieurs composantes physiologiques semblent contribuer à la perte d'appétit associée au grand âge, une condition généralement appelée anorexie associée au vieillissement.

5.4.1 La régulation de l'appétit

De manière générale, les personnes âgées atteignent un niveau de satiété plus rapidement que les adultes plus jeunes, et cela, à des quantités de nourriture plus faibles. Dans des conditions expérimentales très contrôlées, le degré de satiété induit par un «repas type» est généralement plus élevé chez les personnes âgées que chez les adultes plus jeunes. De même, les mécanismes qui sous-tendent la régulation de l'appétit semblent perturbés chez la personne âgée. Rappelons que l'appétit est sous le contrôle central de centres intégrateurs de la faim et de la satiété situés dans l'hypothalamus et que l'activité de ces centres est modulée par des facteurs en périphérie. Chez le jeune adulte en santé, l'exposition prolongée à une suralimentation ou à une sous-alimentation est habituellement suivie d'un ajustement des apports énergétiques qui se traduit par un retour au poids initial. Or, chez la personne âgée, cet ajustement ne se fait que partiellement ou de façon inadéquate. Des travaux ont en effet démontré que lorsque des personnes âgées en santé sont soumises à un déficit énergétique de l'ordre de 800 kcal pendant trois semaines, elles ne regagnent pas tout le poids perdu lors de la période expérimentale, contrairement aux adultes plus jeunes. Cette incapacité des sujets âgés de recouvrer leur poids initial (déficit de 1 kg à 1,5 kg) serait liée à une moins bonne compensation des apports énergétiques dans les semaines qui suivent la période de carence.

5.4.2 La vidange gastrique

L'atteinte précoce du sentiment de satiété observée chez la personne âgée s'expliquerait, entre autres, par un ralentissement de la vidange gastrique et par une distension précoce de l'antre de l'estomac. Des études réalisées dans des conditions expérimentales très contrôlées ont en effet montré des temps de vidange gastrique de deux à trois fois plus élevés chez les personnes âgées, comparativement aux adultes plus jeunes à la suite de l'ingestion d'un repas consistant. Par ailleurs, au cours du vieillissement, on observe une accélération du transfert du chyme* de la partie supérieure de l'estomac (le fundus*) à la partie inférieure (l'antre*), ce qui cause une distension précoce de cette dernière. Or, il est bien documenté que la distension de l'antre de l'estomac joue un rôle prépondérant dans le déclenchement de la satiété.

5.4.3 Les hormones et les neuropeptides

Plusieurs composés participent au contrôle de l'appétit, certains dits «orexigènes» stimulent l'appétit alors que d'autres «anorexigènes» l'inhibent. Parmi les plus étudiés en regard du vieillissement, on trouve, parmi ceux appartenant à la première catégorie, les peptides opioïdes (aussi appelés opiacés), le neuropeptide Y, la ghreline et la testostérone; et, parmi les facteurs anorexigènes, la cholécystokinine, la leptine et les cytokines.

Les composés «orexigènes». Des études réalisées chez l'animal âgé ont mis en évidence une diminution de l'effet médiateur des peptides opioïdes (aussi appelés opiacés), et en particulier de la dynorphine, substances connues pour stimuler l'appétit, en particulier les graisses, au niveau central (action orexigène, qui donne de l'appétit). Cette atténuation de l'effet opioïde au cours du vieillissement serait causée par une diminution du nombre ou de la qualité des récepteurs et par une réduction consécutive des concentrations d'opiacés dans plusieurs régions du cerveau. Aussi, bien que plausible, le rôle des opiacés dans l'anorexie du vieillissement reste à démontrer chez l'humain. Par ailleurs, on croit que des désordres au niveau des récepteurs seraient également à l'origine de la perte de la sensation de la soif, fréquemment notée au grand âge.

Pour sa part, le neuropeptide Y est une hormone peptidique reconnue comme étant l'un des plus puissants stimulateurs de l'appétit découverts à ce jour. Il est synthétisé dans le système nerveux périphérique et dans le cerveau, et son action serait, entre autres, modulée par les opiacés au niveau du cerveau postérieur. Le neuropeptide Y stimulerait davantage le nombre de repas consommés que leur taille, et son action ciblerait plus spécifiquement les aliments riches en glucides. Des études chez l'animal ont permis d'observer une diminution des concentrations hypothalamiques du neuropeptide Y de même que de sa réponse orexigène au cours du vieillissement, ces effets étant davantage marqués pour les mâles que pour les femelles. Bien que les travaux chez l'animal suggèrent un rôle potentiel du neuropeptide Y dans le contrôle de l'appétit à un âge avancé, son rôle chez l'humain âgée reste à confirmer.

Par ailleurs, la ghréline, une hormone sécrétée par le fundus de l'estomac, est reconnue pour augmenter l'appétit de même qu'elle stimule la libération de l'hormone de croissance. Or, des données provenant d'un nombre limité d'études suggèrent une diminution des taux circulants de la ghréline avec l'avancée en âge.

De même, la testostérone, principale hormone stéroïdienne chez l'homme, reconnue pour stimuler l'appétit, pourrait jouer un rôle dans le contrôle de l'appétit au cours du vieillissement. En effet, on observe une baisse des taux circulants de testostérone chez l'homme après 50 ans. De plus, selon des travaux récents, la baisse de testostérone serait jumelée à une augmentation des taux circulants de leptine, une hormone reconnue pour réduire l'appétit (voir ci-après). Ainsi, les changements associés à la testostérone au cours du vieillissement pourraient contribuer à la perte d'appétit chez l'homme vieillissant. Par ailleurs, en raison de ses propriétés anaboliques bien connues, la baisse de testostérone au cours de l'âge a souvent été liée à la perte de masse musculaire observée chez l'homme âgé.

Les composés «anorexigènes». Tant chez l'animal que chez l'humain, on observe une augmentation de l'effet anorexigène de la cholécystokinine (CCK) au cours du vieillissement, une hormone intestinale par ailleurs connue pour stimuler la contraction de la vésicule biliaire et la libération de la bile, ainsi que la sécrétion de suc pancréatique riche en enzymes. Au niveau cérébral, la CCK se retrouve dans l'hypothalamus, dans le cortex et dans le mésencéphale. En outre, on estime que chez l'humain la CCK serait responsable de 10 à 20% des signaux associés à la satiété. Or, on observe une augmentation des taux circulants de CCK au cours du vieillissement et une sensibilité accrue des sujets âgés à son effet anorexigène lorsqu'elle est administrée par voie intraveineuse. Bien que limitées, ces données laissent penser que la CCK joue un rôle dans l'anorexie du vieillissement.

De même, la leptine, une hormone produite dans le tissu adipeux et qui dans le sang reflète les réserves de graisse, pourrait contribuer à l'anorexie du vieillissement. En quantité élevée, la leptine réduirait la prise alimentaire en agissant au niveau de l'hypothalamus. Une résistance à l'action de la leptine expliquerait les taux élevés fréquemment observés chez les personnes obèses. Chez l'humain, les changements de leptine observés au cours de l'âge ont été très variables à ce jour; son rôle singulier est donc incertain. Toutefois et tel que mentionné plus tôt, la leptine pourrait, de concert avec la testostérone, altérer la prise alimentaire chez l'homme,

Enfin, de plus en plus de données laissent penser que les cytokines libérées (interleukin 1, interleukin 6, TNF-a, etc.) dans plusieurs états pathologiques associés au grand âge, et/ou potentiellement inhérentes au processus du vieillissement lui-même, pourraient contribuer à la perte d'appétit des personnes âgées. Ceci, en raison de la nature hautement anorexigène de ces composés et de leur lien bien documenté avec les états cachexiques (cancer, SIDA, etc). Cette perspective, des plus intéressante, fait actuellement l'objet d'intenses investigations de la part des chercheurs.

On trouvera dans le tableau 5.4 un résumé des facteurs impliqués dans la régulation de l'appétit et l'impact du vieillissement sur leurs taux circulants.

TABLEAU 5.4

Facteurs impliqués dans la régulation de l'appétit et leur contribution possible en regard de l'anorexie du vieillissement

FACTEURS	EFFET DE L'ÂGE
Facteurs qui stimulent l'appétit	
• Opiacés	↓ chez l'animal ; pas encore démontré chez l'humain
• Neuropeptide Y	↓ chez l'animal ; pas encore démontré chez l'humain
• Ghreline	↓ des taux circulants chez l'humain
• Testostérone	↓ des taux circulants chez l'homme
Facteurs qui réduisent l'appétit	
• Cholécystokinine	↑ des taux circulants chez l'humain; ↑ de sa sensibilité
• Leptine	↑ des taux circulants chez l'homme (lié à ↑ testostérone)
• Citokine	↑ des taux circulants chez l'humain

Comme on peut le constater, l'organisme est appelé, au fil des années, à subir divers changements sur le plan physiologique qui, selon le cas, pourront influer sur les besoins nutritionnels et sur les apports alimentaires. De plus, les personnes vieillissantes doivent composer avec plusieurs autres facteurs propres à leur environnement ou à leur condition médicale tout aussi susceptibles d'altérer la qualité de leur alimentation. Le chapitre 6 permettra de se familiariser avec la nature et l'impact de ces facteurs.

Références

Chapman, I. M., « Endocrinology of anorexia of ageing », *Best Practice and Research Clinical Endocrinology and Metabolism*, vol. 18, nº 3, 2004, p. 437-452.

Drewnowski A. et P. Monsivais, «Taste and food selection», dans R. M. Russell et B. Bowman (dir.), *Present Knowledge in Nutrition*, 9e éd., Washington DC, ILSI Press, 2006, p. 807-815.

Duffy V. B., J. R. Backstrand et A. M. Ferris, « Olfactory dysfunction and related nutritional risk in free-living, elderly women », *Journal of the American Dietetic Association*, vol. 95, nº 8, 1995, p. 879-886.

Fiatarone, M. A. *et al.*, « High Intensity Strength Training in Nonagenerians. Effects on Skeletal Muscle », *Journal of the American Medical Association*, vol. 263, 1990, p. 3029-3034.

Fiske, J., «The National Diet and Nutrition Survey: People Aged 65 years and over. Volume 2: Report of the oral health survey», *Journal of Human Nutrition and Dietetics*, vol. 12, nº 5, 1999, p. 467-468.

Guérin O., P. Ritz, S. Schneider et B. Vellas, « Aging and nutrition », dans R. M. Russell et B. Bowman (dir.), *Present Knowledge in Nutrition*, 9e éd., Washington DC, ILSI Press, 2006, p. 573-580.

Leclerc, B. S. et M.-J. Kergoat, « Évaluation de l'état nutritionnel de la personne âgée hospitalisée », Montréal, Association canadienne-française pour l'avancement des sciences (ACFAS), 1988.

Millar, W. J. et P. Locker, « Édentement et port de prothèses dentaires », *Rapports sur la santé*, vol. 17, nº 1, 2005, p. 57-60 (Statistique Canada, nº 82-003 au catalogue).

Morley, J.E., « Nutrition in the older person », dans M. E. Shils, J. A. Olson, M. Shike, et A. C. Ross (dir.), *Modern Nutrition in Health and Disease*, 10e éd., Philadelphie, Lippincott Williams & Wilkins, 2005, p. 582-594.

Santé Québec et Lise Bertrand (dir.), *Les Québécois et les Québécoises mangent-ils mieux ? Rapport de l'Enquête québécoise sur la nutrition 1990*, Québec, Ministère de la Santé et des Services sociaux, 1995.

6
FACTEURS SUSCEPTIBLES D'INFLUER SUR LES APPORTS NUTRITIONNELS

L'accès à une alimentation suffisante et de qualité constitue un des fondements de la santé nutritionnelle. Pour exercer leur action dans l'organisme, les éléments nutritifs doivent d'abord et avant tout être consommés, une affirmation qui peut paraître simpliste mais qu'il n'est certes pas superflu de poser. Si cette apparente lapalissade s'applique à tous les individus, elle prend une signification toute particulière chez les personnes qui avancent en âge. En effet, en plus des changements physiologiques associés à la sénescence (et que nous avons étudiés au chapitre précédent), les personnes âgées présentent plusieurs caractéristiques qui peuvent limiter l'approvisionnement alimentaire, réduire leurs apports nutritionnels et, ainsi, compromettre la qualité de leur alimentation. La présence croissante de la maladie et des incapacités physiques auxquelles les personnes vieillissantes sont tôt ou tard confrontées, les changements dans leur situation de ménage et leurs conditions générales de vie ne sont que quelques exemples de facteurs susceptibles d'influer sur la santé nutritionnelle des aînés.

Bien qu'il existe des variantes dans la littérature, on regroupe généralement les facteurs d'influence de la santé nutritionnelle chez la personne âgée en trois grandes catégories: les facteurs d'ordre social, les facteurs d'ordre psychologique et les facteurs d'ordre médical. Dans ce chapitre, nous nous pencherons sur chacune de ces catégories, nous attardant aux facteurs dont l'impact nutritionnel est bien documenté. Nous traiterons plus particulièrement les aspects qui touchent les personnes âgées qui vivent dans la communauté, réservant les particularités du contexte d'hébergement pour le chapitre 11.

6.1 Les facteurs d'ordre social

Comme nous l'avons vu au chapitre 1, dans nos sociétés, l'acte alimentaire constitue autant une expérience sociale que biologique. En effet, pour la grande majorité des personnes, le repas constitue un moment privilégié de la journée en raison des interactions et des échanges qu'il permet. Or, on le sait, l'environnement des personnes vieillissantes est appelé à changer, parfois de façon radicale. C'est pourquoi la dimension sociale de la prise alimentaire a fait l'objet, ces dernières années, de nombreuses études.

Comme nous le verrons dans les pages qui suivent, trois facteurs ressortent de ces études comme étant des déterminants importants de l'apport alimentaire et de la qualité de la diète chez les personnes âgées: les ressources financières, le niveau d'instruction et l'isolement social.

6.1.1 Les ressources financières

Bien que la «pauvreté alimentaire» observée chez certains aînés soit parfois liée au manque d'instruction ou à la présence de troubles mentaux, comme nous le verrons plus loin dans ce chapitre, dans la majorité des cas elle découle plutôt de conditions précaires de vie. Les personnes souffrant de pauvreté se trouvent souvent dans l'impossibilité de se procurer, en quantité suffisante, des aliments de qualité. En effet, dans un contexte budgétaire personnel comportant des dépenses fixes telles que le loyer, le chauffage, l'électricité, etc., l'alimentation est souvent considérée comme une composante secondaire et, par conséquent, négligée. Or, selon plusieurs chercheurs, l'insuffisance des ressources financières représente un des facteurs les plus susceptibles d'affecter négativement la qualité des apports nutritionnels des personnes âgées.

Les écrits sur le sujet le constatent: la pauvreté touche plusieurs aspects de la santé nutritionnelle. Dans une étude réalisée en Ontario auprès de

5073 personnes âgées de plus de 65 ans, le revenu s'est avéré un puissant indice des apports nutritionnels et de la qualité de l'alimentation, et ce, tant pour les hommes que pour les femmes. De même, une étude américaine d'envergure a mis en évidence une relation positive entre l'argent consacré à l'achat de la nourriture et la qualité de l'alimentation: la qualité de la diète des aînés qui accordaient davantage de ressources à l'achat de leurs aliments s'est révélée supérieure à celle des aînés dont le budget «alimentation» était limité.

D'autres travaux américains et italiens ont mis en évidence des apports inférieurs de protéine, de vitamine A, de vitamine B_{12}, de niacine, de calcium et de fer chez des personnes âgées dont les revenus étaient plus faibles. Par ailleurs, une étude réalisée auprès d'un groupe de femmes fréquentant un service de repas communautaires révélait une relation inverse entre le revenu et l'appétit, les femmes financièrement plus défavorisées rapportant des appétits plus faibles.

Qu'en est-il de la situation financière des aînés au Canada ? À l'instar de ce qui s'observe dans les autres pays industrialisés, les revenus des aînés canadiens, et en particulier ceux des femmes, sont inférieurs à ceux des adultes plus jeunes. Toutefois, la situation évolue favorablement pour les aînés puisque leurs revenus augmentent plus rapidement que ceux des personnes de moins de 65 ans. En effet, selon des données récentes, le revenu moyen des personnes âgées au Canada a augmenté, entre 1981 et 1998, de 22% par comparaison à 2% chez les 16 à 64 ans. En outre, l'arrivée des *baby boomers* dans le rang des retraités, un groupe davantage favorisé sur le plan financier, devrait atténuer encore l'impact de la pauvreté sur la santé nutritionnelle. En outre, la venue des femmes sur le marché du travail et leur présence de plus en plus importante dans des postes de responsabilités devraient réduire les écarts financiers entre les sexes et ainsi favoriser les femmes sur le plan de leur santé.

6.1.2 Le niveau d'instruction

La qualité de l'alimentation des personnes âgées tend à être associée au niveau d'instruction, des associations inverses ayant été fréquemment observées ces récentes années entre les apports alimentaires et le nombre d'années de scolarité.

Par exemple, dans l'étude ontarienne dont il a été question précédemment, les apports nutritionnels des aînés dont le niveau d'instruction dépassait l'ordre primaire se rapprochaient davantage des quantités recommandées. En outre, les hommes et les femmes qui comptaient un plus grand nombre d'années d'études présentaient, dans l'ensemble, une diète comportant une plus grande variété d'aliments en quantités adéquates. À l'inverse, les aînés moins scolarisés avaient des apports nutritionnels de qualité moindre.

Dans une étude américaine impliquant 152 femmes âgées entre 65 et 94 ans, on a constaté que les femmes qui comptaient un plus grand nombre d'années d'études avaient tendance à consommer davantage de fruits, de légumes et de viande que les femmes moins scolarisées. Par conséquent, les femmes de scolarité supérieure avaient des apports plus élevés de calcium, de phosphore, de sodium, de potassium, de vitamine A, de bêta-carotène et de fibres.

Cette tendance a également été observée dans des travaux européens. Une recherche récente impliquant quelque 1300 hommes et femmes vivant dans des régions rurales d'Italie montre que ceux et celles qui comptaient plus de 8 années de scolarité avaient des apports alimentaires totaux davantage compatibles avec la santé et, notamment dans le cas des femmes, des apports plus élevés de légumes verts.

Où se situe la population âgée canadienne en matière d'éducation ? En 1993, le niveau d'instruction de 55 à 65% des personnes âgées ne dépassait pas l'ordre primaire, la proportion d'aînés atteignant des niveaux plus élevés décroissant en fonction de l'âge. Toutefois, on estime qu'en 2011, 42% des femmes et 45% des hommes âgés de plus de 65 ans auront terminé des études post-secondaires, soit deux fois plus qu'en 1991. En outre, cette hausse se fera particulièrement sentir chez les femmes, une tendance qui, là encore, devrait leur être bénéfique sur le plan nutritionnel.

6.1.3 L'isolement social

Dans la plupart des sociétés, et certainement dans la nôtre, la prise des repas constitue un geste social qui implique généralement plus d'une personne. Pour la très grande majorité d'entre nous, les repas sont en effet consommés en compagnie d'un conjoint, de membres de la famille, d'amis, de collègues de travail, etc. Or, s'il est vrai que la convivialité fait partie intégrante de nos vies, il semble que ce ne soit pas toujours le cas pour certaines personnes, à certaines périodes de leur vie et en raison de leurs conditions de vie.

Sans qu'il soit permis de généraliser, les personnes âgées formant un groupe beaucoup trop hétérogène, nous devons reconnaître qu'un bon nombre d'entre elles présentent des caractéristiques susceptibles de les amener à un certain isolement social. Par exemple, pour beaucoup d'hommes, l'arrêt du travail rémunéré et le départ à la retraite constituent une expérience marquante qui souvent s'accompagne d'une réduction des contacts sociaux et des interactions avec autrui. De plus, les années de vieillesse sont généralement ponctuées d'événements tels que décès, changement de statut matrimonial, perte des amis, etc., qui peuvent entraîner un affaiblissement du réseau social. Or, l'isolement social s'est souvent avéré un facteur de risque sur le plan nutritionnel, un phénomène suffisamment important pour que nous nous y arrêtions quelque peu. Nous en analyserons cinq aspects importants, soit le fait de vivre seul, la compagnie à l'heure des repas, les changements dans la situation de ménage, le réseau social et la solitude.

6.1.3.1 *Le fait de vivre seul*

Lorsque l'on consulte les données du dernier recensement canadien, réalisé en 2001, on constate que 90 % des aînés vivaient en ménages privés alors qu'environ 10 % résidaient en logements collectifs (hôpitaux, centres pour personnes âgées, maisons de retraite, communautés religieuses, etc.). En outre, la forte majorité des personnes âgées (environ 80 %) résidaient en milieu urbain et bon nombre de celles qui vivaient en milieu rural se trouvaient à proximité d'un centre urbain. Par ailleurs, plus de 50 % vivaient en couple, alors que 31 % vivaient seules. Toutefois, on observe des différences marquées entre les sexes. Ainsi, au Québec, le pourcentage des femmes âgées de 75 ans et plus vivant seules s'élevait à près de 51 %, contre 21 % pour les hommes.

Utilisant les données d'une enquête nationale américaine, des auteurs ont étudié de manière spécifique l'impact du fait de vivre seul sur les apports nutritionnels et la qualité de l'alimentation. L'échantillon était composé de personnes âgées de plus de 55 ans vivant seules (1418 sujets) ou avec un conjoint (2984 sujets). Les apports nutritionnels des participants ont été comparés aux apports recommandés, alors que la qualité de la diète tenait compte de la présence d'un nombre minimal d'éléments nutritifs en quantité suffisante. Les résultats indiquent que les hommes qui vivaient seuls avaient davantage tendance à présenter une diète de qualité moindre que ceux qui vivaient en couple. En outre, la proportion d'hommes présentant une diète de piètre qualité augmentait en fonction de l'âge (14% chez les hommes âgés de 55 à 64 ans, 25% chez les hommes de 75 ans et plus). Notons que cette association n'était observée chez les femmes que dans le groupe des 55 à 64 ans. Fait important à souligner: les conséquences négatives associées au fait de vivre seul chez les hommes étaient observées même si ces derniers consacraient en moyenne plus d'argent à l'achat de la nourriture. En somme, le fait de vivre seul représentait un risque sur le plan nutritionnel pour les hommes, en particulier pour les hommes plus âgés. Par contre, l'absence d'effet du côté des femmes âgées de plus de 65 ans indique que pour ces dernières le fait de vivre seule n'est pas automatiquement associé à une détérioration de la qualité de la diète.

D'autres études se sont penchées sur ce facteur, notamment à Brescia, en Italie, auprès de 1200 hommes et femmes âgés de 70 à 75 ans. Au sein de ce groupe, les personnes qui vivaient seules présentaient des apports nutritionnels généralement inférieurs, comparativement aux participants qui vivaient en famille, et, comme ce qui a été observé dans l'étude précédente, cette tendance était davantage marquée chez les hommes. En effet, 22% des hommes qui disaient vivre seuls avaient des apports protéiques insuffisants, contre 11% de ceux qui évoluaient au sein d'une famille. En outre, de plus grandes proportions d'hommes vivant seuls avaient des apports insuffisants pour les vitamines C et A ainsi que pour le calcium. En revanche, le fait de vivre seules avait moins d'impact sur l'alimentation des femmes, les différences d'apports s'observant pour les vitamines C et A seulement. Les auteurs de cette étude associent l'effet mitigé observé chez les femmes à leur implication traditionnelle dans les activités domestiques, celles entourant l'alimentation tout particulièrement.

Soulignons toutefois que ces effets négatifs n'ont pas été observés dans tous les travaux. Ainsi, dans une enquête menée dans neuf sites européens auprès d'un groupe de 1450 personnes âgées de 70 à 75 ans, les apports nutritionnels n'étaient pas significativement différents selon les conditions de vie (sauf en ce qui touche les apports énergétiques des femmes, lesquels étaient légèrement plus faibles chez celles qui vivaient seules).

Aussi, même si les effets délétères du fait de vivre seul ne sont pas observés dans tous les travaux, la situation de ménage demeure un facteur susceptible d'affecter négativement la santé nutritionnelle des aînés, en particulier celle des hommes. Cela signifie que les personnes vivant seules devraient faire l'objet d'une attention particulière en regard du risque nutritionnel.

6.1.3.2 *La compagnie à l'heure des repas*

Afin de mieux comprendre ce qui se passe chez les personnes dont l'alimentation est affectée par le fait de vivre seules, quelques chercheurs se sont penchés sur la question de la compagnie à l'heure des repas. Ainsi, une étude réalisée auprès de 85 hommes et femmes âgés de 30 à 54 ans a mis en évidence une association positive entre la quantité de nourriture consommée et la présence de convives prenant part au repas. Plus spécifiquement, le fait de manger seul était associé à des apports énergétiques inférieurs, et ce, quel que soit le repas de la journée. Des travaux additionnels menés par la même équipe ont par la suite confirmé cette observation chez des personnes dont l'âge s'élevait à 80 ans.

Bien que peu nombreux, ces travaux ont tout de même permis de confirmer le rôle de la convivialité dans la prise alimentaire et ont montré que cette dimension était tout aussi importante pour les personnes âgées que pour les adultes plus jeunes. En somme, ils indiquent que si l'appétit vient en mangeant, il vient aussi en conversant!

6.1.3.3 *Les changements dans la situation de ménage*

Compte tenu des conséquences potentiellement néfastes du fait de vivre seul et de l'absence de compagnie à l'heure des repas, des chercheurs ont voulu connaître l'impact d'un changement dans la situation de ménage sur la qualité de l'alimentation.

Dans une recherche impliquant plus de 2600 personnes âgées de 45 à 64 ans, l'évolution de la situation de ménage a été étudiée, en regard de la qualité de la diète, au cours d'une période variant de 8 à 13 ans, et ce, au sein de trois groupes d'aînés: 1) ceux qui vivaient en couple au début de l'étude mais qui vivaient seuls au moment du suivi (382 sujets), 2) ceux qui vivaient en couple tout au long de l'étude (1849 sujets) et 3) ceux qui vivaient seuls au début et à la fin de l'étude (396 sujets). La qualité de l'alimentation a été évaluée en tenant compte de la présence en quantité suffisante d'aliments provenant des groupes alimentaires suivants: les produits laitiers, les fruits et les légumes, les produits céréaliers et les aliments riches en protéines.

De manière générale, le fait de vivre en couple a été associé à une plus grande variété alimentaire et à une meilleure qualité de la diète. Ainsi, les hommes qui vivaient en couple au début de l'étude et au moment du suivi avaient des consommations de fruits et de légumes qui se rapprochaient davantage des quantités recommandées que les hommes qui avaient toujours vécu seuls ou qui avaient perdu leur conjointe au cours de l'étude. En outre, les hommes qui vivaient en couple au début de l'étude mais qui avaient perdu leur conjointe au moment du suivi présentaient une alimentation de qualité moindre que les hommes qui avaient vécu en couple tout au long de l'étude. De même, les femmes qui vivaient encore en couple à la fin de l'étude avaient des apports en aliments riches en protéines supérieurs à ceux des femmes qui vivaient seules. D'ailleurs, les femmes qui disaient vivre seules au début de l'étude et au suivi au moment du avaient tendance à consommer moins de tous les groupes d'aliments que les femmes qui vivaient en couple tout au long de l'étude.

Tant pour les hommes que pour les femmes, on observe une association négative entre la qualité de la diète et le nombre d'années où l'on vit seul, la qualité de la diète étant généralement plus faible chez ceux qui vivent seuls depuis un plus grand nombre d'années. Par contre, la qualité de l'alimentation des aînés qui avaient perdu leur conjoint au moment du suivi n'était, en général, pas significativement différente de celles des aînés qui disaient vivre seuls depuis le début de l'étude. En outre, rien ne permet de croire que les personnes qui avaient changé de situation de ménage en cours d'étude consommaient davantage d'aliments riches en sucres ou en gras; par contre, les hommes touchés par le départ de leur conjointe avaient tendance à consommer légèrement plus d'alcool que les hommes vivant en couple au moment du suivi.

Ces résultats confirment les données selon lesquelles le fait de vivre seul représente un facteur de risque pour la qualité de l'alimentation des aînés. Ils indiquent en outre que l'alimentation des personnes touchées par le départ de leur conjoint n'est pas significativement différente, lorsqu'on l'étudie sur une longue période de temps, de celle des aînés qui ont toujours vécu seuls.

6.1.3.4 Le réseau social

Grâce à des travaux réalisés au cours des vingt dernières années, nous savons que les personnes qui jouissent d'un réseau social solide s'en tirent mieux pour ce qui est de leur santé, et ce, tant sur le plan physique que mental que celles dont le réseau social est plus ténu. En général, les personnes bien entourées sont malades moins souvent, récupèrent plus rapidement et sont davantage enclines à privilégier des comportements favorables à la santé. Des chercheurs se sont donc penchés sur le rôle spécifique joué par le réseau social sur la santé nutritionnelle des aînés.

Au Québec, cette question a notamment été étudiée au sein d'un groupe de 145 personnes âgées de 60 à 94 ans, en perte d'autonomie, et qui recevaient de l'aide à domicile. La qualité du réseau social a été établie par des mesures objectives des contacts avec les membres de la famille, les amis, les connaissances et toute autre personne apportant un soutien. On a constaté que le fait d'avoir des amis influençait positivement l'alimentation des hommes, ceux qui avaient des amis bénéficiant d'apports énergétiques supérieurs à ceux qui affirmaient ne pas avoir d'amis. Par contre, le réseau social ne compensait pas les difficultés éprouvées lors de l'achat des aliments, la difficulté à faire l'épicerie restant associée à des apports protéiques significativement plus faibles. Il est intéressant de souligner que, dans cette étude comme dans d'autres, le réseau social ne s'est pas avéré un indice des apports nutritionnels chez les femmes. Il faut donc en conclure que, contrairement aux hommes, les femmes sont plus autonomes et moins dépendantes du réseau social lorsqu'il est question d'assurer la qualité de leur alimentation.

Le rôle du soutien social a également été étudié en Virginie (États-Unis) chez 170 personnes dont l'âge moyen était de 69 ans et qui fréquentaient des sites de repas communautaires. Le réseau social a été défini en fonction du réseau d'amis (nombre d'amis considérés comme proches, importance des liens d'amitié et fréquence des contacts avec les amis) et du soutien au moment du repas, lequel incluait la présence d'amis ou de connaissances au moment des repas et l'aide reçue pour la préparation des repas. L'impact du réseau social a également été étudié en fonction des apports en énergie, en protéines et en douze vitamines et minéraux. Les résultats montrent que les aînés qui avaient un vaste réseau d'amis et un meilleur soutien au moment des repas avaient en général davantage d'appétit et présentaient des apports nutritionnels supérieurs à ceux dont le réseau social était plus faible. De plus, dans cette étude, on a constaté que le réseau d'amis permettait de réduire les conséquences néfastes sur les apports nutritionnels du manque d'appétit et de ressources financières.

En conclusion, les résultats de ces travaux mettent en évidence le rôle du réseau social en ce qui a trait aux apports alimentaires et soulignent l'importance pour les personnes âgées d'entretenir un solide réseau d'amis.

6.1.3.5 La solitude

Bien que certains écrits aient associés le fait de vivre seul ou encore la perte d'êtres chers à un sentiment de solitude chez les personnes âgées, d'autres indiquent qu'il n'existe pas toujours de liens entre la qualité du réseau social et le sentiment de solitude. En effet, d'après divers travaux, dont l'étude québécoise citée précédemment, le fait d'avoir des amis ou des enfants n'aurait pas nécessairement d'impact sur le sentiment de solitude des aînés. Il semble plutôt que le sentiment de solitude correspondrait davantage à un état d'âme qui, dans certains cas, ne reflète pas la situation de ménage ou la qualité du réseau social.

Tenant compte du caractère subjectif du sentiment de solitude, des chercheurs ont entrepris d'étudier ses effets sur le plan nutritionnel. Ainsi, une recherche réalisée dans le sud des États-Unis auprès de 61 personnes âgées de 60 à 94 ans a tenté de mesurer l'impact de la solitude, telle qu'elle est perçue par les personnes, sur les apports nutritionnels. Dans cette étude, la perception de la solitude a été évaluée à partir d'un questionnaire ayant fait l'objet d'une validation préalable, et la qualité des apports nutritionnels tenait compte des apports de protéines, de calcium, de phosphore, de fer, de vitamine A, de thiamine, de riboflavine, de niacine et de vitamine C. Les résultats indiquent que le sentiment de solitude n'était pas lié à l'âge, mais qu'il était très fortement corrélé au nombre de contacts sociaux, les sujets qui avaient peu de contacts avec l'extérieur disant souffrir d'une plus grande solitude. Sur le plan nutritionnel, la solitude était négativement corrélée aux apports nutritionnels et à la qualité de la diète en général. Quand on analyse la situation des personnes qui souffraient davantage de solitude, on constate des apports inférieurs en ce qui touche les protéines, le fer, le phosphore, la riboflavine, la niacine et la vitamine C. Soulignons toutefois que les différences observées entre les niveaux d'apports n'étaient pas très marquées.

La solitude ressentie par les personnes âgées représente donc un facteur de risque sur le plan nutritionnel. C'est pourquoi les personnes qui affirment souffrir de solitude devraient faire l'objet d'une attention toute particulière de la part des intervenants.

6.2 Les facteurs d'ordre psychologique et la santé mentale

S'il est vrai qu'une alimentation adéquate participe au bon fonctionnement des fonctions cérébrales et cognitives, santé psychologique et alimentation optimale sont également étroitement liées. Parmi les facteurs d'ordre psychologique susceptibles d'affecter la qualité de l'alimentation, la dépression, le deuil et les atteintes cognitives méritent une attention particulière.

6.2.1 La dépression

Chez les personnes âgées, la dépression peut être d'origine physiologique ou liée à des facteurs de l'environnement. Par exemple, l'isolement social, dont nous avons parlé précédemment, a souvent été associé à des états dépressifs. Or, quel que soit son degré de gravité, la dépression représente un facteur de risque nutritionnel, cette dernière étant fréquemment associée à une réduction de l'appétit et à la perte de poids, un puissant marqueur de dénutrition.

Dans une étude australienne impliquant 285 patients (dont 208 patients âgés de moins de 60 ans [âge moyen: 38 ans] et 77 patients âgés de 60 ans et plus [âge moyen: 77 ans]) souffrant de dépression, une plus grande proportion de patients âgés (71%) rapportaient avoir perdu du poids, comparativement aux patients plus jeunes (39%). Des gains de poids étaient quant à eux notés chez 14% des patients âgés, contre 26% des patients plus jeunes. De plus, la perte de poids observée chez les patients âgés s'accompagnait d'une perte parallèle de l'appétit, 81% des patients âgés rapportant une perte d'appétit (perte sévère: 61%) contre 62% des patients plus jeunes (perte sévère: 35%).

De même, dans une recherche réalisée auprès de deux groupes de patients souffrant de dépression (dont l'âge variait entre 35 et 50 ans dans le groupe 1 et était de plus de 60 ans dans le groupe 2) et fréquentant une clinique médicale universitaire, les patients plus âgés étaient presque deux fois plus nombreux (74%) à rapporter une perte de poids que les adultes plus jeunes (39%). En outre, une majorité de patients rapportaient une perte d'appétit (groupe 1: 72%; groupe 2: 74%), les pourcentages n'étant toutefois pas statistiquement différents entre les groupes.

En marge de ses effets sur la perte de poids, laquelle suggère des apports énergétiques insuffisants, la dépression peut influer négativement sur la qualité de la diète. Ainsi, une étude italienne impliquant 1200 personnes âgées de 70 à 75 ans et vivant dans la communauté a montré, tant chez les femmes que chez les hommes, que ceux qui souffraient de dépression avaient tendance à présenter des apports de protéines, de vitamine C, de vitamine A, de niacine et de fer qui s'éloignaient des quantités recommandées.

Enfin, s'il ne fait pas de doute que le diagnostic de dépression représente un facteur de risque pour la santé nutritionnelle des aînés, des travaux récents ont montré que des fluctuations plus modestes de l'humeur peuvent aussi influencer les apports alimentaires aux repas. Dans une étude réalisée auprès de personnes âgées admises dans une unité de réadaptation, une équipe montréalaise a observé des apports énergétique et protéiques plus élevés chez les personnes qui avaient une humeur positive (confiant, rassuré, fier) que chez celles dont l'humeur se caractérisait par des sentiments d'anxiété, de morosité, de découragement ou de colère (humeur négative).

Considérant donc l'impact négatif de la dépression sur la santé nutritionnelle des aînés, cette condition ne saurait être négligée dans le cadre d'une prise en charge nutritionnelle.

6.2.2 Le deuil

Tôt ou tard, les personnes qui atteignent le grand âge sont confrontées à la perte d'êtres chers, notamment leur conjoint. Or, la perte du conjoint représente une épreuve psychologique qui en soi influe négativement sur la santé des aînés. Des travaux portant sur le sujet ont en effet mis en évidence une détérioration de l'état de santé général dans l'année suivant la perte du conjoint de même qu'une augmentation du nombre de visites au cabinet du médecin. Conscients de l'importance de cette donnée, des chercheurs ont entrepris de décrire l'impact du deuil sur diverses composantes de la santé nutritionnelle des aînés touchés par la perte de leur conjoint.

Ainsi, dans une étude américaine récente, les habitudes alimentaires, les apports nutritionnels et l'évolution pondérale de 58 personnes âgées de plus de 65 ans récemment endeuillées (moins de six mois) ont été comparés à ceux d'un même nombre de personnes encore mariées mais dont la situation était par ailleurs comparable. Sauf pour la vitamine A et la vitamine E, dont les apports étaient plus élevés chez les sujets vivant en couple, les apports nutritionnels (énergie, vitamine C, vitamine B_{12}, niacine) n'étaient pas significativement différents entre les groupes. Par ailleurs, les endeuillés prenaient davantage leurs repas seuls, consommaient davantage de mets commerciaux, aux dépens de mets préparés à la maison, et avaient moins de plaisir à manger. En outre, seulement 29 % des personnes en deuil disaient faire la cuisine tous les jours, contre 49 % des personnes mariées. De même, les personnes du groupe témoin avaient tendance à faire des emplettes d'épicerie plus fréquemment que celles qui avaient perdu leur conjoint. Notons que 41 % des personnes endeuillées avaient perdu du poids, comparativement à 26 % des sujets vivant encore en couple. En chiffres absolus, les endeuillés rapportaient une perte moyenne de 0,9 kg, alors que les personnes du groupe témoin rapportaient un gain de 0,18 kg.

Des travaux similaires publiés quelques années auparavant avaient rapporté des résultats semblables. De manière générale, la perte du conjoint était associée à une réduction de l'appétit, elle entraînait une perte du plaisir de manger – le repas devenant dans beaucoup de cas une corvée – et était associée à de moins bonnes habitudes alimentaires (par exemple, manger seul ou sauter des repas). Le deuil amenait également une proportion de femmes à privilégier les aliments à forte teneur énergétique et à faible densité nutritive. Enfin, le deuil avait entraîné une perte de poids chez 84% des personnes affligées, la perte moyenne étant de 3,5 kg contre 0,26 kg pour les sujets du groupe témoin.

Sur la base de ces travaux, il est manifeste que le deuil représente un facteur de risque sur le plan nutritionnel. Bien que les perturbations psychologiques qu'il entraîne soient jusqu'à un certain point incontournables, une attention particulière devrait être portée à l'alimentation des personnes endeuillées.

6.2.3 Les atteintes cognitives

L'Étude canadienne sur la santé et le vieillissement publiée en 1994 révélait, qu'en 1991, plus de 250 000 Canadiens âgés de 65 ans et plus souffraient de démence, les deux tiers d'entre eux étant atteints de la maladie d'Alzheimer. À la lumière des tendances démographiques décrites au chapitre 1, on estime qu'il y aura plus de 750 000 Canadiens qui souffriront de démence d'ici 2031. Or, de nombreuses études révèlent que les personnes qui présentent des atteintes cognitives ou qui souffrent de démence courent davantage de risque de développer des problèmes nutritionnels. Ainsi, entre 30 et 50% des personnes atteintes de démence souffriraient de dénutrition, la maigreur et la perte de poids en étant les manifestations les plus courantes. Par exemple, une étude portant sur 100 patients en consultation externe d'un centre de santé communautaire et comprenant 34 patients atteints de démence de type Alzheimer de niveau léger à modéré a montré que ces derniers étaient dans l'ensemble plus maigres comparativement à un groupe de patients non déments. Ils étaient en outre plus nombreux à présenter une perte de poids au cours des cinq années précédentes (44%, comparativement à 37%). Le suivi de ces personnes durant une période de un an a aussi montré une perte de poids plus fréquente chez les patients atteints de démence.

Les causes de la maigreur ou de la perte de poids chez les patients présentant des atteintes cognitives ont suscité l'intérêt de nombreux chercheurs au cours des dernières années. L'étiologie est vraisemblablement multifactorielle. Chez les patients qui vivent dans la communauté, les incapacités dans les tâches domestiques, particulièrement celles qui sont liées à l'approvisionnement alimentaire et à la préparation des repas, ont souvent été évoquées comme facteurs d'influence, tout comme la dépendance vis-à-vis de l'acte alimentaire même, ce qui peut contribuer à réduire les apports.

Il importe de souligner que la dénutrition ne constitue toutefois pas une conséquence inéluctable de la démence. Des travaux réalisés ces dernières années révèlent en effet qu'avec un encadrement approprié, il est possible d'assurer une alimentation adéquate aux personnes présentant des atteintes cognitives ou souffrant de démence[1].

6.3 Les facteurs d'ordre médical

La santé nutritionnelle des personnes vieillissantes est intimement liée à leur état général de santé. En effet, un nombre grandissant de travaux indiquent que les personnes qui souffrent de maladies chroniques ou qui présentent des incapacités physiques sont davantage à risque de développer des troubles nutritionnels. Tout en reconnaissant que la plupart des maladies qui affligent les aînés ont des liens avec la nutrition – en ce qui touche soit leur étiologie, soit leur traitement –, ces études indiquent que certaines conditions ont des conséquences nutritionnelles plus directes. C'est le cas notamment des problèmes de la cavité buccale et des incapacités physiques. De plus, les médicaments prescrits en réponse aux problèmes de santé des personnes âgées, et la polymédication en particulier, peuvent affecter la santé nutritionnelle de manière non négligeable.

1. Le lecteur intéressé trouvera dans H. Payette et G. Ferland, « La malnutrition des personnes démentes », *Âge et Nutrition*, vol. 10, n° 3, 1999, p. 131-136, une description détaillée des problèmes nutritionnels chez les patients atteints de démence de même qu'une discussion des interventions nutritionnelles préconisées.

6.3.1 Les problèmes de la cavité buccale

Les conséquences nutritionnelles des problèmes de la cavité buccale ont été mises en évidence dans de nombreux travaux publiés ces dernières années. De manière générale, ils sont associés à des apports nutritionnels sous-optimaux, à une diète de qualité moindre, à de l'insuffisance pondérale et à la perte de poids.

En Nouvelle-Angleterre, on a récemment étudié, sur une période de un an et auprès de 326 femmes et de 237 hommes âgés de plus de 70 ans, la relation entre la santé buccale et la perte de poids. La perte de poids a été évaluée selon qu'il s'agissait d'une perte modérée (4% par rapport au poids de départ) ou d'une perte sévère (10% par rapport au poids de départ). Dans cette étude, 36% des sujets étaient édentés, les trois quarts d'entre eux portaient des prothèses complètes et près de 40% éprouvaient des difficultés masticatoires ou des douleurs buccales. Au terme de l'étude, un tiers des sujets avaient perdu 4% de leur poids de départ, alors que 6% des hommes et 11% des femmes accusaient des pertes de poids de plus de 10%. En outre, l'absence de dents augmentait respectivement de 1,6 fois et de 2 fois les risques d'une perte de poids modérée et sévère. En revanche, la présence d'unités fonctionnelles (dents qui s'opposent), le nombre de dents postérieures et la surface masticatoire avaient tendance à réduire les risques de perte de poids.

L'impact des atteintes de la cavité buccale sur la qualité des apports nutritionnels a par ailleurs été étudié dans une enquête impliquant 1154 personnes âgées de 70 ans et plus de la région de Boston (658 femmes, 496 hommes). Dans cette étude, la santé buccale englobait des mesures relatives à la dentition (présence de dents naturelles, présence de dents cariées ou en mauvais état et port de prothèses) ainsi qu'à l'état des gencives (récession gingivale); l'étude comportait également une évaluation de la capacité masticatoire. Comme dans l'étude précédente, 38% des participants étaient édentés et plus de 25% éprouvaient des difficultés masticatoires. Sur le plan nutritionnel, les personnes qui souffraient de caries dentaires ou de problèmes dentaires non traités étaient plus nombreuses à présenter des apports insuffisants pour les éléments nutritifs suivants: les protéines, le calcium, la vitamine A, la vitamine C et la thiamine. Soulignons que les effets délétères d'une mauvaise dentition sur les apports alimentaires et nutritionnels ont été confirmés par d'autres équipes, une relation inverse étant observée entre le nombre de dents naturelles et la consommation de fruits, de légumes, de carotène et de fibres alimentaires.

L'état de la dentition n'étant toutefois pas toujours représentatif de la capacité masticatoire, l'impact nutritionnel de cette composante a également fait l'objet de considérations. D'abord, de nombreux travaux ont mis en évidence des capacités masticatoires affaiblies chez les porteurs de prothèses (complètes ou partielles), comparativement aux personnes possédant leurs dents naturelles. Dans une étude récente, la capacité masticatoire a été déterminée chez un groupe de 631 anciens combattants et étudiée en regard des apports nutritionnels. L'efficacité masticatoire des participants a été évaluée en mesurant la grosseur des particules générées à la suite de la mastication de trois grammes de carotte crue. Confirmant des travaux antérieurs, cette étude a montré que la capacité masticatoire des hommes qui avaient leurs dents naturelles était significativement supérieure à celle des hommes qui portaient des prothèses complètes. De manière générale, la présence de prothèses amovibles ou la présence d'un nombre de dents naturelles égal ou inférieur à quatorze étaient associées à une capacité masticatoire de moindre efficacité. Sur le plan nutritionnel, les apports caloriques décroissaient en fonction de la capacité masticatoire, de même que les apports relatifs aux protéines et aux fibres. Les apports de plusieurs vitamines et minéraux (thiamine, fer, acide folique, vitamine A et carotène) étaient également significativement plus faibles chez les porteurs de prothèses complètes que chez les autres groupes. Des analyses additionnelles ont d'ailleurs permis de préciser que la qualité des apports caloriques et nutritionnels des participants était positivement corrélée à leur compétence masticatoire.

L'appauvrissement de la capacité masticatoire a par ailleurs été associé dans un certain nombre de travaux à une diminution des apports de certains aliments, notamment les légumes (les crudités et les salades) et les fruits frais. Une étude canadienne réalisée au milieu des années 1990 s'est notamment penchée sur cette question. Menée auprès de 369 Ontariens âgés de 52 à 93 ans, l'étude portait sur l'impact de la capacité masticatoire sur la consommation d'aliments difficiles à mastiquer. Soulignons que 71% des participants portaient des prothèses sous une forme ou une autre et que 10% se disaient insatisfaits de leur capacité masticatoire, les personnes portant des prothèses étant généralement plus nombreuses à se dire insatisfaites. Dans l'ensemble, le port de prothèses dentaires ne réduisait pas la consommation d'aliments difficiles à mastiquer, comme les fruits et les légumes crus. En revanche, les personnes qui se disaient insatisfaites de leur capacité masticatoire avaient tendance à éviter les aliments à consistance dure. En somme, la consommation d'aliments difficiles à mastiquer était davantage influencée par la satisfaction des patients vis-à-vis de leur capacité masticatoire que par le port de prothèses amovibles.

Il ne fait donc pas de doute que l'état de la cavité buccale constitue un déterminant important de la qualité des apports alimentaires et nutritionnels et exerce une influence sur le statut pondéral. Une bonne santé buccale permet la consommation d'un large éventail d'aliments et est généralement garante d'une alimentation de haute valeur nutritive. En outre, la satisfaction des personnes en ce qui a trait à leur compétence masticatoire est révélatrice de leur capacité de consommer des aliments à consistance dure, une information qui peut s'avérer utile aux professionnels de la santé lorsqu'il s'agit d'évaluer l'alimentation des clientèles âgées.

6.3.2 Les incapacités fonctionnelles

Au Canada, près de 50% des aînés présenteraient des incapacités fonctionnelles sous une forme ou une autre, cette proportion augmentant à environ 80% chez les personnes âgées de 85 ans et plus. Au Québec, parmi les 93% des personnes âgées de 65 ans et plus qui résident dans la communauté, plus de 30% souffrent d'incapacités modérées ou graves et presque la moitié de ces dernières utilisent les services d'aide à domicile. Les problèmes de vision et d'audition touchent à eux seuls près de 45% des aînés canadiens, et 80% des incapacités fonctionnelles ont une incidence sur la mobilité et l'équilibre. Des travaux indiquent qu'indépendamment de leur nature, les incapacités fonctionnelles entravent les activités de la vie quotidienne (habillage, capacité d'utiliser la toilette, déplacements, continence, alimentation et soins personnels) et les activités de la vie domestique (faire la cuisine, entretenir la maison, faire la lessive, se servir du téléphone, faire des courses, utiliser les transports en commun, prendre des médicaments et gérer ses finances). À cet égard, les données canadiennes indiquent que 25% des aînés éprouveraient de la difficulté à utiliser les transports en commun, alors que 34% auraient besoin d'aide pour les activités domestiques et pour faire les courses.

Il est clair que les incapacités fonctionnelles peuvent nuire à l'approvisionnement alimentaire de même qu'à la préparation et à la consommation des repas. Dans des travaux récents, la dépendance physique a été associée à la perte de poids, à des apports insuffisants et à une alimentation de moins bonne qualité. Ainsi, dans l'étude québécoise présentée précédemment, on a noté que la maladie avait un impact négatif sur les apports énergétiques et protéiques, alors qu'une bonne vision leur était favorable. En outre, la difficulté de se procurer les aliments nécessaires a été associée à des apports énergétiques ou nutritionnels moindres. De même, dans l'étude italienne précitée, le degré de dépendance dans les activités quotidiennes a été fortement corrélé à la qualité de l'alimentation et l'apport nutritionnel. En effet, les participants qui souffraient d'incapacités fonctionnelles étaient plus nombreux à présenter des apports insuffisants de protéines, de niacine, de fer et des vitamines C, B_{12} et A.

Comme on le voit, l'appauvrissement des capacités fonctionnelles constitue un facteur de risque pour l'approvisionnement alimentaire et la santé nutritionnelle des personnes âgées. On ne saurait donc trop encourager le développement des programmes de soutien aux personnes âgées en perte d'autonomie.

6.3.3 La polymédication

L'apparition de maladies chroniques de même que la présence de plusieurs problèmes médicaux chez la personne âgée s'accompagnent habituellement d'une utilisation importante de médicaments. Dans une enquête canadienne réalisée en 1999, 76% des personnes âgées vivant chez elles avaient pris un médicament dans les deux jours précédant l'enquête, alors que 53% en avaient consommé au moins deux au cours de cette période.

En outre, le pourcentage d'aînés qui étaient susceptibles de prendre plus d'un médicament augmentait avec l'âge, passant de 49% chez les aînés de 65 à 74 ans à 61% chez les 75 à 84 ans. Ces données sont comparables à d'autres en provenance des États-Unis et de l'Europe. Ainsi, une enquête américaine visant à déterminer l'utilisation de médicaments par les personnes âgées vivant dans la communauté établissait entre 60 et 78% la proportion d'aînés consommant des médicaments avec ordonnances et entre 52 et 76% le pourcentage d'aînés consommant des médicaments en vente libre. De même, des données recueillies en France confirment l'augmentation de médicaments consommés en fonction de l'âge, de 2,6 chez les personnes âgées de 65 à 74 ans à 3,3 chez les personnes de 85 ans et plus.

Par ailleurs, des données qualitatives en provenance du Québec indiquent que près de 60% des ordonnances prescrites aux aînés visent le système nerveux central (30,4%) et le système cardiovasculaire (27,9%). Parmi les médicaments les plus prescrits appartenant à la première catégorie, se trouvent les anxiolitiques, les psychotropes et les sédatifs; les cardiotropes, les hypolipidémiants, les antihypertenseurs et les diurétiques constituant quant à eux les principaux médicaments appartenant à la deuxième catégorie.

Bien que souvent incontournable, la question de la polymédication chez les aînés est préoccupante car il a été démontré que le nombre d'effets indé-

TABLEAU 6.1

Exemples de médicaments qui réduisent l'absorption de certains éléments nutritifs et leur mécanisme d'action

MÉCANISME D'ACTION/MÉDICAMENTS	NUTRIMENTS AFFECTÉS
Formation de complexes	
• Chélation	Tétracyclines: Ca, Mg, Fe, Zn
• Adsorption	Cholestyramine: vitamines A, D, E, K, folates
Diminution de la solubilité	Huile minérale: vitamines A, D, E, K
Diminution du pH intestinal	Cimétidine: vitamine B_{12}, Ca, Mg, Fe, Zn
Dommages à la muqueuse	Anti-inflammatoires non stéroïdiens: Fe

sirables liés aux médicaments augmente en fonction du nombre de médicaments prescrits. Trois groupes de médicaments sont particulièrement impliqués à cet égard, soit les anti-inflammatoires non stéroïdiens, les antihypertenseurs et les psychotropes.

Les médicaments peuvent influencer l'équilibre nutritionnel de multiples façons. Ainsi, ils sont susceptibles de réduire l'absorption des nutriments, en modifiant leur métabolisme et en augmentant leur excrétion. Comme l'indique le tableau 6.1, certains médicaments interfèrent avec l'absorption des nutriments en se liant à eux et en formant des complexes insolubles (chélation ou adsorption), en réduisant la solubilité des éléments nutritifs d'autres façons, en modifiant le pH de l'intestin ou en causant des dommages à la muqueuse.

De même, les médicaments peuvent altérer le métabolisme de certains éléments nutritifs, soit en s'opposant à leur action – on dit alors qu'ils sont des antagonistes –, soit en augmentant leur métabolisme. Le tableau 6.2 présente quelques exemples de médicaments appartenant à cette catégorie d'action et les nutriments affectés.

Par ailleurs, il est bien connu que certains médicaments, notamment ceux de la famille des diurétiques, augmentent l'excrétion urinaire de certains minéraux, ce qui accroît les risques de carences. Par exemple, la

TABLEAU 6.2

Quelques exemples de médicaments qui modifient le métabolisme de certains éléments nutritifs et leur mécanisme d'action

MÉDICAMENTS/MÉCANISME D'ACTION	NUTRIMENTS AFFECTÉS
Neutralisation de l'effet des vitamines (antagonistes)	
• Isoniazide, hydralazine	• Vitamine B_6
• Méthotrexate, triméthoprime, triamtérène	• Folates
• Warfarine sodique	• Vitamine K
Augmentation du métabolisme	
• Phénytoïne	• Vitamines D, B_6 et B_{12}, folates
• Phénobarbital	• Vitamine D
• Carbamazépine	• Vitamine D, folates, biotine

prise de diurétiques tels que les thiazides augmente le risque de carence en potassium, en zinc et en magnésium; la prise de furosémide, de carence en potassium, en magnésium et en calcium.

Aussi, les carences nutritionnelles les plus fréquemment observées par suite de l'usage chronique de médicaments sont liées aux vitamines B_6, B_{12}, D et K, aux folates, au fer, au potassium, au calcium, au magnésium et au zinc.

Outre ces effets, certains médicaments sont connus pour diminuer l'appétit pouvant mener à une perte de poids. Ainsi, certains médicaments provoquent de l'anorexie (par exemple, la digitale et les neuroleptiques), des nausées, des vomissements, de la diarrhée, de la constipation (par exemple, les narcotiques et les anticalciques) et des troubles de la vigilance (par exemple, les psychotropes). Par exemple, dans l'étude québécoise dont il a été question tout au long de ce chapitre, les médicaments psychotropes avaient un impact négatif sur l'appétit et étaient négativement associés à l'apport énergétique des participants.

Soulignons par ailleurs que l'effet des médicaments sur l'équilibre nutritionnel peut être potentialisé chez les personnes âgées par des facteurs tels que des apports alimentaires marginaux, un état nutritionnel appauvri, un état catabolique, la perte de poids ou un poids insuffisant, de même que par des atteintes du tractus gastro-intestinal.

La prise de médicaments et la polymédication constituent une réalité du milieu gériatrique. Aussi, compte tenu de leurs effets potentiellement délétères sur la santé nutritionnelle, les professionnels qui travaillent auprès de personnes âgées sont invités à la plus haute vigilance à cet égard. Par un travail concerté, médecins, pharmaciens, nutritionistes et infirmières peuvent réduire les risques d'interactions médicaments-nutriments pouvant nuire à la santé nutritionnelle.

De nombreux facteurs sont donc susceptibles d'influencer les apports alimentaires et nutritionnels des personnes âgées. Ceux qui ont été présentés dans ce chapitre touchent une proportion non négligeable de personnes âgées, et l'identification de ces facteurs constitue une étape incontournable d'une prise en charge nutritionnelle globale. Aussi, afin de vous aider, nous vous invitons à passer au chapitre suivant, lequel présente les recommandations nutritionnelles en vigueur au Canada.

Références

Canadian Study of Health and Aging Working Group, «Canadian Study of Health and Aging: Study Methods and Prevalence of Dementia», *Canadian Medical Association Journal*, vol. 150, nº 6, 1994, p. 899-913.

Ferland, G., «Nutritional Problems of the Elderly», dans K. K. Carroll (dir.), *Current Perspectives on Nutrition and Health*, Montréal/Kinston, McGill-Queen's University Press, 1998, p. 199-212.

Institut national de santé publique du Québec et ministère de la Santé et des Services sociaux du Québec en collaboration avec l'Institut de la statistique du Québec, *Portrait de santé du Québec et de ses régions 2006: les analyses – Deuxième rapport national sur l'état de santé de la population du Québec*, Gouvernement du Québec, 131 p.

Locong, A., D. Ruel et V. Tessier, *Guide des interactions médicaments-nutriments*, Sainte-Foy, Presses de l'Université Laval, 1998, 342 p.

Mahan, K. L. et S. Escott-Stump (dir.), *Krause's Food, Nutrition and Diet Therapy*, 11e éd., Philadelphie/Toronto, W. B. Saunders, 2004, 1360 p.

Payette, H. et G. Ferland, «La malnutrition des personnes âgées démentes: étiologie, évolution et efficacité des interventions», *Âge et nutrition*, vol. 10, nº 3, 1999, p. 131-136.

Santé Canada, «Une population en croissance», *Les aînés au Canada*, Ottawa, Santé Canada, 2001. En ligne: <http://www.phac-aspc.gc.ca/seniors-aines/pubs/factoids/2001/pdf/1-30_f.pdf>, page consultée le 4 avril 2007.

7
LES RECOMMANDATIONS NUTRITIONNELLES AU CANADA

La découverte des nutriments et la mise à jour de leur rôle essentiel dans l'organisme ont tout naturellement amené les scientifiques à s'interroger sur la question des besoins nutritifs. Au Canada, cette préoccupation a été ressentie avec davantage d'acuité dans la foulée de la crise économique provoquée par le krach boursier de 1929, alors que les cas de malnutrition et de problèmes liés à la nutrition étaient particulièrement fréquents dans la population. C'est donc en 1938 qu'apparaissent les premières recommandations nutritionnelles au pays. Publiés par le Conseil canadien de la nutrition, ces premiers «standards nutritionnels» fixent des apports minimaux pour l'énergie, les matières grasses et certains nutriments en fonction du niveau d'activité, et ce, dans le but de prévenir les carences. Depuis, les standards nutritionnels ont été révisés périodiquement en tenant compte de l'évolution des connaissances en nutrition et des données scientifiques disponibles. Par exemple, en plus de données relatives à l'apport énergétique, les recommandations publiées en 1975 incluaient des données pour 12 nouveaux éléments nutritifs en plus de ceux traités dans les éditions précédentes, pour un total de 27 nutriments.

Au cours des années 1970, l'augmentation de la prévalence de maladies chroniques dans la population canadienne et la mise à jour de liens avec l'alimentation donnent matière à réflexion et incitent les nutritionnistes à tenir compte de ces aspects dans l'élaboration des recommandations nutritionnelles. Ainsi, en 1990, sont formulés pour la première fois des énoncés destinés à la prévention des maladies chroniques, parallèlement aux recommandations visant la réduction des carences nutritionnelles.

En 1995, le Canada prend un virage important en unissant ses efforts de mise à jour en matière de recommandations nutritionnelles à ceux des États-Unis, une décision justifiée par le désir d'harmoniser les recommandations émises en Amérique du Nord. Collectivement connues sous le vocable d'*Apports nutritionnels de référence* (ANREF), ces recommanda-

TABLEAU 7.1

Recommandations sur la nutrition pour les Canadiens

- Le régime alimentaire des Canadiens devrait fournir l'énergie nécessaire pour maintenir leur poids corporel dans les limites recommandées.
- Le régime alimentaire des Canadiens devrait fournir les quantités recommandées d'éléments nutritifs essentiels.
- Le régime alimentaire des Canadiens adultes devrait fournir de 20 à 35 % de la quantité totale d'énergie sous forme de lipides provenant surtout des sources alimentaires d'acides gras monoinsaturés et polyinsaturés.
- Le régime alimentaire des Canadiens devrait fournir de 45 à 65 % de la quantité totale d'énergie sous forme de glucides. Les Canadiens devraient limiter leur consommation de sucre ajouté.
- La teneur en sodium du régime alimentaire des Canadiens devrait être abaissée.
- Le régime alimentaire des Canadiens ne devrait pas fournir plus de 5 % de l'apport total en énergie sous forme d'alcool, ou deux consommations de boisson alcoolisée par jour, le choix devant porter sur la plus faible des deux quantités d'alcool. À titre indicatif, une consommation alcoolique équivaut :
  - à 1 bouteille de bière contenant 5 % d'alcool (350 ml ou 12 oz) ;
  - à 150 ml (ou 5 oz) de vin contenant de 10 à 14 % d'alcool ;
  - à 50 ml (ou 1,5 oz) de spiritueux contenant 40 % d'alcool.
- Le régime alimentaire des Canadiens ne devrait pas fournir plus de caféine que l'équivalent de quatre tasses de café par jour.
- Lorsque l'eau provenant de la municipalité contient moins de 1 mg de fluor par litre, elle devrait être fluorée pour atteindre ce taux.

Source : adapté de Nadeau, M. H., « Besoins nutritionnels », dans Chagnon Decelles D., M. Daignault Gélinas, L. Lavallée Côté, et autres (dir.), *Manuel de nutrition clinique*, 3e éd, Montréal, Ordre professionnel des diététistes du Québec, 2004.

tions portent sur les éléments nutritifs (macronutriments, eau, vitamines et minéraux) et s'adressent aux Canadiens et Canadiennes en bonne santé. En outre, et en marge des ANREF, la population canadienne dispose de recommandations nutritionnelles générales décrivant les composantes d'une saine alimentation, les *Recommandations sur la nutrition pour les Canadiens*. Bien que ces dernières aient été élaborées au début des années 1990, elles demeurent pertinentes à la lumière des connaissances actuelles en nutrition; elles sont présentées au tableau 7.1. Aussi, et dans le but d'encourager la population à intégrer ces recommandations dans la vie de tous les jours, ces dernières ont été reformulées en termes plus accessibles au public en une autre série d'énoncés, les *Recommandations alimentaires pour la santé des Canadiens et des Canadiennes*; elles sont présentées au tableau 7.2.

Enfin, et comme nous le verrons en détail dans le prochain chapitre, la population canadienne dispose d'un guide alimentaire, *Bien manger avec le Guide alimentaire canadien*, qui traduit les recommandations nutritionnelles (ANREF), en portions d'aliments.

La première partie de ce chapitre portera donc sur les différentes composantes des *Apports nutritionnels de référence* et les fondements scientifiques qui ont servi à leur élaboration. Les recommandations concernant les

TABLEAU 7.2

Recommandations alimentaires pour la santé des Canadiens et des Canadiennes

- Agrémentez votre alimentation par la VARIÉTÉ.
- Dans l'ensemble de votre alimentation, donnez la plus grande part aux céréales, aux pains et aux autres produits céréaliers ainsi qu'aux légumes et aux fruits.
- Parmi les produits laitiers, les viandes et les aliments cuisinés, optez pour les plus maigres.
- Cherchez à atteindre et à maintenir un poids santé en étant régulièrement actif et en mangeant sainement.
- Lorsque vous consommez du sel, de l'alcool ou de la caféine, allez-y avec modération.

Source : Santé et Bien-être social Canada, *Action concertée pour une saine alimentation... Recommandations alimentaires pour la santé des Canadiens et Canadiennes et stratégies recommandées pour la mise en application, Rapport du Comité des Communications et de la mise en application*, Ottawa, Gouvernement du Canada, 1990.

personnes âgées de 50 ans et plus seront également abordées. Par ailleurs, la dernière partie du chapitre traitera de la pertinence de consommer des nutriments en quantités qui excèdent celles proposées dans le cadre des ANREF. Au cours des 20 dernières années, nombreuses ont été les allégations d'effets bénéfiques de certains nutriments, par exemple les antioxydants, à l'égard des maladies rencontrées au grand âge (maladies cardiovasculaires, cancer, etc.). Aussi, nous tenterons de faire le point sur cette question à la lumière des données des recherches les plus récentes.

7.1 Les Apports nutritionnels de référence (ANREF)

En 1995, le Canada s'engageait avec les États-Unis dans un processus de mise à jour des recommandations nutritionnelles élaborées en 1990. Sous la supervision du Food and Nutrition Board de l'Institut de médecine américain, et de concert avec Santé Canada, cette révision s'est accomplie en invitant des scientifiques américains et canadiens à se pencher sur les nouvelles connaissances et données de recherche en nutrition. À l'instar de ce qui avait été amorcé en 1990 pour les *Recommandations sur la nutrition pour les Canadiens*, l'élaboration des ANREF s'est appuyée sur un cadre théorique intégrant à la fois la question du rôle des éléments nutritifs dans la prévention des maladies chroniques et celui visant la prévention des états de carence. Les ANREF se distinguent toutefois des recommandations antérieures par leur ampleur et leur degré de raffinement. En effet, alors que ces dernières proposaient une seule valeur de référence pour chaque stade de la vie, les ANREF peuvent en comporter jusqu'à quatre (voir la section suivante).

Par ailleurs, compte tenu d'une littérature plus abondante que jamais et de la somme de travail liée à l'évaluation de cette littérature, il fut décidé que la mise à jour des apports nutritionnels s'effectuerait par étapes et non en bloc comme par le passé. Les éléments nutritifs ont donc été rassemblés en huit groupes, en fonction de leurs liens sur le plan nutritionnel et sur la base de leur rôle particulier dans l'organisme, ce qu'illustre la figure 7.1.

Comme l'indique la figure 7.1, sur le plan administratif, l'élaboration des ANREF a fait appel à une structure qui comprend les comités suivants:

- le comité permanent des ANREF, à qui incombe la supervision de l'ensemble du processus;

- les comités d'experts, chargés de formuler les nouveaux anref pour les nutriments. À ce jour, six comités ont terminé leur travail de mise à jour (ces comités sont présentés en gris à la figure 7.1, et dans l'ordre de publication de leur rapport). Ainsi, nous disposons maintenant de nouvelles recommandations pour l'énergie, les macronutriments, l'eau, les vitamines et les minéraux. Deux autres comités seront chargés d'élaborer des recommandations relatives aux autres composants alimentaires et à l'alcool;
- le sous-comité chargé des apports maximaux tolérables (AMT);
- le sous-comité chargé de l'interprétation et de l'utilisation des ANREF.

FIGURE 7.1

Apports nutritionnels de référence

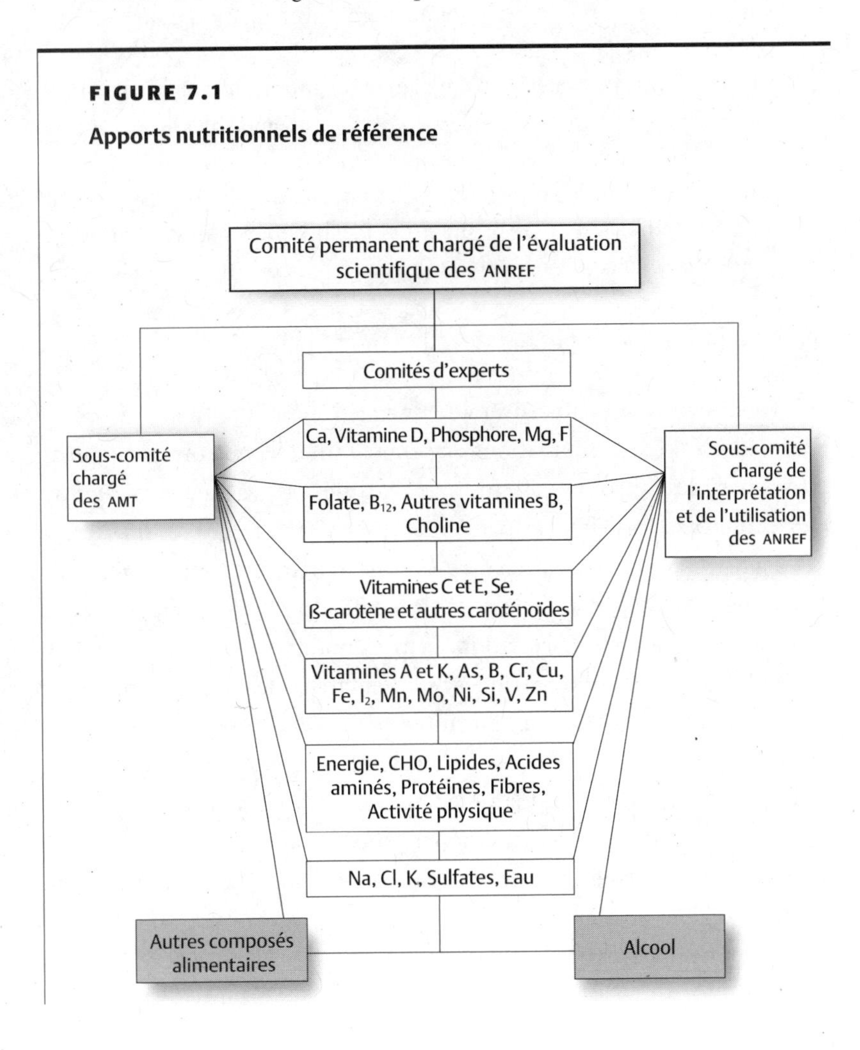

Précisons enfin que les ANREF ont été élaborés en prévision de diverses utilisations. En plus de servir de valeurs nutritionnelles de référence aux particuliers, ils peuvent être utilisés par les organismes gouvernementaux et non gouvernementaux de la santé, ainsi que par les professionnels de la santé pour élaborer des politiques et des programmes de santé publique. Ils servent notamment d'assise scientifique à de nombreuses décisions qui ont une incidence sur la santé et la sécurité des Canadiens et des Canadiennes. Par exemple, on les utilise:

- pour évaluer les apports en nutriments des individus et des groupes;
- pour planifier les programmes en matière d'alimentation pour les individus et les groupes;
- pour concevoir du matériel pédagogique se rapportant à la nutrition;
- pour orienter les décisions concernant l'enrichissement des aliments et la formulation de suppléments ou d'aliments à usage diététique particulier;
- pour orienter les consommateurs dans toutes les décisions qu'ils peuvent avoir à prendre en matière de nutrition (décision de prendre ou non des suppléments de vitamines et de minéraux, choix des aliments, etc.).

7.1.1 La description des ANREF

Les ANREF constituent un ensemble de valeurs nutritionnelles de référence s'adressant aux populations en bonne santé; ils ne doivent pas être utilisés pour les personnes atteintes de maladies aiguës ou chroniques ni pour combler les besoins des personnes qui présentent des carences. Les ANREF ont été élaborés pour chaque élément nutritif en fonction du sexe et de 12 étapes de vie. Par étape de vie, on entend l'âge (10 groupes ont été retenus), la grossesse et la lactation. Leur élaboration s'appuie également sur des données anthropométriques représentatives; le tableau 7.3 présente les données de poids et de taille utilisées dans chaque groupe. Ces données permettent d'estimer le degré d'ajustement que les personnes dont le poids et la taille diffèrent de manière importante de ces valeurs pourraient devoir faire à leurs apports en comparaison des apports recommandés. Les ANREF comportent quatre valeurs de référence: le besoin moyen estimé (BME), l'apport nutritionnel recommandé (ANR), l'apport suffisant (AS) et l'apport maximal tolérable (AMT). Voyons en détail chacune de ces valeurs.

TABLEAU 7.3

Poids et tailles de référence utilisés dans l'élaboration des ANREF

SEXE	ÂGE	TAILLE EN CM (PO)
Masculin, féminin	2 à 6 mois 7 à 11 mois 1 à 3 ans 4 à 8 ans	62 (24) 71 (28) 86 (34) 115 (45)
Masculin	9 à 13 ans 14 à 18 ans 19 à 30 ans	144 (57) 174 (68) 177 (70)
Féminin	9 à 13 ans 14 à 18 ans 19 à 30 ans	144 (57) 163 (64) 163 (64)

- *Le besoin moyen estimé* (BME)

Cette valeur correspond à l'apport quotidien permettant de répondre aux besoins – tels que définis par un indicateur de suffisance de l'état nutritionnel – de 50 % des sujets de même sexe appartenant à une même étape de vie. Dans le cas de plusieurs éléments nutritifs, les valeurs de BME ont été obtenues grâce à des études de bilan, c'est-à-dire des études où sont évaluées les quantités de nutriments permettant de combler les pertes encourues dans une journée (dans l'urine, les matières fécales, la peau, etc.). Dans d'autres cas, la détermination des valeurs de BME s'appuie sur des études cliniques dans lesquelles sont évaluées les quantités de nutriments dont l'organisme a besoin pour restaurer ou maintenir les indicateurs de l'état nutritionnel à un niveau optimal (concentrations sanguines, activité enzymatique, etc.). En outre, lorsque les données sont suffisantes, le BME tient compte de facteurs tels que la composition du régime alimentaire et la biodisponibilité du nutriment. Parce que les BME ne permettent pas de répondre aux besoins nutritionnels de 50 % des individus d'un groupe donné, ils ne peuvent constituer des objectifs nutritionnels individuels. En revanche, ils peuvent être utilisés pour évaluer la prévalence d'apports suffisants ou insuffisants au sein de cette population. Toutefois, comme nous le verrons à la rubrique suivante, le BME est nécessaire pour déterminer l'ANR.

Dans le cas de l'énergie, le BME est appelé besoin énergétique estimé (BEE) et constitue l'apport recommandé pour les individus. Cette différence importante est liée au fait que tant l'excès que la carence en énergie présentent des risques pour la santé.

- *L'apport nutritionnel recommandé (ANR)*

L'apport nutritionnel recommandé représente l'apport permettant de répondre aux besoins nutritionnels quotidiens de la presque totalité des individus (de 97 à 98%) appartenant à un groupe donné. Les ANR se distinguent des BME en ce qu'ils prennent en compte la variabilité des besoins nutritionnels à l'intérieur du groupe. En outre, on ne peut fixer un ANR si l'on ne dispose pas d'un BME.

Les ANR sont les apports que les personnes devraient atteindre chaque jour.

- *L'apport suffisant (AS)*

Un apport suffisant est établi lorsque les données scientifiques disponibles ne permettent pas d'établir un BME. Cet apport repose sur une évaluation approximative, fondée sur l'expérimentation ou l'observation, de l'apport nutritionnel moyen qui, dans une population donnée, semble favoriser un état nutritionnel adéquat. Par conséquent, il faut accroître la recherche permettant de préciser les besoins nutritionnels dans le cas de ces nutriments.

Tout comme l'ANR, l'AS constitue un objectif nutritionnel à atteindre pour l'individu.

- *L'apport maximal tolérable (AMT)*

L'apport maximal tolérable représente l'apport quotidien le plus élevé que la majorité des individus appartenant à un groupe donné peuvent consommer sans risque d'effets indésirables. Dès lors que l'apport quotidien s'élève au-dessus de l'AMT, les risques d'effets indésirables augmentent. La nécessité de déterminer des valeurs d'AMT pour la population s'est imposée à la suite de l'arrivée sur le marché de produits alimentaires à valeurs nutritionnelles ajoutées (aliments «enrichis») et à cause de l'usage de plus en plus répandu des suppléments de vitamines et de minéraux. Aussi, dans les cas où les effets indésirables sont associés à l'apport total, l'AMT est établi en tenant compte des quantités fournies par les aliments, l'eau et les suppléments. Par contre, lorsque ces effets concernent les apports provenant de suppléments ou de produits d'enrichissement, l'AMT se fonde sur l'apport fourni par ces sources seulement.

En somme, l'AMT représente une limite à ne pas dépasser plutôt qu'un apport recommandé. À l'heure actuelle, il n'y a aucune raison de penser qu'une personne en santé pourrait tirer un quelconque bénéfice de la consommation de nutriments en quantités supérieures à l'ANR ou à l'AS. Par ailleurs, les valeurs d'AMT s'appliquent à un usage chronique des nutriments, les conséquences associées à des apports qui dépasseraient les AMT de manière occasionnelle sont donc minimes. Dans le cas d'un certain nombre de nutriments, les données scientifiques disponibles n'ont pas permis d'établir un AMT, ce qui ne signifie pas pour autant qu'un apport élevé ne risque pas d'entraîner d'effets indésirables. Au contraire, en l'absence d'un AMT, il convient de se montrer encore plus prudent.

- *L'étendue des valeurs acceptables (ÉVA) pour la proportion d'énergie provenant des macronutriments.*

L'étendue des valeurs acceptables pour la proportion d'énergie provenant des macronutriments représente les limites inférieures et supérieures

FIGURE 7.2

Apports nutritionnels de référence

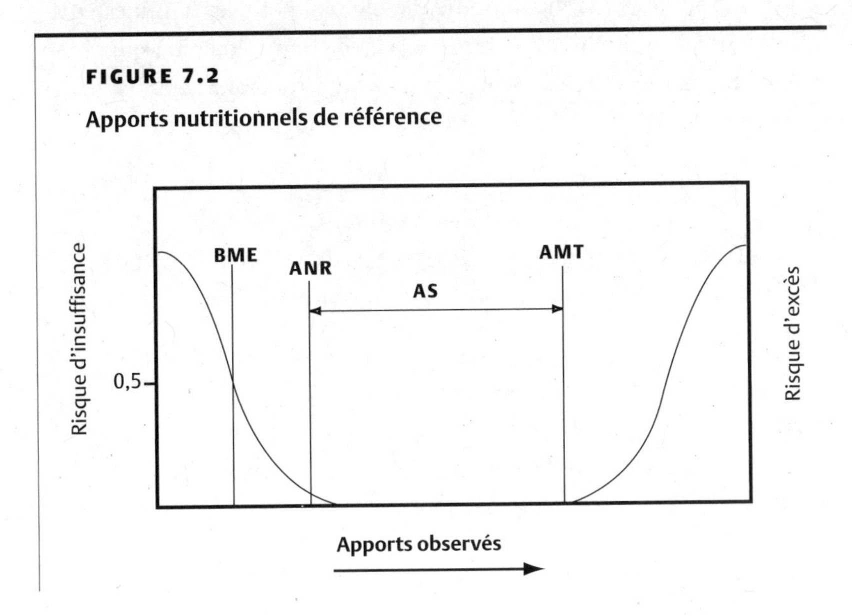

d'apports de glucides, de protéines, de lipides et d'acides gras essentiels associés à des risques réduits de maladies chroniques, tout en permettant l'ingestion de nutriments essentiels. Soulignons que des apports recommandés exprimées en valeur absolue ont également été formulés pour la plupart des macronutriments (voir section suivante).

Une représentation graphique des ANREF apparaît à la figure 7.2.

7.1.2 Les faits saillants à propos des ANREF

Tel que mentionné plus haut, nous disposons maintenant de nouvelles recommandations pour l'énergie, les glucides, les fibres, les protéines, les lipides incluant les acides gras essentiels, les vitamines, les minéraux et l'eau.

7.1.2.1 L'énergie

Le *Besoin énergétique estimé* (BEE) constitue la recommandation pour l'énergie. Il correspond à l'apport quotidien permettant à un adulte en santé de maintenir un équilibre énergétique compatible avec la santé. Plus spécifiquement, le BEE vise le maintien d'un indice de masse corporelle (IMC) se situant entre 18,5 et 25 kg/m^2 chez un adulte qui inclut la pratique d'activité physique à sa vie quotidienne. Le BEE pour les hommes et les femmes de 19 ans et plus est déterminé à l'aide d'une équation qui prend en compte l'âge (A) en années, le coefficient d'activité (CA) établi à partir du niveau d'activité physique, le poids (P) en kilogrammes et la taille (T) en mètres:

BEE pour les hommes de 19 ans et plus

$$\text{BEE} = 662 - (9{,}53 \times \text{Âge [année]}) + \{\text{CA} \times [(15{,}91 \times \text{Poids [kg]}) + (539{,}6 \times \text{Taille [m]})]\}$$

Où CA = 1,00 (sédentaire) ou 1,11 (faiblement actif) ou 1,25 (actif) ou 1,48 (très actif)

BEE pour les femmes de 19 ans et plus

$$\text{BEE} = 354 - (6{,}91 \times \text{Âge [année]}) + \{\text{CA} \times [(9{,}36 \times \text{Poids [kg]}) + (726 \times \text{Taille [m]})]\}$$

Où CA = 1,00 (sédentaire) ou 1,12 (faiblement actif) ou 1,27 (actif) ou 1,45 (très actif)

Ainsi, le besoin énergétique d'une femme sédentaire de 76 ans mesurant 1,60 mètres et présentant un poids de 48 kilogrammes serait d'environ 1 440 kilocalories par jour.

Contrairement aux autres nutriments, le BEE constitue l'apport recommandé pour les individus, aucune autre recommandation (ANR et AMT) n'ayant été développée pour l'énergie. Ceci en raison du fait que des apports qui se situeraient au-dessus du BEE pourraient conduire à un excès de poids. Or ce dernier, tel que traduit par un indice de masse corporel (IMC) supérieur à 25, a été associé à une augmentation de la morbidité, notamment à des risques accrus de développer des conditions telles que diabète de type 2, hypertension, maladies cardiovasculaires, AVC, conditions ostéoarthritiques et certains types de cancer.

TABLEAU 7.4

Description des Coefficients d'activité (CA) utilisés dans le calcul du BEE

COEFFICIENTS D'ACTIVITÉ	EXEMPLES D'ACTIVITÉS DEVANT ÊTRE PRATIQUÉES QUOTIDIENNEMENT
Sédentaire H: 1,00 F: 1,00	• Activités domestiques habituelles: marcher dans la maison, sortir les ordures, jardinage [sans effort] • Marcher pour se rendre à l'autobus ou au dépanneur, jouer au billard, faire de la gymnastique douce ou du Tai-chi
Faiblement actif H: 1,11 F: 1,12	• Activités domestiques habituelles ET • 30-60 minutes d'activité modérée: marcher d'un pas rapide, passer l'aspirateur ou la tondeuse, faire du jardinage [effort modéré], du cyclisme, de la danse sociale, de la natation, du ski de fond [effort modéré]
Actif H: 1,25 F: 1,27	• Activités domestiques habituelles ET • au moins 60 minutes d'activité modérée
Très actif H: 1,48 F: 1,45	• Activités domestiques habituelles ET • au moins 60 minutes d'activité modérée ET • 120 minutes additionnelles d'activité modérée OU 60 minutes d'activité vigoureuse : conditionnement physique, ski de fond, cyclisme [effort vigoureux], raquetball, soccer [de compétition], squash

Source: Otten, J. J., J. Pitzi Hellwig et L. D. Meyers (dir.), *Dietary Reference Intakes: The Essential Guide to Nutrient Requirements*, Washington DC, Institute of Medicine of the National Academies/National Academy Press, 2006.

Aussi, bien que les équations présentées ci-dessus permettent d'établir les besoins énergétiques en fonction de quatre niveaux d'activité physique, le niveau «actif» est celui qui est le plus compatible avec la santé et celui que les personnes devraient viser. Le tableau 7.4 présente quelques exemples d'activités quotidiennes, associés aux différents niveaux d'activité.

7.1.2.2 *Les macronutriments et l'eau*

Les glucides. Des apports nutritionnels recommandés (ANR) sont proposés pour les glucides. Ils s'appuient sur la quantité de glucose dont le cerveau a besoin pour fonctionner. Aucun apport maximal tolérable (AMT) n'est formulé, mais il est recommandé de limiter l'apport quotidien de sucres ajoutés; ces derniers devraient représenter 25% ou moins des calories totales. Cette recommandation est formulée afin d'éviter que les sucres ajoutés ne prennent la place d'aliments qui fournissent des micronutriments essentiels. L'étendue des valeurs acceptables (ÉVA) pour les glucides est de 45-65%.

Les fibres totales. Un apport suffisant (AS) est proposé pour les fibres totales. Il correspond à la quantité qui semble offrir le plus de protection en regard des maladies cardiovasculaires. Aucun apport maximal tolérable (AMT) n'est formulé, toutefois le caractère rassasiant des fibres tend à en limiter la consommation.

Les lipides. Aucun ANR ou AI n'est proposé pour les lipides totaux, mais une valeur d'ÉVA est formulée; elle est de 20-35%. Des AI sont proposés pour l'acide linoléique et l'acide α-linolénique. Dans chaque cas, les valeurs correspondent aux apports médians d'une enquête nutritionnelle américaine (Continuing Survey of Food Intake by Individuals [CSFII], 1994-1996, 1998) dans laquelle aucune carence d'acides gras essentiels n'était observée. En outre, les valeurs d'ÉVA pour l'acide linoléique et l'acide α-linolénique sont respectivement de 5-10% et 0,6-1,2%. Aucun AMT n'est formulé pour les lipides totaux et les acides gras essentiels. De même, aucune valeur d'ANREF n'est proposée pour les acides gras saturés, le cholestérol et les acides gras *trans*. Toutefois, en raison de leur lien avec les maladies cardiovasculaires, les apports de ces gras devraient être réduits au minimum dans le cadre d'une alimentation optimale.

TABLEAU 7.5

Critères utilisés pour établir l'ANR ou l'AS des macronutriments

NUTRIMENTS	INDICATEURS DE SUFFISANCE
Énergie	• Dépense énergétique
Glucides	• Quantité de glucose nécessaire au fonctionnement du cerveau
Fibres	• Quantité qui semble offrir le plus de protection en regard des maladies cardiovasculaires
Acide linoléique	• Données d'enquête nutritionnelle
Acide α-linoléique	• Données d'enquête nutritionnelle
Protéines	• Bilan azoté
Eau	• Données d'enquête nutritionnelle

Source : Otten, J. J., J. Pitzi Hellwig et L. D. Meyers (dir.), *Dietary Reference Intakes: The Essential Guide to Nutrient Requirements*, Washington DC, Institute of Medicine of the National Academies/National Academy Press, 2006.

Les protéines. Des ANR sont proposés pour les protéines; ils s'appuient sur des données d'études de bilan azoté. De plus, une valeur d'ÉVA de 10-35 % est formulée. Aucun AMT n'est formulé pour les protéines.

L'eau. Des AS sont proposés pour l'eau; ils correspondent aux apports médians d'une enquête nutritionnelle américaine (Third National Health and Nutrition Examination Study III [NHANES-III], 1988-1994). Ces apports sont ceux permettant de limiter la survenue de déshydratation. Aucun AMT n'est formulé pour l'eau.

Le tableau 7.5 présente les critères utilisés pour établir l'ANR ou l'AS des macronutriments lorsque ces derniers ont pu être établis; les tableaux 7.6, 7.7 et 7.8 résument l'ensemble des recommandations nutritionnelles relatives aux macronutriments.

TABLEAU 7.6

Apports nutritionnels de référence (ANREF[a]) pour l'eau et les macronutriments

GROUPE	EAU TOTALE[b] (L/j)	GLUCIDES (g/j)	FIBRES TOTALES (g/1000 kcal) [(g/j)][c]	LIPIDES (g/j)	ACIDE LINOLÉIQUE (g/j)	ACIDE α-LINOLÉNIQUE (g/j)	PROTÉINES (g/kg/j) [(g/j)][d]
Hommes							
19-30 ans	3,7*	**130**	14* [38]	ND[e]	17*	1,6*	**0,8 [56]**
31-50 ans	3,7*	**130**	14* [38]	ND	17*	1,6*	**0,8 [56]**
51-70 ans	3,7*	**130**	14* [30]	ND	14*	1,6*	**0,8 [56]**
> 70 ans	3,7*	**130**	14* [30]	ND	14*	1,6*	**0,8 [56]**
Femmes							
19-30 ans	2,7*	**130**	14* [25]	ND	12*	1,1*	**0,8 [46]**
31-50 ans	2,7*	**130**	14* [25]	ND	12*	1,1*	**0,8 [46]**
51-70 ans	2,7*	**130**	14* [21]	ND	11*	1,1*	**0,8 [46]**
> 70 ans	2,7*	**130**	14* [21]	ND	11*	1,1*	**0,8 [46]**

Source : Otten, J. J., J. Pitzi Hellwig et L. D. Meyers (dir.), *Dietary Reference Intakes: The Essential Guide to Nutrient Requirements*, Washington DC, Institute of Medicine of the National Academies/National Academy Press, 2006.

a. Les apports nutritionnels recommandés (ANR) sont présentés en caractère gras ; les apports suffisants (AS) en caractère régulier, suivis d'un astérisque (*). Les ANR couvrent les besoins de 97 à 98 % de la population et sont des objectifs nutritionnels à atteindre pour les individus.
b. L'eau totale comprend l'eau potable et l'eau fournie par les boissons et les aliments.
c. Calculé à partir des apports alimentaires médians tirés de l'enquête nutritionnelle : Continuing Survey of Food Intake by Individuals [CSFII], 1994-1996, 1998.
d. Calculé à partir des poids de référence présentés au tableau 7.1.
e. Non déterminé.

TABLEAU 7.7

Étendue des valeurs acceptables pour les macronutriments

MACRONUTRIMENTS	ÉTENDUE (% DE L'ÉNERGIE) ADULTES
Lipides	20-35
• Acides gras polyinsaturés n-6 (acide linoléique)	5-10
• Acides gras polyinsaturés[a] n-3 (acide α-linolénique)	0,6-1,2
Glucides	45-65
Protéines	10-35

Source : Otten, J. J., J. Pitzi Hellwig et L. D. Meyers (dir.), *Dietary Reference Intakes: The Essential Guide to Nutrient Requirements*, Washington DC, Institute of Medicine of the National Academies/National Academy Press, 2006.

a. On peut consommer jusqu'à 10 % de l'étendue des valeurs acceptables sous forme d'acide eicosapentaénoïque (EPA) et/ou d'acide docosahexaénoïque (DHA).

TABLEAU 7.8

Recommandations additionnelles relatives aux macronutriments

MACRONUTRIMENTS	RECOMMANDATIONS
Cholestérol alimentaire Acides gras trans Acides gras saturés	Il faut réduire la consommation au minimum tout en s'assurant de consommer tous les nutriments nécessaires.
Sucres ajoutés[a]	Ne doivent pas représenter plus de 25 % de l'énergie totale.

Source : Otten, J. J., J. Pitzi Hellwig et L. D. Meyers (dir.), *Dietary Reference Intakes: The Essential Guide to Nutrient Requirements*, Washington DC, Institute of Medicine of the National Academies/National Academy Press, 2006.

a. On entend par sucres ajoutés les sucres et sirops ajoutés lors de la transformation ou de la préparation des aliments.

TABLEAU 7.9

Apports nutritionnels de référence (ANREF[a]) pour les vitamines

GROUPE	VITAMINE A (µg/j)[a]	VITAMINE C (mg/j)	VITAMINE D (µg/j)[b,c]	VITAMINE E (mg/j)[d]	VITAMINE K (µg/j)	THIAMINE (mg/j)	RIBOFLAVINE (mg/j)
Hommes							
19-30 ans	**900**	**90**	5*	**15**	120*	**1,2**	**1,3**
31-50 ans	**900**	**90**	5*	**15**	120*	**1,2**	**1,3**
51-70 ans	**900**	**90**	10*	**15**	120*	**1,2**	**1,3**
> 70 ans	**900**	**90**	15*	**15**	120*	**1,2**	**1,3**
Femmes							
19-30 ans	**700**	**75**	5*	**15**	90*	**1,1**	**1,1**
31-50 ans	**700**	**75**	5*	**15**	90*	**1,1**	**1,1**
51-70 ans	**700**	**75**	10*	**15**	90*	**1,1**	**1,1**
> 70 ans	**700**	**75**	15*	**15**	90*	**1,1**	**1,1**

Note : Les apports nutritionnels recommandés (ANR) sont présentés en caractère gras ; les apports suffisants (AS) en caractère régulier, suivis d'un astérisque (*). Les ANR et les AS sont des objectifs nutritionnels à atteindre pour les individus.

a. Équivalent de l'activité rétinol (EAR). Un EAR = 1 µg rétinol, 12 µg β-carotène ou 24 µg α-carotène ou β-cryptoxanthine.

b. Sous forme de cholécalciférol. 1 µg cholécalciférol = 40 UI de vitamine D.

c. En l'absence d'exposition adéquate au soleil.

d. Sous forme d'α-tocophérol. Il inclut le RRR-α-tocophérol, la seule forme d'α –tocophérol présente naturellement dans les aliments et les formes stéréo-isomériques 2R, présentes dans les aliments enrichis et dans les suppléments ; il exclut les formes stéréo-isomériques 2S, présentes aussi dans les aliments enrichis et dans les suppléments.

TABLEAU 7.9 (*suite*)

Apports nutritionnels de référence (ANREF[a]) pour les vitamines

GROUPE	NIACINE (mg/j)[e]	VITAMINE B_6 (mg/j)	FOLATE (µg/j)[f]	VITAMINE B_{12} (µg/j)	ACIDE PANTOTHÉNIQUE (mg/j)	BIOTINE (µg/j)	CHOLINE (µg/j)[g]
Hommes							
19-30 ans	16	1,3	400	2,4	5*	30*	550*
31-50 ans	16	1,3	400	2,4	5*	30*	550*
51-70 ans	16	1,7	400	2,4[h]	5*	30*	550*
> 70 ans	16	1,7	400	2,4[h]	5*	30*	550*
Femmes							
19-30 ans	14	1,3	400	2,4	5*	30*	425*
31-50 ans	14	1,3	400	2,4	5*	30*	425*
51-70 ans	14	1,5	400	2,4[h]	5*	30*	425*
> 70 ans	14	1,5	400	2,4[h]	5*	30*	425*

e. Équivalent niacine (EN). 1 mg de niacine = 60 mg de tryptophane.
f. Équivalent de folate alimentaire (ÉFA). Un ÉFA = 1 µg de folate des aliments = 0,6 µg d'acide folique (des aliments enrichis ou de suppléments) consommé avec des aliments = 0,5 µg d'acide folique de synthèse (supplément) consommé sans aliments.
g. Même si un AS a été fixé pour la choline, peu de données permettent d'estimer le besoin de choline pendant les diverses période de la vie. Les besoins en choline pourraient être comblés par la biosynthèse au cours de certaines de ces périodes.
h. Étant donné que 10 à 30 % des personnes âgées peuvent présenter une malabsorption de la vitamine B_{12} provenant des aliments, il est suggéré qu'elles tirent la plus grande partie de cette vitamine d'aliments enrichis ou de suppléments de B_{12}.

TABLEAU 7.10

Apports nutritionnels de référence (ANREF) pour les minéraux

GROUPE	CALCIUM (mg/j)	CHLORE (mg/j)	CHROME (µg/j)	CUIVRE (µg/j)	FER (mg/j)	FLUOR (mg/j)	IODE (µg/j)
Hommes							
19-30 ans	1000*	2300*	35*	**900**	**8**	4*	**150**
31-50 ans	1000*	2300*	35*	**900**	**8**	4*	**150**
51-70 ans	1200*	2000*	30*	**900**	**8**	4*	**150**
> 70 ans	1200*	1800*	30*	**900**	**8**	4*	**150**
Femmes							
19-30 ans	1000*	2300*	25*	**900**	**18**	3*	**150**
31-50 ans	1000*	2300*	25*	**900**	**18**	3*	**150**
51-70 ans	1200*	2000*	20*	**900**	**8**	3*	**150**
> 70 ans	1200*	1800*	20*	**900**	**8**	3*	**150**

Note : les apports nutritionnels recommandés (ANR) sont présentés en caractères gras ; les apports suffisants (AS) en caractères réguliers suivis d'un astérisque. Les ANR et les AS sont des objectifs nutritionnels à atteindre pour les individus.

TABLEAU 7.10 (*suite*)

Apports nutritionnels de référence (ANREF) pour les minéraux

GROUPE	MAGNÉSIUM (mg/j)	MANGANÈSE (mg/j)	MOLYBDÈNE (µg/	PHOSPHORE (mg/j)	POTASSIUM (mg/j)	SÉLÉNIUM (µg/j)	SODIUM (mg/j)	ZINC (mg/j)
Hommes								
19-30 ans	**400**	2,3*	**45**	**700**	4700*	**55**	1500*	**11**
31-50 ans	**420**	2,3*	**45**	**700**	4700*	**55**	1500*	**11**
51-70 ans	**420**	2,3*	**45**	**700**	4700*	**55**	1300*	**11**
> 70 ans	**420**	2,3*	**45**	**700**	4700*	**55**	1200*	**11**
Femmes								
19-30 ans	**310**	1,8*	**45**	**700**	4700*	**55**	1500*	**8**
31-50 ans	**320**	1,8*	**45**	**700**	4700*	**55**	1500*	**8**
51-70 ans	**320**	1,8*	**45**	**700**	4700*	**55**	1300*	**8**
> 70 ans	**320**	1,8*	**45**	**700**	4700*	**55**	1200*	**8**

Note : les apports nutritionnels recommandés (ANR) sont présentés en caractères gras ; les apports suffisants (AS) en caractères réguliers suivis d'un astérisque. Les ANR et les AS sont des objectifs nutritionnels à atteindre pour les individus.

TABLEAU 7.11

Apports maximaux tolérables (AMT)[a] pour les vitamines (hommes et femmes)

GROUPE	VITAMINE A (μg/j)[b]	VITAMINE C (mg/j)	VITAMINE D (μg/j)	VITAMINE E (mg/j)[c,d]	VITAMINE K	THIAMINE	RIBOFLAVINE
9-13 ans	1700	1200	50	600	ND[f]	ND	ND
14-18 ans	2800	1800	50	800	ND	ND	ND
19-70 ans	3000	2000	50	1000	ND	ND	ND
> 70 ans	3000	2000	50	1000	ND	ND	ND

GROUPE	NIACINE (mg/j)[d]	VIT. B_6 (mg/j)	FOLATE (mg/j)[d]	VITAMINE B_{12}	ACIDE PANTOTHÉNIQUE	BIOTINE	CHOLINE (g/j)	CAROTÉNOÏDES[e]
9-13 ans	20	60	600	ND	ND	ND	2,0	ND
14-18 ans	30	80	800	ND	ND	ND	3,0	ND
19-70 ans	35	100	1000	ND	ND	ND	3,5	ND
> 70 ans	35	100	1000	ND	ND	ND	3,5	ND

a. AMT= Apport quotidien le plus élevé que la majorité des personnes d'un groupe peuvent consommer sans risque d'effets indésirables. À moins d'indication contraire, l'AMT représente l'apport des aliments, de l'eau et des suppléments.
Des valeurs d'AMT n'ont pu être établies pour la vitamine K, la thiamine, la riboflavine, la vitamine B_{12}, l'acide pantothénique, la biotine et les caroténoïdes en raison d'un manque de données. En l'absence d'AMT, on incite à encore plus prudence lorsque la consommation de ces nutriments dépasse les quantités recommandées.
b. Concerne la vitamine A préformée seulement.
c. α-tocophérol : s'applique à toutes les formes d'α-tocophérol offertes en suppléments.
d. Les AMT pour la vitamine E, la niacine et les folates s'appliquent aux formes obtenues des suppléments, des aliments enrichis, ou de la combinaison des deux.
e. Les suppléments de β-carotène sont conseillés seulement comme source de provitamine A pour les individus à risque de carence.
f. ND = Non déterminé en raison d'un manque de données. Dans ces cas, les apports devraient se limiter à ceux provenant des aliments afin d'éviter les apports excessifs.

7.1.2.3 *Les micronutriments*

Les ANREF pour les vitamines et les minéraux sont présentés dans les tableaux 7. 9 et 7.10. Comme on le voit, des valeurs d'ANR et d'AS ont été déterminées pour les 13 vitamines ainsi que pour la choline, et pour 15 minéraux. Bien que des AS aient été établis pour la choline, il existe encore des incertitudes quant à la nécessité de l'obtenir de l'alimentation, car il se pourrait que les besoins en choline soient comblés par la synthèse endogène. Des études additionnelles sont actuellement en cours afin de statuer de manière définitive sur cette question.

Les données d'AMT sont présentées dans les tableaux 7.11 et 7.12. Des valeurs d'AMT ont été déterminées pour 8 vitamines et 16 minéraux. Dans le cas des vitamines, des valeurs d'AMT n'ont pu être établies pour la vitamine K, la thiamine, la riboflavine, la vitamine B_{12}, l'acide pantothénique, la biotine et les caroténoïdes en raison d'une insuffisance de données. Notons également que l'AMT pour la vitamine A concerne le rétinol seulement.

Tel qu'il a été mentionné précédemment, les valeurs d'AMT se rapportent généralement aux apports totaux, c'est-à-dire aux apports provenant des aliments, de l'eau et des suppléments. Toutefois, pour certains nutriments, les valeurs d'AMT ne s'appliquent qu'aux apports provenant des suppléments ou des aliments enrichis. C'est le cas notamment de la vitamine E, de la niacine et des folates où les valeurs d'AMT s'appliquent aux quantités obtenues par les suppléments, les aliments enrichis, ou la combinaison des deux. Par ailleurs, l'AMT pour le magnésium concerne les apports provenant des suppléments seulement.

Dans le tableau 7.12, on note la présence d'oligoéléments tels que l'arsenic, le bore, le nickel, le silicium et le vanadium, des oligoéléments présents dans l'environnement, mais pour lesquels aucune fonction physiologique n'a encore été démontrée. L'absence d'ANR ou d'AS n'a toutefois pas empêché de déterminer des valeurs d'AMT pour le bore et le nickel, deux éléments qui ont fait l'objet d'une certaine promotion au cours des dernières années (le bore surtout) et pour lesquels les risques d'effets indésirables sont documentés. Rappelons que lorsque l'AMT pour un nutriment n'a pu être établi, on incite à encore plus de prudence lorsque la consommation de ces nutriments dépasse les quantités recommandées.

TABLEAU 7.12

Apports maximaux tolérables (AMT[a]) pour les minéraux (Hommes et femmes)

GROUPE	ARSENIC[b]	BORE (mg/j)	CALCIUM (g/j)	CHLORE (mg/j)	CHROME	CUIVRE (mg/j)	FER (mg/j)
9-13 ans	ND[f]	11	2,5	3400	ND	5000	40
14-18 ans	ND	17	2,5	3600	ND	8000	45
19-70 ans	ND	20	2,5	3600	ND	10 000	45
>70 ans	ND	20	2,5	3600	ND	10 000	45

GROUPE	FLUOR (mg/j)	IODE (mg/j)	MAGNÉSIUM (mg/j)[c]	MANGANÈSE (mg/j)	MOLYBDÈNE (mg/j)	NICKEL (mg/j)	PHOSPHORE (mg/j)
9-13 ans	10	600	350	6	1100	0,6	4
14-18 ans	10	900	350	9	1700	1,0	4
19-70 ans	10	1100	350	11	2000	1,0	4
>70 ans	10	1100	350	11	2000	1,0	3

a. AMT = Apport quotidien le plus élevé que la majorité des personnes d'un groupe peuvent consommer sans risque d'effets indésirables. À moins d'indication contraire, l'AMT se rapporte à l'apport total soit à l'apport provenant des aliments, de l'eau et des suppléments. Des valeurs d'AMT n'ont pu être établies pour l'arsenic, le chrome et le silicium en raison d'un manque de données. En l'absence d'AMT, on incite à encore plus de prudence lorsque la consommation de ces nutriments dépasse les quantités recommandées.

b. Bien que l'AMT n'ait pas été établi pour l'arsenic, il n'y a aucune raison d'en inclure aux aliments ou aux suppléments.

c. L'AMT pour le magnésium représente la contribution de préparations pharmaceutiques, et exclut celle de l'eau et des aliments.

TABLEAU 7.12 ***(suite)***

Apports maximaux tolérables (AMT[a]) pour les minéraux (hommes et femmes)

GROUPE	POTASSIUM (mg/j)	SÉLÉNIUM (mg/j)	SILICIUM[d]	SODIUM (mg/j)	SULFATE	VANADIUM (mg/j)[e]	ZINC (mg/j)
9-13 ans	ND	280	ND	2200	ND	ND	23
14-18 ans	ND	400	ND	2300	ND	ND	34
19-70 ans	ND	400	ND	2300	ND	1,8	40
> 70 ans	ND	400	ND	2300	ND	1,8	40

d. Bien qu'aucun effet néfaste n'ait été démontré pour le silicium chez l'humain, il n'y a aucune raison d'en inclure aux suppléments.
e. Bien qu'aucun effet néfaste n'ait été démontré pour le vanadium chez l'humain, il n'y a aucune raison d'en inclure aux aliments et les suppléments contenant du vanadium devraient être utilisés avec précaution. L'AMT est fondé sur les effets néfastes observés chez les animaux de laboratoire, ces données ont pu être utilisées pour établir les AMT chez les adultes.
f. ND = Non déterminé en raison d'un manque de données. Dans ces cas, les apports devraient se limiter à ceux provenant des aliments afin d'éviter les apports excessifs.

À souligner que les données scientifiques n'ont pas permis d'établir d'ANR, d'AS ou d'AMT pour les caroténoïdes. En outre, les suppléments de bêta-carotène sont conseillés seulement comme source de provitamine A pour les personnes à risque de carence.

TABLEAU 7.13

Critères utilisés pour établir l'ANR ou l'AS des vitamines chez l'adulte

NUTRIMENTS	INDICATEURS DE SUFFISANCE
Vitamine A	• Maintien des réserves corporelles
Vitamine K	• Données d'enquête nutritionnelle
Vitamine C	• Saturation des globules blancs conjuguée à une excrétion minimale de la vitamine
Vitamine D	• Concentration sanguine 25-hydroxyvitamine D
Vitamine E	• Quantité nécessaire à la prévention de l'hémolyse
Thiamine	• Activité de l'enzyme transcétolase érythrocytaire et excrétion urinaire de la vitamine
Riboflavine	• Excrétion urinaire de la vitamine et de ses métabolites, concentration sanguine de la riboflavine et activité de l'enzyme glutathion réductase érythrocytaire
Niacine	• Excrétion urinaire des métabolites de la vitamine
Vitamine B_6	• Concentration sanguine de la vitamine
Folate	• Concentration du folate érythrocytaire, concentrations de l'homocystéine et du folate sanguins
Vitamine B_{12}	• Maintien du statut hématologique et concentration sanguine de la vitamine
Acide pantothénique	• Quantité nécessaire pour combler l'excrétion urinaire
Biotine	• Extrapolation des apports chez l'enfant
Choline	• Activité de l'enzyme alanine amino transférase sanguine

Les tableaux 7.13 et 7.14 présentent les critères utilisés pour établir l'ANR ou l'AS des vitamines et des minéraux, lorsque ces derniers ont pu être établis.

TABLEAU 7.14

Critères utilisés pour établir l'ANR ou l'AS des minéraux chez l'adulte

NUTRIMENTS	INDICATEURS DE SUFFISANCE
Calcium	• Études de bilan, densité osseuse et taux de fracture
Chlore	• Quantité nécessaire au comblement des pertes, apports adéquat des autres nutriments et maintien des fonctions physiologiques
Chrome	• Données d'enquête nutritionnelle ; exprimées /1000 kcal
Cuivre	• Concentrations sanguines : cuivre et céruloplasmine, activité de l'enzyme superoxide dismutase érythrocytaire, concentration érythrocytaire de cuivre
Fer	• Études de bilan (rétention/balance), réserves
Fluor	• Incidence de caries dentaires
Iode	• Études de bilan (rétention/balance), concentration thyroïdienne
Magnésium	• Étude de bilan (rétention/balance)
Manganèse	• Données d'enquête nutritionnelle
Molybdène	• Étude de bilan (rétention/balance)
Sodium	• Quantité nécessaire au comblement des pertes, apports adéquats des autres nutriments et maintien des fonctions physiologiques
Phosphore	• Concentrations sanguines
Potassium	• Quantité permettant de réduire la tension artérielle, la sensibilité au sodium et la survenue de calculs rénaux
Sélénium	• Activité de l'enzyme glutathion peroxydase sanguine
Zinc	• Étude de bilan (rétention/balance)

7.2 Les ANREF et les personnes vieillissantes

Lorsque l'on parcourt les tableaux 7.9 et 7.10, on constate que les ANR et les AS pour les personnes vieillissantes sont élaborés selon deux catégories: la première s'adresse aux personnes âgées de 51 à 70 ans et la seconde, aux personnes âgées de 71 ans et plus. Cette distinction a été retenue à la lumière des changements qui surviennent après 70 ans au niveau de plusieurs fonctions physiologiques et de leurs conséquences sur le plan nutritionnel. Néanmoins, on constate que les ANREF se rapportant aux personnes de 51 ans et plus diffèrent peu de ceux des adultes plus jeunes. En effet, un examen attentif des données indique que seulement huit éléments nutritifs font l'objet de valeurs d'ANR ou d'AS qui diffèrent de celles proposées aux groupes d'adultes plus jeunes: la vitamine D, la vitamine B_6, la vitamine B_{12}, le calcium, le chrome, le chlore, le sodium, et le fer (ce dernier pour les femmes seulement). Quant aux AMT, les valeurs destinées aux personnes âgées de 51 ans et plus ne sont différentes de celles relatives aux adultes plus jeunes que pour un élément nutritif, soit le phosphore.

Dans le cas de la vitamine D, l'apport suffisant est de 10 µg/j pour le groupe des personnes âgées de 51 à 70 ans et de 15 µg/j pour celui des plus de 71 ans, par comparaison à 5 µg/j pour les adultes plus jeunes. Cette hausse des apports recommandés au cours de l'âge se fonde sur une réduction de la capacité de produire la vitamine au niveau de la peau et s'appuie sur des résultats de recherche qui indiquent que des apports de cet ordre limitent les pertes de masse osseuse. Des études ont en effet démontré que lorsqu'elles sont exposées à des doses comparables de rayons ultraviolets, les personnes âgées synthétisent environ 30 % moins de vitamine D que les adultes plus jeunes. Par ailleurs, la réponse du rein à l'action de la parathormone de même que l'activité de l'hydroxylase rénale responsable de la synthèse du métabolite actif de la vitamine [1,25 $(OH)_2$ vitamine D], sont diminuées chez la personne âgée, ce qui réduit la quantité totale de vitamine D disponible dans l'organisme.

Quant au calcium, l'AS passe de 1000 mg pour les moins de 50 ans à 1200 mg pour les adultes plus âgés. À l'instar de la vitamine D, cette augmentation de l'apport pour le calcium tient compte de l'absorption réduite du calcium au cours de l'âge et s'appuie sur des données selon lesquelles des apports supérieurs à 1000 mg/j contribuent à prévenir les pertes osseuses.

En ce qui concerne la vitamine B_6, les apports nutritionnels recommandés passent respectivement à 1,5 mg/j et 1,7 mg/jour pour les femmes et les hommes âgés de plus de 51 ans, par comparaison à 1,3 mg/j pour les adultes plus jeunes. Dans le cas de cette vitamine, l'augmentation des apports est liée au fait que des quantités légèrement supérieures sont nécessaires pour maintenir les indicateurs de suffisance dans les limites de la normalité. Des travaux ont en effet révélé un plus grand catabolisme de la vitamine par la phosphatase alcaline au cours du vieillissement.

Par ailleurs, contrairement aux trois nutriments précédents, les AS pour le chrome diminuent pour les personnes de 51 ans et plus. En effet, de 25 µg/j et 35 µg/j qu'ils sont pour les femmes et les hommes âgés de moins de 50 ans, les valeurs d'AS passent respectivement à 20 µg/j et 30 µg/j. Cette baisse est liée au fait que les apports en chrome sont estimés par 1000 kcal (voir le tableau 7.14) et que les apports en énergie des populations âgées sont habituellement plus faibles.

De même, les AS pour le chlore et le sodium sont réduits pour les personnes âgées de plus de 51 ans. Dans le cas du chlore ils passent de 2300 mg/j chez les adultes plus jeunes, à 2000 mg/j et 1800 mg/j chez les 51-70 ans et >70 ans, respectivement; les données pour le sodium pour ces mêmes catégories d'âge sont de 1500 mg/j, 1300 et 1200 mg/j. Ces recommandations à la baisse s'appuient sur une plus grande sensibilité des personnes âgées à l'effet tenseur du sodium («sensibilité au sodium»).

De même, l'ANR pour le fer diminue sensiblement pour les femmes après 51 ans, passant de 15 mg/j à 8 mg/j. Dans ce cas, cette diminution s'explique essentiellement par l'arrêt des menstruations au moment de la ménopause et des pertes en fer qu'il n'est alors plus besoin de combler.

Par ailleurs, bien que l'ANR pour la vitamine B_{12} des personnes âgées de 51 ans et plus ne soit pas différent de celui proposé pour les adultes plus jeunes (2,4 µg/j), on suggère de satisfaire l'ANR à l'aide d'un supplément contenant de la vitamine B_{12} ou en consommant des aliments enrichis de vitamine B_{12}, et ce, en raison du fait qu'entre 10 et 30% des personnes âgées ont une absorption réduite de la vitamine B_{12} provenant des aliments.

Enfin, l'AMT pour le phosphore est réduit à 3 mg/j pour les personnes de plus de 70 ans, comparativement à 4 mg/j pour les adultes âgés de 19 à 70 ans, cette réduction étant liée à celle de la fonction rénale après 70 ans.

7.3 Les effets des doses élevées d'éléments nutritifs

Des doses élevées d'éléments nutritifs peuvent-elles contrer les effets du vieillissement? Bien que scientifiquement pertinente compte tenu du rôle essentiel joué par les nutriments dans l'organisme, cette question reste à ce jour encore non résolue. En effet, malgré les allégations entourant plusieurs vitamines et minéraux, les preuves scientifiques appuyant les effets «anti-vieillissement» des éléments nutritifs sont, à toutes fins utiles, nulles.

Parmi les éléments nutritifs ayant fait l'objet d'une attention plus particulière se trouvent les antioxydants, à savoir la vitamine C, la vitamine E, les caroténoïdes (notamment le bêta-carotène) et le sélénium. Comme nous l'avons vu aux chapitres 3 et 4, ces nutriments neutralisent l'action des radicaux libres, une famille de composés très réactifs issus du métabolisme, et contribuent à réduire les dommages cellulaires. Or, l'une des théories actuelles du vieillissement associe précisément le processus de sénescence aux dommages oxydatifs. Par ailleurs, nous savons maintenant que plusieurs désordres ou conditions associés au grand âge, tels que le cancer, les maladies cardiovasculaires, les cataractes et la maladie d'Alzheimer, résultent en partie de dommages oxydatifs.

Toutefois, s'il est juste d'affirmer que les études épidémiologiques ont souvent rapporté une relation inverse entre une alimentation riche en fruits et légumes –et donc riche en antioxydants – et l'incidence de maladies cardiovasculaires et certains types de cancer (col de l'utérus, cavité buccale, poumon et tube digestif), les études prospectives d'intervention (essais cliniques) portant sur les effets spécifiques de ces nutriments ont quant à elles été très peu concluantes. En effet, lorsque l'on considère l'ensemble des travaux réalisés à ce jour, la prise de vitamine C, de vitamine E, de bêta-carotène ou de sélénium à des doses variables (administrées sous forme unique ou en cocktail) n'a pas permis de réduire de manière statistiquement significative l'incidence des maladies cardiovasculaires ou d'accidents vasculaires cérébraux. De même, les traitements aux antioxydants ont eu jusqu'à présent des effets faibles et mitigés sur l'incidence des cancers de la peau, du côlon, de la prostate, ou sur les taux de mortalité. En fait, dans deux essais cliniques, la prise de suppléments de bêta-carotène a été associée à une augmentation du taux de cancer du poumon chez d'anciens fumeurs.

Aussi, à la suite d'une revue exhaustive des plus récents résultats de recherche, un groupe d'experts américains (le US Preventive Services Task Force) en arrivait récemment à la conclusion que l'évidence scientifique actuelle ne permet pas de recommander la prise de suppléments de vitamines A, C et E comme mesures préventives de maladies telles que le cancer et les maladies cardiovasculaires. De même, bien qu'il ait été proposé que des doses élevées de vitamine E (1000 mg/j) pourraient ralentir la progression de la maladie d'Alzheimer, une revue récente de l'ensemble des travaux publiés sur le sujet n'a pas permis de confirmer cette allégation. De même, alors que des taux élevés d'homocystéine, liés à des états nutritionnels appauvris en folate ou en vitamine B_{12}, aient été associés à un risque accru de maladies cardiovasculaires, les études dans lesquelles ces vitamines étaient administrées en suppléments se sont avérées négatives.

Enfin, bien que des résultats récents de recherche laissent penser que des doses élevées de vitamine D (1000 UI) pourraient offrir une protection en regard du diabète et de certains cancers, des études additionnelles devront être réalisées afin de s'assurer de l'innocuité de telles doses dans un contexte de consommation chronique.

En somme, à la lumière des données scientifiques disponibles, une alimentation équilibrée qui fait une large place aux fruits et aux légumes, jointe à une bonne hygiène de vie, reste encore le meilleur moyen de se maintenir en santé et d'assurer son autonomie.

Tout comme la science dont elles sont issues, les recommandations nutritionnelles ont beaucoup évolué depuis leur première élaboration en 1938. Tout au long des années, elles ont reflété les connaissances scientifiques en nutrition et les préoccupations de la population canadienne en matière d'alimentation. Bien qu'elles soient plus précises mais aussi plus complexes que jamais, les recommandations nutritionnelles actuelles ne doivent pas pour autant être tenues pour définitives. En effet, comme par le passé, elles continueront d'être confrontées aux nouvelles données de recherche et seront révisées à la lumière de ces dernières. Aussi, sur la base des recherches en cours, il est permis d'anticiper des années très fertiles en ce qui a trait aux recommandations nutritionnelles relatives au grand âge.

Références

Dubost, M., *La nutrition*, 3e éd., Montréal, Chenelière Éducation, 2005, 366 p.

Otten, J. J., J. Pitzi Hellwig et L. D. Meyers (dir.), *Dietary Reference Intakes: The Essential Guide to Nutrient Requirements,* Washington DC, Institute of Medicine of the National Academies/National Academy Press, 2006.

Johnson, M. A., «Nutrition and Aging - Practical Advice for Healthy Eating», *Journal of the American Medical Women's Association*, vol. 59, nº 4, p. 262-269, 2004.

Nadeau, M. H., «Besoins nutritionnels», dans Chagnon Decelles D., M. Daignault Gélinas, L. Lavallée Côté *et al.* (dir.), *Manuel de nutrition clinique,* 3e éd, Montréal, Ordre professionnel des diététistes du Québec, 2004.

Santé et Bien-être social Canada, *Action concertée pour une saine alimentation... Recommandations alimentaires pour la santé des Canadiens et Canadiennes et stratégies recommandées pour la mise en application, Rapport du Comité des communications et de la mise en application*, Ottawa, Gouvernement du Canada, 1990.

U.S. Preventive Services Task Force, «Routine Vitamin Supplementation To Prevent Cancer and Cardiovascular Disease: Recommendations and Rationale», *Annals of Internal Medicine,* vol. 139, nº 1, p. 51-55, 2003.

8
BIEN MANGER AVEC LE GUIDE ALIMENTAIRE CANADIEN

Comme nous l'avons vu au chapitre précédent, la population canadienne dispose d'une série d'énoncés d'ordre nutritionnel (les *Apports nutritionnels de référence*, les *Recommandations sur la nutrition pour les Canadiens*) et alimentaire (les *Recommandations alimentaires pour la santé des Canadiens et Canadiennes*) lui permettant d'atteindre et de maintenir une santé nutritionnelle optimale. Malgré leur importance, voire leur caractère essentiel, ces énoncés ont toutefois une utilité limitée lorsqu'il s'agit de planifier et d'élaborer des menus au quotidien. C'est d'abord et avant tout par les aliments que nous avons accès aux nutriments. Par exemple, c'est en consommant, entre autres, des oranges que nous contribuons à combler nos besoins en vitamine C, ou encore en buvant du lait que nous satisfaisons nos apports en vitamine D et en calcium. Aussi, afin d'aider la population canadienne à tirer pleinement profit des recommandations nutritionnelles, les spécialistes de la nutrition ont conçu un outil à caractère éducatif appelé *Bien manger avec le Guide alimentaire canadien* (http://www.hc-sc.gc.ca/fn-an/food-guide-aliment/index_f.html). Publié pour la première fois en 1942 par la Division de la nutrition du gouvernement fédéral sous le titre *Règles alimentaires officielles du Canada*, le guide alimentaire canadien, dont la version actuelle date de 2007, a été révisé à plusieurs reprises au fil des ans pour tenir compte de l'évolution des connaissances et des nouvelles approches pédagogiques en matière de nutrition.

Dans ce chapitre, nous étudierons donc les fondements et les principes directeurs du Guide, puis, après en avoir présenté les composantes, nous en décrirons les modalités d'utilisation.

FIGURE 8.1

Le *Guide alimentaire canadien*

8.1 Les fondements du *Guide alimentaire canadien*

La brochure *Bien manger avec le Guide alimentaire canadien* définit la saine alimentation et en fait la promotion auprès de la population canadienne. Spécifiquement, le Guide offre un modèle d'alimentation qui vise à combler les besoins nutritionnels, à réduire le risque de maladies chroniques telles que le diabète de type 2, les maladies du cœur, certains types de cancer et l'ostéoporose, et à atteindre un état de santé globale et de bien-être. En outre, il respecte les ANREF et tient compte de l'Étendue des valeurs acceptables pour les macronutriments (ÉVA) fixée pour les glucides, les protéines et les lipides (voir chapitre 7). Concrètement, cet outil aide les consommateurs dans leurs choix alimentaires et leur propose des quantités à consommer, il leur fournit des informations spécifiques concernant les matières grasses, il leur rappelle l'importance de l'eau comme boisson tout comme celle d'intégrer l'activité physique dans la vie de tous les jours.

Parce que le Guide est conçu pour répondre aux besoins nutritionnels des Canadiennes et des Canadiens en santé âgés de deux ans et plus, il fournit également des conseils en fonction de l'âge et des étapes de la vie. Ainsi, sont présentés des conseils alimentaires destinés aux personnes de 50 ans et plus.

8.2 Les quatre groupes alimentaires du Guide

Comme on peut le voir à la figure 8.1, le Guide regroupe les aliments en quatre groupes alimentaires: Légumes et fruits, Produits céréaliers, Lait et substituts, et Viandes et substituts.

Cette classification repose sur divers critères, dont l'origine agricole des denrées. Par exemple, le blé en tant que céréale, la farine de blé et les aliments fabriqués à partir de cette farine (tels que les biscuits, les gâteaux et autres pâtisseries) sont regroupés dans les produits céréaliers. Certains aliments se trouvent par ailleurs au sein d'un même groupe alimentaire sur la base de leur similitude nutritionnelle. Par exemple, les aliments appartenant au groupe Lait et substituts sont reconnus pour leur teneur élevée en calcium, alors que les aliments du groupe Légumes et fruits constituent, entre autres, de bonnes sources de folate et de vitamines A, B_6

et C. Enfin, certains aliments sont regroupés en fonction de leur utilisation dans l'alimentation et des habitudes de consommation de la population. C'est le cas notamment des légumineuses qui appartiennent au groupe Viandes et substituts parce que les consommateurs ont tendance à les utiliser en remplacement de la viande. Si la classification des aliments reposait uniquement sur l'origine agricole et la ressemblance nutritionnelle, les légumineuses figureraient plutôt dans le groupe des produits céréaliers.

Dans les pages qui suivent, nous examinerons chacun des groupes alimentaires du Guide.

8.2.1 Les légumes et les fruits

Le groupe Légumes et fruits comprend les légumes et les fruits frais, les légumes et les fruits transformés (cuits, surgelés, en conserve, déshydratés), de même que les jus de légumes et de fruits. Rappelons que les légumineuses ne font pas partie de ce groupe alimentaire, mais sont intégrées au groupe Viandes et substituts en raison de leur utilisation dans l'alimentation habituelle. De même, les boissons à arôme de fruits, les confitures et les gelées de fruits sont exclues, en raison de leur forte teneur en sucre; c'est aussi le cas des croustilles aux légumes en raison de leur contenu élevé en gras.

Les aliments de ce groupe contribuent de manière significative aux apports en glucides, en fibres, en folate, en vitamines A, B_6 et C, en magnésium et en potassium. Précisons que les légumes vert foncé (tels que les choux de Bruxelles, les épinards), de même que les légumes et les fruits orange (comme le cantaloup et les abricots) sont particulièrement riches en vitamine A et en folate. Les légumes verts constituent également d'excellentes sources de vitamine K. Par ailleurs, les agrumes sont des sources importantes de vitamine C. À souligner que les légumes frais, congelés et en conserve ont une valeur nutritive comparable bien que les légumes en conserve contiennent habituellement davantage de sodium sous forme de sel. Les personnes qui doivent restreindre leur apport en sel sont donc encouragées à privilégier les légumes frais ou congelés. De même, le Guide recommande de choisir des légumes et des fruits de préférence aux jus, afin d'obtenir davantage de fibres.

La teneur en matières grasses des aliments du groupe Légumes et fruits est peu élevée, l'avocat constituant une exception. Toutefois, cette faible teneur pourra augmenter sensiblement si les aliments sont frits ou apprêtés dans des sauces à base de matières grasses. On peut utiliser une petite quantité d'huile insaturée comme de l'huile de canola ou d'olive pour faire cuire les légumes ou rehausser la saveur des salades. De même, les fruits en conserve dans du sirop épais fournissent des calories excédentaires parce qu'ils renferment davantage de sucre. Il faut choisir de préférence des fruits surgelés sans sucre ou des fruits en conserve dans leur jus.

8.2.2 Les produits céréaliers

Les aliments du groupe Produits céréaliers sont ceux qui contribuent le plus à l'apport énergétique de la population canadienne. Sur le plan des éléments nutritifs, ils constituent des sources de glucides, de fibres, de thiamine, de riboflavine, de niacine et de folate, de même que de fer, de zinc, de magnésium et de potassium. Ils comprennent les céréales cuites (blé, avoine, millet, riz, orge, seigle, etc.), les céréales prêtes à servir (céréales du petit déjeuner), les farines, de même que les produits qui en découlent (pâtes alimentaires, couscous, produits de boulangerie et de pâtisserie, etc.).

Parce que les produits à base de grains entiers renferment les trois couches comestibles du grain de céréales, lesquelles fournissent une gamme d'éléments nutritifs, ces produits devraient être choisis en priorité par rapport aux produits raffinés. Ainsi, on retrouve dans la couche externe, ou son, toutes les fibres, des vitamines du complexe B, des minéraux (ex.: magnésium, potassium, fer et zinc), des composés phytochimiques et certaines protéines. La couche du centre, ou endosperme, est surtout composée de glucides et de protéines, alors que la couche interne, ou germe, comprend des vitamines du complexe B, des lipides insaturés, de la vitamine E, des minéraux et des composés phytochimiques. Or, lors du raffinage des grains entiers, le son et le germe sont retirés (seul l'endosperme est conservé), ce qui entraîne des pertes de plusieurs éléments nutritifs. Aussi, et dans le but de pallier cette déperdition, la farine de blé raffiné produite au Canada doit obligatoirement être enrichie de thiamine, de riboflavine, de niacine, de folacine et de fer. Par conséquent, les produits de boulangerie et de pâtisserie fabriqués à partir de ces farines contiennent eux aussi ces éléments nutritifs, ce qui n'est pas nécessairement le cas des produits importés. Bien que la réglementation canadienne permette d'ajouter d'autres éléments nutritifs aux farines (acide pantothénique, vitamine B_6, magnésium, zinc et calcium), peu de minoteries se prévalent de ce droit en raison des coûts qui y sont associés. Au Canada, l'ajout d'éléments nutritifs est également permis dans les céréales prêtes à servir, les pâtes alimentaires, le riz blanc précuit et la semoule de maïs. Toutefois, comme cet enrichissement est facultatif, seule la liste des ingrédients sur les étiquettes permet de savoir quels nutriments ont été ajoutés. Cependant, malgré l'enrichissement dont ils font l'objet, les produits céréaliers raffinés demeurent dans l'ensemble moins nutritifs que les produits à grains entiers.

Enfin, la teneur en lipides des aliments du groupe des Produits céréaliers est généralement faible. Toutefois, les produits de boulangerie, tels que les gâteaux, les croissants, les beignes, les tartes ainsi que la plupart des biscuits et des muffins, font exception. En outre, parce qu'ils sont généralement riches en lipides et en sucre, et pauvre en fibres – ils ne sont habituellement pas fabriqués à partir de grains entiers –, il importe d'en limiter la consommation.

8.2.3 Les produits laitiers

Les aliments qui composent le groupe Produits laitiers incluent le lait (pasteurisé, condensé, en poudre), les produits laitiers fermentés (yogourt, babeurre), les fromages (frais, affinés, fondus), la crème et la crème sure, les aliments dont le principal ingrédient est le lait (béchamel, lait fouetté, crème glacée, lait glacé, pouding au lait), ainsi que les boissons de soja enrichies. À noter que le beurre ne fait pas partie du groupe en raison de son fort taux de matières grasses.

Les aliments du groupe Produits laitiers contribuent aux apports en protéines, en lipides, en riboflavine, en vitamines A, D et B_{12}, en calcium, en zinc, en magnésium et en potassium. Par exemple, ils fournissent environ 60 % des apports en calcium et en vitamine D (au Canada, tous les laits destinés à la consommation sont enrichis de vitamine D). Une portion de produits laitiers (250 ml de lait, 175 ml de yogourt) apporte environ

300 mg de calcium[1] et 2,5 μg de vitamine D. Certaines boissons laitières sur le marché renferment environ 30 % de calcium en plus que le lait ordinaire, grâce à l'ajout de solides du lait. Mentionnons que le nombre de portions de produits laitiers que l'on recommande de consommer chaque jour est avant tout fondé sur les besoins en calcium.

Les laits de consommation (écrémé, 1 %, 2 % ou entier) contiennent à peu près tous la même quantité de vitamines A et D. Précisons que les produits laitiers comme le yogourt et le fromage ne sont pas enrichis de vitamine D, contrairement à la margarine qui doit obligatoirement l'être. La vitamine D peut être ajoutée aux boissons de soja, mais cet ajout est facultatif; l'étiquette précisera si la boisson est enrichie ou non. À ce propos, lorsque ces boissons sont enrichies, elles doivent nécessairement être enrichies des six nutriments suivants: vitamines A, D, et B_{12}, riboflavine, calcium et zinc. Enfin, le fromage *cottage* et le fromage à la crème constituent de moins bonnes sources de calcium que les autres produits laitiers, ce minéral étant largement éliminé lors de leur fabrication.

Il existe des différences importantes quant à la teneur en matières grasses (m.g.) des produits laitiers. Par exemple, le lait écrémé et le lait 1 % en contiennent très peu, ce qui n'est pas le cas des crèmes. Pour repérer les produits laitiers à faible teneur en m.g., il est suggéré de consulter les étiquettes des produits. Il existe une vaste gamme d'aliments à faible teneur en m.g., dont le lait écrémé, le lait 1 % ou 2 %, le fromage *cottage*, les fromages contenant entre 2 et 20 % de m.g., le yogourt 2 %, le yogourt glacé (moins de 3 % de m.g.), le lait glacé contenant de 3 à 5 % de m.g. et enfin, la crème glacée légère, laquelle contient entre 5 et 7,5 % de m.g.

8.2.4 Les viandes et les substituts

Le groupe Viandes et substituts est très certainement le plus hétérogène des quatre. Il est notamment le seul à inclure des aliments appartenant aux règnes animal et végétal. Du règne animal, il comprend la viande et les volailles – de même que leurs sous-produits (bacon, charcuteries, viandes fumées, etc.) –, les abats, les œufs, les poissons d'eau douce, les crustacés, les mollusques et tout autre aliment d'origine animale jugé

1. Le processus d'écrémage ne modifie aucunement la teneur en calcium du lait.

comestible (grenouilles, insectes, etc.). Parmi les aliments appartenant au règne végétal, on note les légumineuses, le tofu, les noix et les graines. Collectivement, les aliments du groupe Viandes et substituts contribuent à satisfaire nos besoins en protéines.

Ce groupe fournit un grand nombre d'éléments nutritifs: protéines, lipides, thiamine, riboflavine, niacine, vitamine B_6, vitamine B_{12} (aliments d'origine animale seulement, lesquels fournissent près de 70% de la vitamine B_{12} contenue dans l'alimentation), fer, zinc, magnésium et potassium. Près de la moitié des protéines présentes dans le régime alimentaire canadien proviennent du groupe Viandes et substituts. La contribution de ces aliments à l'apport en lipides est également non négligeable (environ 30%) mais beaucoup plus variable, les légumineuses et certains poissons étant pauvres en lipides, contrairement à des aliments tels que les charcuteries ou les viandes persillées (qui présentent des infiltrations de graisses). Les viandes et leurs substituts fournissent également environ 30% des acides gras saturés et 75% du cholestérol contenu dans le régime canadien.

Par ailleurs, afin de réduire au maximum la quantité de lipides saturés dans l'alimentation, le GAC suggère aux Canadiens de choisir des coupes de viandes maigres et de consommer les volailles sans peau. De même, parce que les viandes, les volailles et les poissons fournissent davantage de lipides lorsqu'ils sont frits ou servis avec des sauces riches en matières grasses, le GAC recommande de faire cuire les viandes au four ou de les faire griller, pocher ou rôtir.

8.3 La quantité d'aliments que nous devons consommer

Un coup d'œil à la représentation graphique du Guide fournit quelques indices permettant de déterminer quelle quantité d'aliments nous devons consommer. Comme l'illustre la figure 8.1, le Guide se présente sous la forme d'un arc-en-ciel où chaque arc représente un groupe alimentaire particulier. La taille et la position des arcs reflètent en outre la place que chaque groupe alimentaire devrait occuper dans l'alimentation. Ainsi, une alimentation saine devrait comporter davantage de portions provenant du groupe Légumes et fruits que du groupe Viandes et substituts d'où un arc plus grand situé à l'extérieur de l'arc-en-ciel pour représenter les légumes et les fruits et un arc plus petit à l'intérieur pour représenter le groupe Viandes et substituts. Le nombre de portions suggérées pour les groupes Produits céréaliers et Lait et substituts étant intermédiaires, les arcs représentant ces groupes se situent au centre du motif de l'arc-en-ciel.

Le Guide alimentaire canadien recommande la consommation d'un certain nombre de portions dans chacun des quatre groupes alimentaires ainsi que la consommation d'une petite quantité d'huile ou d'autres matières grasses. Le nombre de portions recommandé varie en fonction des étapes de la vie et du sexe. Il s'agit de la quantité moyenne d'aliments que les gens devraient consommer chaque jour. Le nombre de portions recommandées pour chaque groupe alimentaire apparaît au tableau 8.1. Chez l'adulte, on remarquera que les portions recommandées sont présentées selon deux catégories d'âge, à savoir 19 à 50 ans et 51 ans et plus.

Mais qu'entendons-nous par portions? La figure 8.2 présente des exemples de portions pour chacun des groupes alimentaires du Guide. Nous les reprenons ci-après.

- En général, un légume ou un fruit frais de grosseur moyenne ou 125 ml (1/2 tasse) de légumes ou fruits coupés correspondent à une portion du groupe Légumes et fruits. De même, 250 ml (1 tasse) de salade ou de légumes verts feuillus crus, 125 ml (1/2 tasse) de légumes verts feuillus cuits, 60 ml (1/4 tasse) de fruits séchés et 125 ml (1/2 tasse) de jus, équivalent à une portion de ce groupe.

TABLEAU 8.1

Nombre de portions recommandé par le *Guide alimentaire canadien*

PORTIONS DU GUIDE RECOMMANDÉES CHAQUE JOUR				
GROUPES ALIMENTAIRES	ADULTES			
	19-50 ANS		> 51 ANS	
	FEMMES	HOMMES	FEMMES	HOMMES
Légumes et fruits	7 à 8	8 à 10	7	7
Produits céréaliers	6 à 7	8	6	7
Laits et substituts	2	2	3	3
Viandes et substituts	2	3	2	3
Le modèle d'alimentation inclut également une petite quantité (de 30 à 45 ml ou environ 2 à 3 c. à table) de lipides insaturés chaque jour.				

FIGURE 8.2

Les portions recommandées

À quoi correspond une portion du Guide alimentaire ?
Regardez les exemples présentés ci-dessous.
Légumes frais, surgelés ou en conserve
125 mL (½ tasse)
Légumes feuillus
Cuits : 125 mL (½ tasse)
Crus : 250 mL (1 tasse)
Fruits frais, surgelés ou en conserve
1 fruit ou 125 mL (½ tasse)
Jus 100 % purs
125 mL (½ tasse)
Pain
1 tranche (35 g)
Bagel
½ bagel (45 g)
Pains plats
½ pita ou ½ tortilla (35 g)
RIZ BRUN
Riz, boulgour ou quinoa, cuit
125 mL (½ tasse)
Céréales
Froides : 30 g
Chaudes : 175 mL (¾ tasse)
Pâtes alimentaires ou couscous, cuits
125 mL (½ tasse)

FIGURE 8.2 *(suite)*

Les portions recommandées

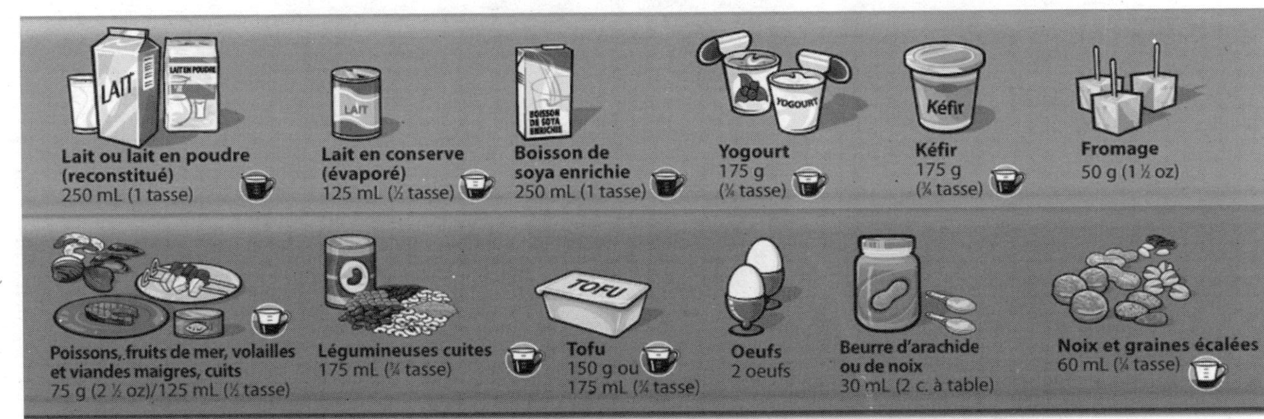

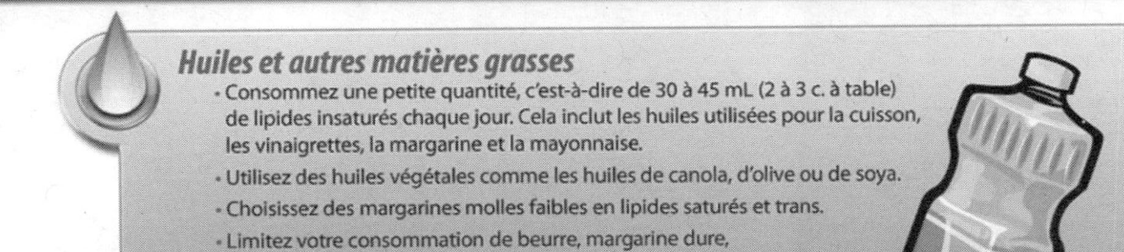

Huiles et autres matières grasses

- Consommez une petite quantité, c'est-à-dire de 30 à 45 mL (2 à 3 c. à table) de lipides insaturés chaque jour. Cela inclut les huiles utilisées pour la cuisson, les vinaigrettes, la margarine et la mayonnaise.
- Utilisez des huiles végétales comme les huiles de canola, d'olive ou de soya.
- Choisissez des margarines molles faibles en lipides saturés et trans.
- Limitez votre consommation de beurre, margarine dure, saindoux et shortening.

- Une portion du groupe Produits céréaliers correspond généralement à une tranche de pain (35 g), un demi-bagel (45 g), un demi-pain plat (35 g) (ex.: tortilla ou pain pita), 125 ml (1/2 tasse) de riz ou pâtes alimentaires cuits ou encore à 30 grammes de céréales froides. Le volume (ml) correspondant à 30 grammes de céréales varie en fonction du type de céréales. Consulter l'étiquette du produit peut aider le consommateur à planifier sa portion.
- Une portion du groupe Lait et substituts correspond à une tasse (250 ml) de lait, de boisson de soya enrichie ou de lait en poudre reconstitué. Dans le cas du lait en conserve (évaporé), cette portion équivaut à 125 ml (1/2 tasse). Une portion correspond aussi à 175 g (3/4 tasse) de yogourt ou de kéfir (un autre type de lait de culture) et à 50 grammes (1 1/2 oz) de fromage.
- Une portion du groupe Viandes et substituts correspond à 175 ml (3/4 tasse) de haricots secs ou de tofu. Cette portion équivaut également à 75 grammes (2 1/2 onces) de poisson, de poulet, de bœuf, de porc ou de gibier cuits, à deux œufs, à 60 ml (1/4 tasse) de noix ou graines et à 30 ml (2 c. à tab.) de beurre d'arachide ou de noix. À titre de référence, une portion de viande, de poisson ou de volaille correspond généralement à 125 ml (1/2 tasse). Précisons qu'il n'est pas nécessaire de consommer une portion complète du groupe Viandes et substituts à chaque repas. On peut en effet savourer une plus grande variété d'aliments de ce groupe en consommant de plus petites quantités à la fois.

Une alimentation qui intègre des aliments des quatre groupes alimentaires du GAC, en quantité suggérée, comblera les besoins en énergie et en nutriments de la plupart des personnes en santé. En outre, les adultes qui n'ont aucun problème de santé particulier et qui intègrent l'activité physique à leur vie quotidienne, devraient tenter, et ce, quel que soit leur âge, de consommer le nombre de portions proposées dans chacun des groupes. Or, comme nous le verrons au chapitre 9, les données de l'Enquête québécoise sur la nutrition, réalisée en 1990, révèlent qu'un nombre non négligeable de Québécois – et en particulier de Québécoises – n'atteignent malheureusement pas cet objectif. Voilà pourquoi les personnes qui ont un petit appétit sont particulièrement encouragées à choisir leurs aliments avec soin, afin de satisfaire leurs besoins énergétiques et nutritionnels de base. Une façon d'y arriver consiste notamment à limiter le nombre d'aliments riches en matières grasses (ex.: croustilles de pomme de terre, grignotines à saveur de fromage, etc.) et en sucre (ex.: confiture, bonbons, sucreries glacées, etc.), ces aliments apportant peu d'éléments nutritifs pour les calories qu'ils contiennent.

Par ailleurs, il arrive que nous consommions des mets dits «composés», c'est-à-dire qui incluent des aliments provenant de plusieurs groupes alimentaires du Guide. C'est le cas par exemple de mets tels que le bouilli aux légumes, la paella, la pizza, la quiche, etc. Pour calculer le nombre de portions alimentaires que comportent ces mets, il suffit: 1) d'identifier les aliments et les quantités qui ont servi à composer le mets, 2) d'évaluer le plus précisément possible la quantité de chaque aliment qui a été consommée et 3) de déterminer, en s'aidant du tableau des portions du Guide, à combien de portions cela correspond. Le Guide offre quelques exemples de mets composés et indique la marche à suivre pour calculer le nombre de portions qu'ils comportent.

8.4 Choisir ses aliments de façon optimale

Le Guide comporte une série d'énoncés permettant aux consommateurs de choisir leurs aliments le plus judicieusement possible. En effet, ce n'est pas tout de consommer un nombre suffisant de portions dans chaque groupe alimentaire; il faut aussi porter ses choix sur les aliments dont le profil nutritionnel est le plus favorable. Un premier énoncé met l'accent sur la variété. Par variété, on entend le fait de consommer chaque jour des aliments provenant des quatre groupes alimentaires, de même que différents aliments dans chacun des groupes. Comme l'indique le tableau 8.2, chaque groupe alimentaire fournit un éventail de nutriments qui lui sont propres. En consommant une variété d'aliments apprêtés de diverses façons, on favorise l'accès à cet éventail nutritionnel et on augmente ainsi ses chances de combler ses besoins. Par ailleurs, en privilégiant la variété, on augmente le plaisir de manger et on diminue les risques d'excès.

TABLEAU 8.2

Nutriments des groupes alimentaires qui composent le *Guide alimentaire canadien*

LÉGUMES ET FRUITS +	PRODUITS CÉRÉALIERS +	LAIT ET SUBSTITUTS +	VIANDES ET SUBSTITUTS =	LE GUIDE ALIMENTAIRE
		protéines	protéines	protéines
		lipides	lipides	lipides
glucides	glucides	glucides		glucides
fibres	fibres			fibres
	thiamine		thiamine	thiamine
	riboflavine	riboflavine	riboflavine	riboflavine
	niacine		niacine	niacine
folate	folate			folate
vitamine B_6			vitamine B_6	vitamine B_6
		vitamine B_{12}	vitamine B_{12}	vitamine B_{12}
vitamine C				vitamine C
vitamine A		vitamine A		vitamine A
		vitamine D		vitamine D
		calcium		calcium
	fer		fer	fer
	zinc	zinc	zinc	zinc
magnésium	magnésium	magnésium	magnésium	magnésium
potassium	potassium	potassium	potassium	potassium

De manière générale, le Guide encourage également les consommateurs à choisir des aliments plus faibles en lipides, en sucre et en sel. Concernant les lipides, il est notamment proposé de limiter autant que possible la consommation de lipides saturés et *trans*. Rappelons que l'on retrouve les lipides saturés en plus grande quantité dans les viandes grasses, les produits laitiers plus riches en matières grasses, le beurre, le saindoux, le *shortening*, les margarines dures et les huiles tropicales comme les huiles de coco et de palme. Quant aux lipides *trans*, ils sont présents dans de nombreux aliments cuits dans la friture, les aliments de restauration rapide, les grignotines salées et les pâtisseries et produits de boulangerie fabriqués avec du *shortening* ou des huiles partiellement hydrogénées. Il est donc conseillé de limiter la consommation de ces aliments. Le Guide encourage également les consommateurs à se procurer des produits laitiers moins gras pour réduire la teneur en matières grasses de leur alimentation, en particulier la teneur en graisses saturées. N'oublions pas que les produits laitiers à faible teneur en matières grasses contiennent autant de protéines et de calcium que les produits plus gras. Le public est donc encouragé à rechercher les produits dont le pourcentage de matières grasses est plus faible, par exemple le lait 1% ou 2%. Enfin, un moyen simple de limiter sa consommation de lipides consiste à opter le plus souvent possible pour les substituts de la viande comme des légumineuses et le tofu, qui sont naturellement plus faibles en lipides.

Par ailleurs, le GAC recommande de consommer des aliments plus faibles en sucre afin d'éviter un excès de calories dans l'alimentation. Parmi les aliments et boissons dont il faut limiter la consommation, mentionnons les produits de boulangerie et certains desserts (ex.: gâteaux, bonbons, chocolat, biscuits, beignes, crème glacée, muffins, pâtisseries et tartes) ainsi que les boissons sucrées froides ou chaudes, comme les boissons énergisantes, les boissons aromatisées aux fruits, les boissons gazeuses, les boissons sportives, le chocolat chaud et les cafés spécialisés. De même, les consommateurs sont invités à choisir des aliments plus faibles en sel. Parmi les aliments qui peuvent en contenir des quantités importantes, mentionnons les grignotines (comme les craquelins, nachos, croustilles et bretzels), le fromage, les sauces brunes et autres sauces, les viandes transformées, les soupes en conserve ou déshydratées et les mets surgelés. Enfin, le mode de préparation et de cuisson des aliments peut contribuer à en augmenter les teneurs en matières grasses, en sucre et en sel. Par exemple, et tel que mentionné à la section précédente, les aliments frits, panés ou nappés de sauce à la crème, de beurre ou de margarine seront évidemment plus gras que les aliments rôtis, grillés ou cuits à la vapeur. Aussi, il est recommandé aux consommateurs de préparer les aliments avec peu ou pas de matières grasses, de sucre ou de sel; le Guide offre des stratégies pour y arriver. Dans le cas des aliments déjà préparés, les consommateurs sont invités à consulter les étiquettes des produits afin d'en évaluer le contenu nutritionnel. Pour obtenir des informations sur l'étiquetage nutritionnel, on peut consulter le site Web suivant: <www.santecanada.gc.ca/etiquetagenutritionnel>.

Le Guide encourage également à choisir de préférence des produits céréaliers à grains entiers ou enrichis. Plus spécifiquement, il est recommandé de consommer au moins la moitié des portions du groupe Produits céréaliers sous forme de produits à grains entiers. Cet énoncé reconnaît l'importance de ces produits en tant que sources de fer, de zinc et de vitamine B, ainsi que de fibres alimentaires; ils sont donc préférables parce qu'ils sont plus nutritifs que les produits céréaliers enrichis. Au sein du groupe Légumes et fruits, le Guide incite les consommateurs à privilégier les légumes vert foncé ou orange et les fruits orange étant donné qu'ils sont particulièrement riches en vitamine A et en folate. Il est notamment conseillé de consommer au moins un légume vert foncé et un légume orangé chaque jour, et de consommer les légumes et les fruits de préférence aux jus. En raison de l'effet apparemment protecteur des poissons riches en acides gras oméga-3 en regard des maladies cardiovasculaires, le GAC recommande d'en consommer au moins deux portions soit environ 150 grammes, chaque semaine. Le saumon, le hareng, le maquereau, la truite arc-en-ciel ainsi que les sardines renferment des quantités appréciables d'acides gras oméga-3. En outre, parce qu'ils constituent des sources d'acides gras essentiels, le Guide recommande de consommer de petites quantités, c'est-à-dire de 30 à 45 ml (2 à 3 c. à table), de lipides insaturés (polyinsaturés et monoinsaturés) chaque jour. Cela inclut les huiles utilisées pour la cuisson, les vinaigrettes, la margarine et la mayonnaise. Les huiles de canola, de soja et d'olive en constituent de bonnes sources.

Par ailleurs, la présente édition du Guide nous incite à privilégier l'eau lorsque nous devons étancher notre soif. Contrairement à l'eau, les boissons gazeuses, énergisantes ou alcoolisées peuvent ajouter un nombre significatif de calories à l'alimentation. Elles peuvent aussi contenir de la caféine ou du sodium. L'eau devrait donc être consommée en quantités suggérées dans le cadre des ANREF (voir chapitre 7). En outre, le Guide nous rappelle notamment que les besoins en liquides augmentent par temps chaud et que le risque de déshydratation est plus élevé chez les jeunes enfants et les personnes âgées.

Enfin, la présente version du Guide nous encourage à être actifs et à suivre les recommandations du Guide d'activité physique canadien (<www.phac-aspc.gc.ca/pau-uap/guideap/index.html>). Dans l'esprit de ce qui est proposé dans le cadre des ANREF (voir chapitre 7), le Guide d'activité physique canadien encourage les gens à être actifs chaque jour et à réduire leurs périodes d'inactivité. Ainsi, les adultes devraient cumuler un minimum de 30 à 60 minutes d'activités physiques modérées par jour.

8.5 Le Guide et les personnes vieillissantes

Les fondements de même que les principes directeurs qui sous-tendent le Guide s'appliquent autant aux personnes qui vieillissent qu'aux adultes plus jeunes. Toutefois, parce que les personnes vieillissantes sont souvent moins actives que les plus jeunes et que leurs besoins énergétiques sont moindres, le GAC propose une légère réduction du nombre de portions des groupes Légumes et fruits et Produits céréaliers chez les 51 ans et plus. Dans le cas du groupe Légumes et fruits, les nombres de portions suggérés pour les femmes et les hommes passent de 7 à 8 et de 8 à 10 respectivement chez les 19 et 50 ans, à 7 chez les 51 ans et plus. De même pour le groupe des Produits céréaliers, les nombres de portions correspondantes, de 6 à 7 et 8 pour les femmes et les hommes, passent à 6 et 7. En revanche, les portions recommandées pour les groupes Lait et substituts et Viandes et substituts sont les mêmes que pour les personnes de 19 et 50 ans.

En outre, la présente édition du Guide souligne le fait que les besoins en vitamine D, augmentent après l'âge de 50 ans et reconnaît qu'il est très difficile de les combler par l'alimentation, même lorsque l'on applique les principes du Guide. Par exemple, consommer 500 ml (2 tasses) de lait, une quantité non négligeable, apporte environ 5 microgrammes de vitamine D, soit une quantité équivalente à la moitié des besoins des personnes âgées entre 51 et 70 ans (10 microgrammes) et le tiers de ceux des personnes âgées de plus de 70 ans (15 microgrammes). À la lumière de ceci, il est donc recommandé à tous les adultes âgés de 50 ans et plus, de prendre un supplément de 10 microgrammes (400 UI) de vitamine D chaque jour, en plus de suivre le Guide alimentaire canadien.

Le Guide alimentaire canadien représente donc un outil permettant d'aider les consommateurs à adopter de saines habitudes alimentaires selon une approche flexible qui pose un regard positif sur l'alimentation. Il nous indique que la recherche d'une alimentation saine et équilibrée est l'affaire de toute une vie et qu'il est en outre possible de bien s'alimenter sans pour autant faire abstraction du plaisir de manger. En somme, *Bien manger avec le Guide alimentaire canadien*, c'est pas compliqué et c'est plein de gros bons sens!

9
PROFIL ALIMENTAIRE ET NUTRITIONNEL DES AÎNÉS QUÉBÉCOIS ET CANADIENS

L'évaluation périodique des apports nutritionnels et des habitudes alimentaires constitue un volet essentiel de toute stratégie visant à assurer la santé d'une population. En effet, considérant les nombreux facteurs d'ordre sociopolitique, géographique, économique et individuel susceptibles d'affecter l'alimentation et l'état de nutrition des individus qui composent une collectivité, la santé nutritionnelle ne peut être tenue pour acquise et doit constamment être soumise au crible de l'évaluation. La collecte d'informations alimentaires et nutritionnelles auprès de groupes ou de populations s'effectue généralement au moyen d'enquêtes nutritionnelles.

À l'instar de ce qui s'observe dans la plupart des pays, les enquêtes nutritionnelles ont été peu nombreuses au Canada et au Québec. En effet, la dernière enquête réalisée à l'échelon national remonte à plus de 35 ans. Menée en 1971 par Santé et Bien-être social Canada, l'Enquête nutrition Canada avait pour principal objectif de connaître la consommation alimentaire des Canadiens et d'en dégager les particularités. Elle a été conduite à partir d'un échantillon comprenant plus de 30 000 personnes provenant de chacune des provinces canadiennes, dont 2738 du Québec.

Pendant plus de vingt ans, les données de l'Enquête nutrition Canada ont donc servi de point de référence pour les spécialistes de la nutrition. À défaut de pouvoir compter sur une seconde enquête nationale en raison des coûts inhérents à de telles enquêtes, les nutritionnistes ont eu accès, au début des années 1990 à une série d'enquêtes nutritionnelles menées dans les provinces. Ces initiatives provinciales avaient pour but de décrire les comportements alimentaires et les consommations nutritionnelles de leur population respective. En outre, elles ont été menées selon une méthodologie qui se compare à celle qui avait été utilisée lors de l'enquête nationale, ce qui permet de jeter un regard sur l'évolution des pratiques alimentaires des Canadiens au cours des deux dernières décennies. Seconde province après la Nouvelle-Écosse à terminer son enquête, le Québec en a publié les résultats en 1995.

Fort de données nutritionnelles récentes, le présent chapitre se propose de tracer un portrait de l'alimentation des aînés québécois et d'en identifier les forces et les faiblesses. Les données québécoises seront notamment comparées à celles des adultes plus jeunes, à celles des aînés néo-écossais, de même qu'aux données rapportées dans le volet québécois de l'Enquête nutrition Canada réalisée au début des années soixante-dix.

9.1 Enquête québécoise sur la nutrition: contexte et objectifs

Les résultats de l'enquête menée par Santé Québec ont été présentés dans une monographie intitulée *Les Québécoises et les Québécois mangent-ils mieux? Rapport de l'Enquête québécoise sur la nutrition*, 1990. Poursuivant un objectif commun à toutes les provinces, l'enquête québécoise visait à décrire la consommation alimentaire et nutritionnelle des adultes québécois, de même que leurs comportements alimentaires et leurs attitudes face à l'alimentation. Entre autres, l'enquête devait permettre, d'une part, d'estimer la consommation d'énergie, de macronutriments et de micronutriments, et, d'autre part, d'analyser la contribution des principaux groupes d'aliments à l'apport en nutriments. Elle devait de plus permettre de mesurer l'évolution de la consommation nutritionnelle de la population québécoise depuis l'Enquête nutrition Canada.

9.1.1 Échantillonnage et procédé

La population visée par cette enquête était constituée de personnes âgées de 18 à 74 ans vivant dans la communauté. Au total, 2118 personnes, dont 1082 femmes et 1036 hommes, y ont participé. Dans chaque cas, les sujets étaient répartis en quatre tranches d'âge: 18-34 ans (593 femmes et 575 hommes), 35-49 ans (209 femmes et 175 hommes), 50-64 ans (114 femmes et 101 hommes) et 65-74 ans (166 femmes et 185 hommes).

Les données ont été obtenues à l'aide de trois questionnaires: un rappel alimentaire de 24 heures, un questionnaire de fréquence de la consommation alimentaire[1] et un questionnaire autoadministré portant sur les attitudes, les perceptions et les comportements alimentaires. La collecte des données s'est échelonnée de septembre à décembre 1990.

9.1.2 Caractéristiques sociodémographiques des aînés à l'étude

Nous avons vu au chapitre 6 que certains facteurs d'ordre social – notamment les ressources financières, le niveau de scolarité, la situation de ménage –, influaient sur la santé nutritionnelle des aînés. Il n'est donc pas inutile de nous pencher sur les caractéristiques sociodémographiques des sujets de cette étude. Comme la population qui nous intéresse au premier chef est celle des personnes âgées de 65 à 74 ans, arrêtons-nous quelque peu aux caractéristiques particulières aux sujets correspondant à cette tranche d'âge.

Vingt et un pour cent des participants âgés de 65 à 74 ans vivaient en milieu rural et 79%, en milieu urbain. Quatre-vingt-quatre pour cent avaient le français comme langue maternelle, tandis que 10% avaient d'abord appris l'anglais et 6% une autre langue. La grande majorité, soit 66%, étaient mariés ou vivaient en union libre, 25% étaient veufs ou veuves, 7% étaient célibataires, tandis que seulement 2% étaient séparés ou divorcés. Par ailleurs, 44% avaient une scolarité jugée faible, 30% une scolarité moyenne et 26% une scolarité élevée. Quant au revenu, 46%

1. Les techniques du rappel de 24 heures et du questionnaire de fréquence de la consommation alimentaire seront décrites en détail au chapitre 10.

avaient un revenu faible, 37 % un revenu moyen et 17 % seulement avaient un revenu jugé supérieur[2].

9.2 Résultats de l'enquête

Les résultats de l'enquête nous permettent de tirer certaines conclusions, notamment en ce qui a trait à la prise des repas et aux aspects quantitatifs et qualitatifs de l'alimentation des aînés.

9.2.1 La prise des repas

Que nous apprend l'enquête sur la prise des repas chez les personnes âgées de 65 à 74 ans? Les jours de semaine, 94% des hommes et entre 84 et 96% des femmes avaient consommé, la veille de l'enquête, au moins un des trois repas principaux (chez les femmes, le repas du soir était celui le plus souvent omis). Par ailleurs, les régimes de 84% des hommes et de 78% des femmes comportaient les trois repas principaux. Les proportions d'individus disant avoir consommé des collations (matin, midi ou soir) variaient de 23 à 52% pour les hommes et de 21 à 59% pour les femmes.

Les samedis et dimanches, entre 89 et 94% des hommes et entre 92 et 97% des femmes avaient consommé, la veille de l'enquête, l'un des trois repas principaux, alors que les régimes de 76% des hommes et de 85% des femmes comportaient les trois repas principaux. Les proportions d'hommes et de femmes ayant consommé des collations (matin, midi ou soir) étaient respectivement de 30 à 53 et de 21 à 57%.

En somme, la majorité des aînés consomment trois repas par jour, et ce, sans égard au sexe ou au jour de la semaine. Toutefois, ils sont moins nombreux à intégrer des collations à leur alimentation.

9.2.2 Aspects quantitatifs et qualitatifs de l'alimentation des aînés

Comme pour les adultes plus jeunes, l'alimentation des aînés a été analysée sous plusieurs angles. Les sections qui suivent présentent les résultats de ces analyses et se penchent sur leur signification.

2. Précisons toutefois que les données relatives à cette dernière variable étaient non disponibles pour 23% des sujets.

9.2.2.1 *Apports et densité nutritionnels*

Le tableau 9.1 présente les apports quotidiens moyens en énergie et en éléments nutritifs, selon l'âge et le sexe[3].

Une analyse des données révèle que les apports énergétiques moyens diminuent de façon linéaire au cours de l'âge. En effet, chez les hommes âgés de 65 à 74 ans, les apports sont de 2143 kcal, comparativement à 2895 kcal chez les hommes de 18 à 34 ans, un écart de l'ordre de 25%. De même, alors que les jeunes femmes présentent des apports énergétiques moyens de 1867 kcal, les femmes âgées rapportent des apports de 20% inférieurs, soit de 1511 kcal.

Par conséquent, les aînés consomment moins de macronutriments en quantités absolues, une observation par ailleurs favorable dans le cas des lipides totaux, des acides gras saturés et du cholestérol. En effet, lorsque l'on examine les régimes des hommes et des femmes âgés de 65 à 74 ans, on constate que ces derniers comportent respectivement 38 g et 20 g en moins de lipides, et 15 g et 8 g en moins d'acides gras saturés, comparativement à ceux des adultes plus jeunes (18-34 ans). De même, les aînés consomment en moyenne de 50 g à 60 g en moins de cholestérol que les adultes plus jeunes. Par ailleurs, les régimes des personnes âgées de 50 ans et plus incluent davantage de fibres alimentaires, de vitamine A et de carotène que les adultes plus jeunes, mais moins de certains minéraux, notamment de calcium, de magnésium et de zinc.

Étant donné la diminution dans la consommation d'énergie au cours de l'âge, les données relatives aux nutriments ont fait l'objet d'une analyse par unité calorique (/1000 kcal). Le tableau 9.2 présente ces données.

Ainsi exprimées, les données d'apports donnent une mesure de la densité nutritionnelle et de la qualité des régimes. Lorsqu'on examine ces valeurs, on remarque que la densité nutritionnelle des régimes des aînés est en général supérieure à celle des régimes d'adultes plus jeunes. Par exemple, l'alimentation des aînés est plus dense en fibres alimentaires, en vitamine A, en carotène, en folates, en magnésium et en potassium. En

3. On remarquera l'absence de certains éléments nutritifs, notamment les vitamines D et E, ce qui s'explique du fait qu'au moment de mener l'enquête, la banque de données utilisée (le Fichier canadien sur les éléments nutritifs) était encore incomplète.

TABLEAU 9.1

Apports quotidiens moyens en énergie et en nutriments chez les Québécois et les Québécoises, selon l'âge

	HOMMES				FEMMES			
NUTRIMENTS	18-34 ANS	35-49 ANS	50-64 ANS	65-74 ANS	18-34 ANS	35-49 ANS	50-64 ANS	65-74 ANS
	N = 575	N = 175	N = 101	N = 185	N = 593	N = 209	N = 114	N = 166
Énergie (kcal)	2895	2632	2252	2143	1867	1727	1602	1511
Protéines (g)	116	106	93,9	88,9	76,1	72,7	66,7	63,9
Lipides (g)	115	103	85,8	76,6	73,2	64,9	57,3	54,5
Acides gras saturés (g)	43,2	38,0	32,2	28,7	27,4	23,7	20,8	19,8
Cholestérol (mg)	405	354	356	357	263	262	211	203
Glucides (g)	336	306	262	269	224	206	206	198
Fibres alimentaires (g)	16,9	16,2	16,2	18,7	12,6	13,6	16,3	14,4
Alcool (g)	11,2	12,9	11,4	8,57	4,2	7,3	4,1	0,7
Caféine (mg)	172	251	237	172	143	222	178	152
Calcium (mg)	1114	922	736	771	788	658	622	574
Magnésium (mg)	341	321	279	293	242	241	242	216
Phosphore (mg)	1808	1577	1349	1390	1210	1107	1049	1004
Potassium (mg)	3604	3380	3191	3177	2609	2598	2668	2480
Sodium (mg)	4148	3753	3406	3243	2697	2581	2345	2232

TABLEAU 9.1 ***(suite)***

Apports quotidiens moyens en énergie et en nutriments chez les Québécois et les Québécoises, selon l'âge

	HOMMES				FEMMES			
NUTRIMENTS	18-34 ANS	35-49 ANS	50-64 ANS	65-74 ANS	18-34 ANS	35-49 ANS	50-64 ANS	65-74 ANS
	N = 575	N = 175	N = 101	N = 185	N = 593	N = 209	N = 114	N = 166
Fer (mg)	18,0	16,9	14,9	15,6	11,9	11,7	11,9	10,4
Zinc (mg)	16,1	17,5	12,9	12,5	10,0	9,7	9,4	8,8
Vitamine A (μg ER)	1489	1301	1381	1854	1148	1100	1364	1257
Carotène (μg ER)	687	786	879	888	715	746	975	914
Vitamine C (mg)	117	96,0	86,0	95,5	103	90,9	108	92,8
Thiamine (mg)	1,9	1,8	1,6	1,6	1,3	1,2	1,3	1,1
Riboflavine (mg)	2,5	2,1	1,8	2,0	1,6	1,5	1,5	1,3
Niacine (mg EN)	50,2	46,4	41,5	39,5	32,3	32,4	30,2	28,6
Vitamine B_6 (mg)	2,1	2,0	1,9	1,9	1,4	1,4	1,5	1,4
Folacine (μg)	272	246	235	254	203	189	205	180
Vitamine B_{12} (μg)	9,2	6,0	5,0	7,9	4,4	3,6	3,7	3,2
Acide pantothénique (mg)	6,2	5,4	4,9	5,5	4,2	3,9	4,1	3,8

TABLEAU 9.2

Apports quotidiens moyens en nutriments/1000 kcal chez les Québécois et les Québécoises, selon l'âge

NUTRIMENTS	HOMMES				FEMMES			
	18-34 ANS	35-49 ANS	50-64 ANS	65-74 ANS	18-34 ANS	35-49 ANS	50-64 ANS	65-74 ANS
	N = 575	N = 175	N = 101	N = 185	N = 593	N = 209	N = 114	N = 166
Protéines (g)	40,2	40,1	41,7	41,5	40,8	42,1	41,6	42,3
Lipides (g)	39,6	39,0	38,1	35,8	39,2	37,6	35,8	36,1
Acides gras saturés (g)	14,9	14,5	14,3	13,4	14,7	13,7	13,0	13,1
Cholestérol (mg)	140	134	158	167	141	152	132	134
Glucides (g)	116	116	116	125	120	119	128	131
Fibres alimentaires (g)	5,9	6,2	7,2	8,7	6,8	7,9	10,2	9,5
Alcool (g)	3,9	4,9	5,1	4,0	2,3	4,2	2,6	0,5
Caféine (mg)	59,5	95,5	105	80,1	76,5	129	111	100
Calcium (mg)	385	350	327	360	422	381	388	380
Magnésium (mg)	118	122	124	137	130	139	151	143
Phosphore (mg)	624	599	599	648	648	641	655	664
Potassium (mg)	1245	1284	1417	1482	1398	1505	1665	1641
Sodium (mg)	1433	1426	1513	1513	1445	1495	1464	1477

TABLEAU 9.2 ***(suite)***

Apports quotidiens moyens en nutriments/1000 kcal chez les Québécois et les Québécoises, selon l'âge

	HOMMES				FEMMES			
NUTRIMENTS	18-34 ANS	35-49 ANS	50-64 ANS	65-74 ANS	18-34 ANS	35-49 ANS	50-64 ANS	65-74 ANS
	N = 575	N = 175	N = 101	N = 185	N = 593	N = 209	N = 114	N = 166
Fer (mg)	6,2	6,4	6,6	7,3	6,4	6,8	7,4	6,9
Zinc (mg)	5,6	6,7	5,7	5,8	5,4	5,6	5,9	5,8
Vitamine A (μg ER)	514	494	613	865	615	637	852	831
Carotène (μg ER)	237	299	390	414	383	432	608	605
Vitamine C (mg)	40,5	36,5	38,2	44,6	55,3	52,7	67,3	61,4
Thiamine (mg)	0,7	0,7	0,7	0,8	0,7	0,7	0,8	0,8
Riboflavine (mg)	0,9	0,8	0,8	0,9	0,9	0,9	0,9	0,9
Niacine (mg EN)	17,4	17,6	18,4	18,4	17,3	18,7	18,9	18,9
Vitamine B_6 (mg)	0,7	0,8	0,8	0,9	0,8	0,8	1,0	0,9
Folacine (μg)	94,0	93,6	104	119	109	109	128	119
Vitamine B_{12} (μg)	3,2	2,3	2,2	3,7	2,4	2,1	2,3	2,1
Acide pantothénique (mg)	2,1	2,0	2,2	2,6	2,3	2,3	2,6	2,5

revanche, la densité nutritionnelle des régimes des hommes âgés de 65 à 74 ans est plus élevée en cholestérol. Par ailleurs, bien que les femmes de plus de 50 ans consomment en moyenne des quantités plus faibles de calcium que les femmes plus jeunes (en particulier le groupe des 18-34 ans), la densité nutritive de leur régime pour ce nutriment se compare favorablement. Aussi les apports plus faibles de calcium rapportés au tableau 9.1 pour les femmes âgées sont-ils probablement dus à une consommation alimentaire totale inférieure plutôt qu'à un régime pauvre en calcium.

Par ailleurs, les résultats de l'enquête révèlent que, pour l'ensemble des nutriments, les apports ne varient pas selon les niveaux de revenus. Mais les personnes de faible niveau de scolarité semblent désavantagées dans l'apport de certains nutriments. Elles ont notamment des apports en calcium, en vitamine A, en vitamine C et en folates plus faibles que les personnes jouissant d'un niveau de scolarité plus élevé. À souligner que ces données s'appliquent à l'ensemble de la population à l'étude et non pas aux aînés uniquement.

9.2.2.2 *Apports nutritionnels des aînés et apports recommandés*

On trouve au tableau 9.3 une comparaison des apports en énergie et en macronutriments des personnes âgées de 50 ans et plus, relativement aux apports nutritionnels recommandés (ANREF) actuellement en vigueur.

Comme nous l'avons vu au chapitre 7, les besoins énergétiques estimés (BEE) varient pour chaque sexe en fonction de l'âge, du poids et de la taille. À la lumière de ceci, il ne nous est pas permis de nous prononcer précisément sur le caractère adéquat ou non des valeurs d'énergie rapportées dans la présente enquête puisqu'il s'agit de valeurs moyennes. Toutefois, si l'on considère que les BEE théoriques (tels que calculés avec les équations rapportées au chapitre 7) d'un homme et d'une femme âgés de 70 ans, qui seraient faiblement actifs et présenteraient un IMC de 25, sont de l'ordre de 2185 kcal et 1925 kcal respectivement, les apports énergétiques des personnes âgées de 65-74 ans sont probablement insuffisants, surtout chez les femmes. Les apports pour les macronutriments (protéines, glucides et lipides) se situent quant à eux dans l'étendue des valeurs acceptables (ÉVA) proposée pour les macronutriments.

TABLEAU 9.3

Comparaison des apports moyens en énergie et en macronutriments des aînés québécois relativement aux apports recommandés

NUTRIMENTS	HOMMES		FEMMES	
	50-64 ANS	65-74 ANS	50-64 ANS	65-74 ANS
Énergie (kcal)				
• Apport	2252	2143	1602	1511
• BEE	***	***	***	***
Protéines (% kcal)				
• Apport	16,5	16,3	16,3	16,6
• ÉVA	10-35	10-35	10-35	10-35
Glucides (% kcal)				
• Apport	46,1	49,3	50,3	51,3
• ÉVA	45-65	45-65	45-65	45-65
Lipides (% kcal)				
• Apport	33,9	31,6	31,6	31,8
• ÉVA	20-35	20-35	20-35	20-35

*** Les valeurs du BEE (besoin énergétique estimé) varient selon le sexe, l'âge, le poids et la taille des personnes. Voir chapitre 7 pour les équations permettant de calculer les BEE pour les hommes et les femmes.

Quant aux apports en micronutriments, présentés au tableau 9.4, on peut dire que dans l'ensemble ils se comparent favorablement aux apports nutritionnels de référence. Toutefois, les régimes des aînés sont insuffisants en calcium, en magnésium et en folates. En effet, lorsqu'on les compare aux standards nutritionnels, on constate que les apports pour ces nutriments se situent entre 45 et 76% des quantités recommandées. Les faibles apports de calcium observés chez les femmes sont particulièrement préoccupants compte tenu du rôle de cet élément nutritif dans la santé osseuse.

Dans le cas des apports en folates, il importe de souligner que les données de l'Enquête québécoise sur la nutrition sont antérieures au règlement permettant l'ajout d'acide folique à un certain nombre de produits céréaliers (voir le chapitre 8). Aussi, il est permis de penser que si les apports en folates des Québécois étaient évalués aujourd'hui, ils seraient plus élevés. Néanmoins, compte tenu de son implication dans plusieurs

TABLEAU 9.4

Comparaison des apports moyens en micronutriments des aînés québécois relativement aux apports recommandés

NUTRIMENTS	HOMMES		FEMMES	
	50-64 ANS	65-74 ANS	50-64 ANS	65-74 ANS
Calcium (mg)				
• Apport	736	771	622	574
• % ANREF	61	64	52	48
Magnésium (mg)				
• Apport	279	293	242	216
• % ANREF	66	70	76	68
Phosphore (mg)				
• Apport	1349	1390	1049	1004
• % ANREF	193	199	150	143
Fer (mg)				
• Apport	14,9	15,6	11,9	10,4
• % ANREF	186	195	149	130
Zinc (mg)				
• Apport	12,9	12,5	9,4	8,8
• % ANREF	117	114	118	110
Vitamine A (µg ER)				
• Apport	1381	1854	1364	1257
• % ANREF	153	206	195	180
Vitamine C (mg)				
• Apport	86	96	108	93
• % ANREF	96	107	144	124
Thiamine (mg)				
• Apport	1,61	1,62	1,31	1,14
• % ANREF	134	135	119	104
Riboflavine (mg)				
• Apport	1,80	1,99	1,45	1,29
• % ANREF	138	153	132	117
Niacine (mg)				
• Apport	41,5	39,5	30,2	28,6
• % ANREF	259	247	216	204
Vitamine B_6 (mg)				
• Apport	1,89	1,88	1,52	1,39
• % ANREF	111	111	101	93
Folacine (µg)				
• Apport	235	254	205	180
• % ANREF	59	64	51	45
Vitamine B_{12} (µg)				
• Apport	5,02	7,91	3,68	3,23
• % ANREF	209	330	153	135

fonctions importantes de l'organisme (division cellulaire, synthèse des globules rouges, etc.), cette vitamine mérite toute notre attention. On note par ailleurs que les régimes des femmes âgées de 65 à 74 ans sont légèrement insuffisants en vitamine B_6 en regard des valeurs de référence. Tout comme pour les folates, les aînés doivent donc s'assurer que leur alimentation comporte de bonnes sources de vitamine B_6 (viande, volaille, poisson, foie, noix, graines, céréales à grains entiers, légumineuses).

Bref, bien que la qualité des régimes des personnes âgées soit généralement bonne, les apports de certains nutriments restent problématiques. Les faibles quantités rapportées pour certains micronutriments sont probablement attribuables aux faibles apports énergétiques des aînés (particulièrement des femmes), puisque, comme nous l'avons vu au tableau 9.2, la densité nutritive des régimes pour ces nutriments est généralement adéquate. Cela dit, rappelons qu'une insuffisance d'apports ne doit pas être interprétée comme une carence nutritionnelle mais comme un état où il y a un risque plus ou moins grand de carence. Comme nous le verrons au chapitre 10, la confirmation d'un diagnostic de carence ne peut se faire qu'à l'aide de tests biochimiques et d'un examen clinique.

9.2.2.3 L'usage des suppléments nutritionnels chez les aînés

L'usage de suppléments nutritionnels a été évalué au moyen d'une question ajoutée au rappel de 24 heures portant sur le type, la fréquence de

TABLEAU 9.5

Proportion des Québécois et des Québécoises ayant consommé au moins un type de suppléments au cours du mois précédant l'enquête, selon l'âge et le sexe

	18-34 ANS	35-49 ANS	50-64 ANS	65-74 ANS
Hommes				
• N	575	175	101	185
• %	19,7	20,4	24,4	21,7
Femmes				
• N	593	209	114	166
• %	30,9	38,9	45,1	52,7

consommation et la quantité de suppléments pris au cours du mois et de la journée précédant l'enquête.

Pour l'ensemble de l'échantillon, tel que l'illustre le tableau 9.5, près de 30 % des personnes interrogées disaient avoir consommé des suppléments dans le mois ayant précédé l'enquête. En outre, l'usage de suppléments était plus élevé chez les femmes que chez les hommes, et cet usage croissait en fonction de l'âge. En effet, entre 45 et 53 % des femmes âgées de 50 ans et plus affirmaient faire usage de suppléments, comparativement aux 31 à 39 % des femmes plus jeunes.

Les données du tableau 9.6 indiquent que la vitamine C est l'élément nutritif ingéré par les plus fortes proportions des personnes qui font usage de suppléments, suivi du calcium. Les préférences des aînés en matière de suppléments se comparent à celles des adultes plus jeunes, sauf chez les femmes âgées de 50 à 64 ans dont une plus grande proportion consomme des suppléments de calcium plutôt que de vitamine C.

Par ailleurs, on constate que, dans la majorité des cas, les quantités de nutriments apportées par ces suppléments sont équivalentes aux apports nutritionnels de référence ou les excèdent. Les quantités apportées par les suppléments de calcium, de magnésium et de folates sont cependant beaucoup plus variables.

Jusqu'à quel point les nutriments fournis par les suppléments contribuent-ils à combler les besoins nutritionnels quotidiens des personnes qui les consomment? Voilà une question à laquelle les premières analyses n'ont pas permis de répondre. Toutefois, dans d'autres contextes d'enquêtes nutritionnelles, la contribution des suppléments aux apports nutritionnels totaux s'est avérée très variable. En effet, alors que dans certains cas les suppléments ont permis de rehausser les apports en nutriments des utilisateurs, dans d'autres, ils se sont avérés superflus, les besoins nutritionnels étant déjà comblés par l'alimentation.

9.3 Quelques éléments de comparaison

Les résultats de l'Enquête québécoise sur la nutrition (1990) nous permettent de comparer le profil alimentaire des aînés québécois à celui de la population âgée d'une autre province, la Nouvelle-Écosse, qui a mené

TABLEAU 9.6

Répartition des suppléments consommés (%) et quantités médianes des nutriments qu'ils apportent

NUTRIMENTS	HOMMES				FEMMES			
	50-64 ANS		65-74 ANS		50-64 ANS		65-74 ANS	
	%	QUANTITÉ	%	QUANTITÉ	%	QUANTITÉ	%	QUANTITÉ
Vitamine C (mg)	16,2	142	11,7	500	20,9	150	65,5	500
Calcium (mg)	13,3	3 16	8,7	266	28,7	494	26,8	500
Thiamine (mg)	10,5	4,5	7,7	4,5	14,6	3,0	14,9	4,5
Vitamine B_6 (mg)	11,3	3,0	7,7	3,0	14,6	3,0	15,3	3,0
Riboflavine (mg)	10,5	5,0	7,7	7,5	14,6	3,0	13,8	5,0
Vitamine B_{12} (µg)	9,8	9,0	7,7	10,0	13,4	7,1	13,5	9,0
Vitamine A (ER)	11,2	1500	9,0	1500	12,6	1500	16,6	1500
Acide pantothénique (mg)	9,4	10,0	7,7	10,0	13,9	10,0	13,0	10,0
Fer (mg)	7,7	10,0	6,2	8,0	11,0	10,0	9,5	10,0
Magnésium (mg)	11,1	100	6,7	80	16,1	100	12,6	75
Folacine (µg)	6,9	400	7,0	1000	11,0	100	11,8	100

une enquête similaire. Ils nous permettent également de mesurer l'évolution du profil alimentaire des aînés québécois sur une période de vingt ans, puisque les données de l'Enquête nutrition Canada (1971) relatives au Québec peuvent être mises en parallèle avec celles de 1990.

TABLEAU 9.7

Comparaison des apports moyens en énergie et en certains nutriments/1000 kcal entre le Québec et la Nouvelle-Écosse

ÉNERGIE ET NUTRIMENTS		HOMMES		FEMMES	
		50-64 ANS	65-74 ANS	50-64 ANS	65-74 ANS
Énergie (kcal)	QUÉBEC	2252	2143	1602	1512
	N.-É.	2230	2025	1476	1394
% d'énergie provenant des protéines	QUÉBEC	16,5	16,3	16,4	16,6
	N.-É.	17	16	17	17
% d'énergie provenant des glucides	QUÉBEC	46,1	49,3	50,3	51,3
	N.-É.	45	49	49	51
% d'énergie provenant des lipides	QUÉBEC	33,9	31,6	31,6	31,8
	N.-É.	35	33	33	32
% d'énergie provenant des acides gras saturés	QUÉBEC	12,7	11,8	11,4	11,6
	N.-É.	13	12	12	12
% d'énergie provenant de l'alcool	QUÉBEC	3,5	2,8	1,8	0,3
	N.-É.	3	2	1	< 1
Fibres (g)/1000 kcal	QUÉBEC	7,2	8,7	10,2	9,5
	N.-É.	7,1	8,4	8,6	9,5
Calcium (mg)/1000 kcal	QUÉBEC	327	360	388	380
	N.-É.	369	383	394	427
Fer (mg)/1000 kcal	QUÉBEC	6,6	7,3	7,4	6,9
	N.-É.	6,7	7,4	7,3	7,3
Vitamine A (ER)/1000 kcal	QUÉBEC	613	865	852	831
	N.-É.	531	804	830	790
Vitamine C (mg)/1000 kcal	QUÉBEC	38,2	44,6	67,3	61,4
	N.-É.	38,4	42,9	50,2	61,1
Folacine (μg)/1000 kcal	QUÉBEC	104,2	118,7	127,9	119,1
	N.-É.	105,1	120,0	128,0	130,7

9.3.1 L'alimentation des aînés québécois et néo-écossais

Afin de situer les apports nutritionnels des Québécois à l'échelon national, les résultats de l'enquête québécoise ont été comparés à ceux de l'enquête menée en Nouvelle-Écosse. Un sommaire des données apparaît au tableau 9.7.

Dans l'ensemble, les apports énergétiques des aînés néo-écossais sont comparables à ceux des aînés québécois, bien qu'ils soient plus faibles. La contribution moyenne des protéines, des glucides, des lipides, des acides gras saturés et de l'alcool à l'apport énergétique total est très semblable dans les deux populations. Toutefois, 45% des hommes québécois âgés de 65 à 74 ans tirent moins de 30% de leur énergie des lipides, comparativement à 32% des hommes néo-écossais du même âge. Les données relatives aux fibres, au calcium, au fer, à la vitamine A, à la vitamine C et aux folates indiquent que ces micronutriments sont présents dans l'alimentation des deux populations en densité comparable.

Sur la base de ces résultats, il n'y a donc pas lieu de penser que les apports énergétiques et nutritionnels des Québécois diffèrent d'une manière particulière de ceux des autres Canadiens.

9.3.2 Évolution de l'alimentation de la population québécoise

Un des objectifs de l'Enquête québécoise sur la nutrition était de jeter un regard sur l'évolution de l'alimentation de la population québécoise depuis la publication des résultats de l'Enquête nutrition Canada réalisée au début des années 1970. Une présentation succincte de cette comparaison apparaît au tableau 9.8.

Comme pour le reste de la population, les apports énergétiques des personnes âgées de 65 à 74 ans ont diminué au cours des décennies qui ont séparé les deux enquêtes, les écarts les plus importants étant observés chez les hommes âgés de 50 à 64 ans (réduction d'environ 12%) et les femmes de 65 à 74 ans (réduction d'environ 10%). En outre, la répartition des macronutriments et leur contribution aux apports énergétiques totaux ont évolué dans le sens d'une amélioration. Ainsi, en 1990, les régimes des Québécois comportaient relativement plus de glucides et de protéines et moins de lipides et d'acides gras saturés que ceux de 1971. Les changements relatifs à l'alcool varient davantage selon les groupes, mais dans les deux

TABLEAU 9.8

Comparaison des apports moyens en énergie et en certains nutriments/1000 kcal des Québécois et des Québécoises entre 1971 et 1990

ÉNERGIE ET NUTRIMENTS		HOMMES		FEMMES	
		50-64 ANS	65-74 ANS	50-64 ANS	65-74 ANS
Énergie (kcal)	1990	2252	2143	1602	1512
	1971	2547	2270	1671	1671
% d'énergie provenant des protéines	1990	16,5	16,3	16,4	16,6
	1971	13,6	12,8	14,0	13,1
% d'énergie provenant des glucides	1990	46,1	49,3	50,3	51,3
	1971	46,6	45,6	49,3	49,2
% d'énergie provenant des lipides	1990	33,9	31,6	31,6	31,8
	1971	38,0	39,0	37,1	37,6
% d'énergie provenant des acides gras saturés	1990	12,7	11,8	11,4	11,6
	1971	15,5	15,5	15,0	14,9
% d'énergie provenant de l'alcool	1990	3,5	2,8	1,8	0,3
	1971	3,2	3,9	1,0	1,4
Fibres (g)/1000 kcal	1990	7,2	8,7	10,2	9,5
	1971	5,3	5,9	6,3	6,6
Calcium (mg)/1000 kcal	1990	327	360	388	380
	1971	335	280	321	341
Fer (mg)/1000 kcal	1990	6,6	7,3	7,4	6,9
	1971	5,7	5,8	6,1	5,9
Vitamine A (ER)/1000 kcal	1990	613	865	852	831
	1971	546	549	647	533
Vitamine C (mg)/1000 kcal	1990	38,2	44,6	67,3	61,4
	1971	34,0	31,0	55,0	50,8
Folacine (µg)/1000 kcal	1990	104,2	118,7	127,9	119,1
	1971	111,6	83,3	112,3	99,1

1971 = Enquête Nutrition Canada, résultats du Québec.

1990 = Enquête québécoise sur la nutrition.

enquêtes les apports se situent dans les limites recommandées.

De même, en 1990, les régimes des aînés québécois comportaient davantage de micronutriments, comparativement à ceux relevés vingt ans plus tôt. Le tableau 9.8 révèle qu'ils étaient notamment plus denses en fibres, en calcium, en fer, en vitamine A, en vitamine C et en folates.

Il est donc manifeste que les régimes des aînés québécois se sont améliorés entre 1971 et 1990 et qu'ils se sont rapprochés des recommandations nutritionnelles mises de l'avant. Les résultats de l'Enquête québécoise sur la nutrition indiquent que les personnes âgées sont aujourd'hui plus sensibles aux questions de santé nutritionnelle qu'elles ne l'étaient deux décennies plus tôt. Ils témoignent également de l'ouverture d'esprit des aînés en matière de messages nutritionnels et révèlent leur capacité de les mettre en pratique. D'ailleurs, des données provenant d'études américaines réalisées à intervalles plus courts suggèrent de même que les aînés sont aussi réceptifs aux messages d'une bonne alimentation que les adultes plus jeunes.

9.4 La consommation alimentaire des aînés québécois

Parallèlement aux données relatives aux apports énergétiques et nutritionnels, l'Enquête québécoise sur la nutrition s'est attachée à décrire, d'une part, les consommations des Québécois pour ce qui touche les aliments, et, d'autre part, les changements qui ont pu survenir depuis l'Enquête nutrition Canada. Tout comme pour les autres catégories d'âge, le profil alimentaire des aînés québécois a été évalué en prenant comme point de référence le *Guide alimentaire canadien*, en vigueur en 1990. Toutefois, pour fins de discussion, les recommandations de l'édition 2007 du Guide sont utilisées ici.

9.4.1 Les légumes et fruits

Pour les aînés comme pour le reste de la population, les portions de légumes et de fruits contenues dans les régimes se situent en dessous du nombre de 7 suggéré par le Guide. Le nombre moyen de portions s'élève à 5,5 chez les hommes et à 5,0 chez les femmes et, dans chaque cas, les légumes sont sélectionnés en quantités deux fois supérieures à celles des fruits. En outre, 55% des personnes de la tranche d'âge 64-75 ans

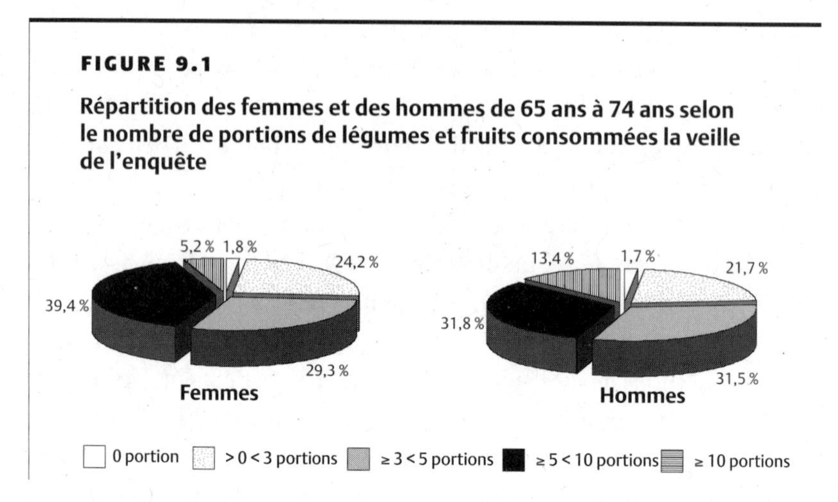

FIGURE 9.1

Répartition des femmes et des hommes de 65 ans à 74 ans selon le nombre de portions de légumes et fruits consommées la veille de l'enquête

consomment moins de 5 portions de légumes et fruits, et seulement 13% des hommes et 5% des femmes consomment 10 portions et plus. La répartition des hommes et des femmes âgés de 65 à 74 ans selon le nombre de portions est présentée graphiquement à la figure 9.1. Parmi les aînés, 4% n'avaient consommé aucun légume et 20% n'avaient consommé aucun fruit la veille de l'enquête. En revanche, le tiers des participants avaient inclus au moins deux portions de légumes et au moins deux portions de fruits dans leur régime.

L'enquête révèle par ailleurs que la consommation de légumes et de fruits varie peu au cours de l'âge pour les hommes, alors qu'elle tend à augmenter pour les femmes: de 4,6 à 4,7 portions pour la tranche des 18-49 ans, contre 5 à 5,6 portions pour les personnes de plus de 50 ans.

L'analyse des choix alimentaires effectués par les aînés révèle que les légumes et les fruits sont le plus souvent consommés «nature», dépourvus de gras. Selon les données issues du questionnaire de fréquence de consommation, plus de 95% des aînés rapportaient avoir consommé des pommes de terre au cours du mois précédant l'enquête, et, cette fois-ci, ce sont les pommes de terres frites ou rissolées plutôt que nature qui recueillaient la faveur de 70% des répondants. Au cours de cette même période, plus de 95% des répondants disaient avoir consommé des carottes et au moins 65% du chou, ces aliments étant prisés indistinctement par les hommes et par les femmes. Par contre, une plus grande proportion de femmes (70%) que d'hommes (49%) rapportaient avoir consommé du brocoli.

Une analyse de l'évolution de ce groupe alimentaire depuis l'Enquête nutrition Canada révèle que la consommation moyenne de légumes et de fruits a augmenté de manière importante chez les personnes âgées de 65 à 74 ans au cours des vingt dernières années. Le nombre de portions de légumes et de fruits est ainsi passé de 4,3 chez les hommes et de 3,6 chez les femmes à 5,5 portions et 5,0 portions respectivement. Plus spécifiquement, la consommation de légumes a augmenté de 27% chez les hommes et de 49% chez les femmes, alors que la consommation de fruits a augmenté respectivement de 88 et de 60% pour cette même tranche d'âge. Lorsqu'on y regarde de plus près, on voit que l'augmentation de la consommation de légumes s'est réalisée au profit des légumes verts ou de couleur vive et des légumes feuillus, et au détriment des pommes de terre et du maïs. L'augmentation des apports en fruits s'explique quant à elle par des consommations accrues de pommes, de poires et de jus de fruits. En revanche, on note des diminutions dans les consommations d'agrumes (33%), de pêches et de fraises (74%).

9.4.2 Les produits céréaliers

Les données de l'enquête québécoise révèlent que la consommation de produits céréaliers varie peu selon l'âge des individus. Ainsi, le nombre de portions fournies par le régime décroît chez les hommes de 8,3 à 7,1 entre les tranches 18-34 ans et 65-74 ans et de 5,5 à 4,8 chez les femmes des mêmes groupes d'âge. En outre, tel que l'illustre la figure 9.2, le tiers des régimes des hommes et les deux tiers des régimes des femmes comportent moins de cinq portions par jour.

Lorsque l'on s'attarde aux choix effectués au sein de ce groupe alimentaire, on constate que 98% des femmes et 94% des hommes âgés de plus de 65 ans disent avoir consommé des mets à base de pâtes et de riz au cours du mois ayant précédé l'enquête, alors que 68 à 80% disent avoir consommé des pains et muffins à grains entiers, des pâtisseries et des biscuits. En revanche, les céréales sont prisées par seulement 25 à 35% des aînés. L'enquête révèle en outre que les femmes âgées avaient à ce moment une consommation de produits céréaliers riches en fibres plus élevée que tous les autres groupes.

FIGURE 9.2

Répartition des femmes et des hommes de 65 ans à 74 ans selon le nombre de portions de produits céréaliers consommées la veille de l'enquête

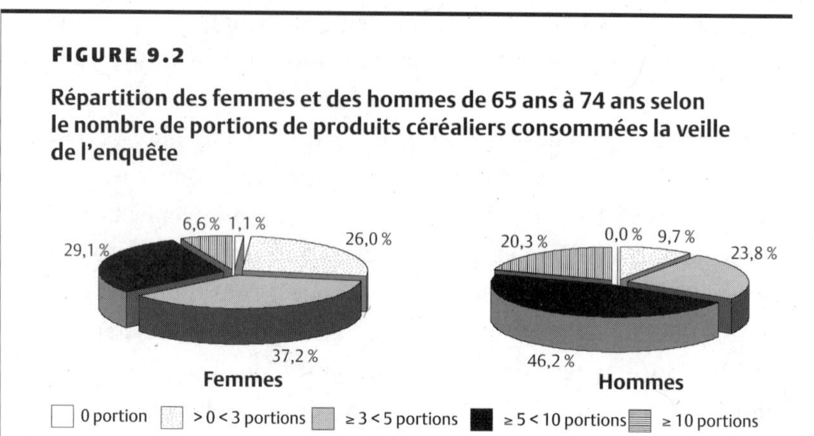

Depuis l'Enquête nutrition Canada, la consommation des produits céréaliers a augmenté chez les hommes (7,1 portions contre 6,2 portions), alors qu'elle a diminué chez les femmes (4,8 portions contre 5,5 portions). Les changements observés chez les hommes âgés de 65 à 74 ans se reflètent dans l'augmentation de la consommation de la plupart des produits céréaliers à l'exception du pain blanc qui, elle, a diminué. Le pain blanc a d'ailleurs été remplacé à parts égales par le pain de blé et les petits pains, tandis que la consommation de pâtes a quadruplé. Chez les femmes, la baisse dans la consommation de produits céréaliers s'explique notamment par une diminution des consommations de pain (blanc et brun) et d'aliments tels que biscuits, gâteaux, crêpes et gaufres. La consommation de produits céréaliers à grains entiers, de riz et de danoises a quant à elle augmenté, mais ces hausses n'ont pas suffi à maintenir la consommation totale de produits céréaliers au niveau de 1971.

9.4.3 Lait et substituts

En 1990, les régimes des participants âgés de 65 à 74 ans ne fournissaient pas le nombre de portions de produits laitiers recommandé, à savoir 3. Ainsi, le nombre de portions consommées la veille de l'enquête était de 1,3 pour les hommes et de 1,0 pour les femmes. Ces données sont inférieures à celles observées chez les hommes et les femmes de la tranche d'âge 18-34 ans pour qui les consommations respectives sont de 2,3 portions et de 1,6 portion. De fait, la majorité des femmes (83 %) et des hommes (75 %) âgés rapportaient avoir consommé moins de deux portions de produits laitiers la veille de l'enquête, tandis que 6% des hommes et 3% des femmes les avaient tout simplement omis.

Le quart des portions de produits laitiers consommées par les Québécois sont riches en matières grasses, et cette proportion s'élève à 40% chez les hommes âgés de 50 à 64 ans. Selon les données du questionnaire de fréquence de consommation, 80% des aînés avaient opté pour les fromages gras (>20% m.g.) au cours du mois qui a précédé l'enquête, de 13 à 17% avaient choisi des fromages maigres (≤ 20% m.g.), alors que de 15 à 21% des participants avaient opté pour les fromages frais. Cinquante-cinq pour cent des femmes âgées rapportaient avoir consommé du yogourt, alors que seulement 32% des hommes étaient enclins à choisir cet aliment. Enfin, les desserts au lait étaient au menu de 66% des femmes et de 72% des hommes âgés.

Malgré que les quantités consommées de produits laitiers soient insuffisantes dans le régime actuel de la majorité des sujets âgés de 65 à 74 ans, le nombre de portions rapporté pour ce groupe alimentaire constitue une amélioration par rapport aux données de l'Enquête nutrition Canada. En effet, en 1971, les régimes des hommes comportaient 1,0 portion et ceux des femmes seulement 0,9 portion de produits laitiers. À l'instar de ce qui s'observe pour les autres groupes d'âge, les changements relatifs à ce groupe alimentaire sont surtout attribuables à une hausse des consommations de fromage et de yogourt. La répartition des sujets selon le nombre de portions Lait et substituts consommées apparaît à la figure 9.3.

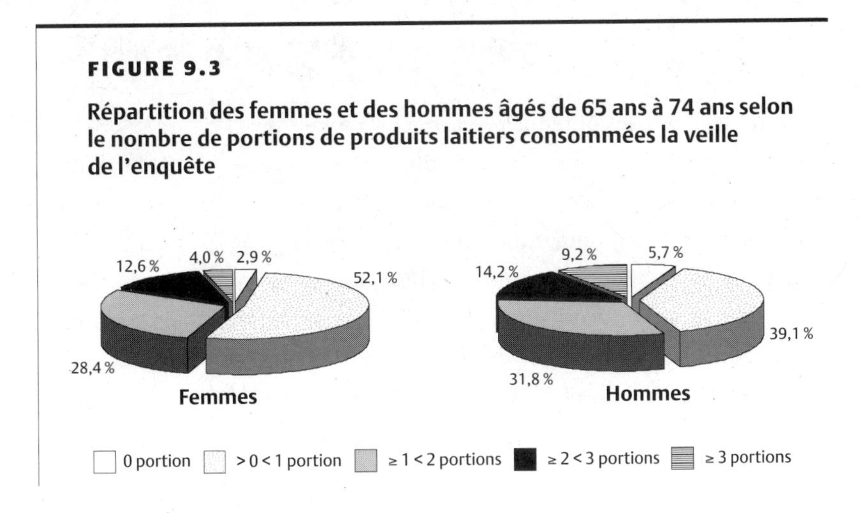

FIGURE 9.3

Répartition des femmes et des hommes âgés de 65 ans à 74 ans selon le nombre de portions de produits laitiers consommées la veille de l'enquête

9.4.4 Les viandes et substituts

L'enquête québécoise indique que les quantités de viandes et substituts incluses dans les régimes diminuent avec l'âge, et ce, pour les deux sexes. Chez les hommes, elles passent de 4,0 portions dans la tranche d'âge 18-34 ans à 3,1 portions dans la tranche 65-74 ans, alors que chez les femmes le nombre de portions diminue de 2,5 à 2,1 pour ces mêmes tranches d'âge. En outre, 63% des femmes et 32% des hommes âgés de 64 à 74 ans rapportaient avoir consommé, la veille de l'enquête, moins de deux portions. Signalons que le régime de 22% des femmes appartenant à cette tranche d'âge comportait moins de une portion de ce groupe d'aliments. La répartition des sujets selon le nombre de portions consommées apparaît à la figure 9.4.

FIGURE 9.4

Répartition des femmes et des hommes âgés de 65 ans à 74 ans selon le nombre de portions de viandes et substituts consommées la veille de l'enquête

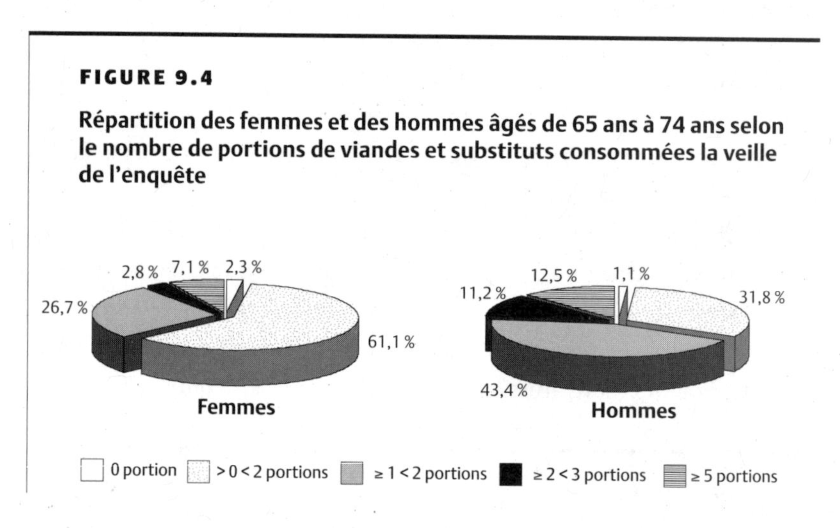

Selon les données obtenues à partir des rappels de 24 heures, le poulet constitue l'aliment le plus souvent consommé par les femmes du groupe 65-74 ans, tandis que la consommation de bœuf haché est inférieure à celle de l'ensemble de la population. En outre, les femmes âgées optent davantage pour des viandes de coupes maigres que de coupes grasses et elles consomment moins de saucisses de porc et de charcuteries mais davantage de poissons que les hommes du même âge. Pour les substituts, 88 % des femmes et 92 % des hommes de cette même tranche d'âge rapportaient avoir consommé des œufs au cours du mois précédant l'enquête, et plus de la moitié des aînés rapportaient avoir consommé des légumineuses et du beurre d'arachide.

Depuis l'Enquête nutrition Canada, la consommation totale de viandes et de substituts s'est accrue chez ces sujets, passant de 2,6 portions à 3,1 portions chez les hommes, et de 1,7 portion à 2,1 portions chez les femmes.

9.4.5 Les sucres

La consommation de sucres a fait l'objet d'une analyse dans le cadre de l'Enquête québécoise sur la nutrition. Utilisant une mesure arbitraire de 5 g de sucre (= 1 équivalent), les enquêteurs ont conclu que les hommes et les femmes âgés de 65 à 74 ans consomment respectivement en moyenne 7,4 et 5,0 équivalents de sucre. De tous les groupes étudiés, ce sont les femmes âgées de 50 à 64 ans qui en consomment le moins, soit 2,7 équivalents. Un regard sur les préférences alimentaires en matière de sucres indique que les régimes des hommes de 50 ans et plus et des femmes de la tranche 65-74 ans renferment les plus grandes quantités de confiture et de gelée, alors que les régimes des hommes de la tranche 18-34 ans sont les plus riches en chocolat. Par ailleurs, les données observées en 1990 sont largement inférieures à celles rapportées dans l'Enquête nutrition Canada. À titre de comparaison, en 1971, le nombre d'équivalents de sucre s'élevait à 14,5 pour les hommes et à 11, 2 pour les femmes. La tendance est donc dans le sens d'une amélioration.

9.4.6 Les boissons alcoolisées

L'ensemble des données relatives à la consommation de boissons alcoolisées indique que les régimes des hommes âgés de 65 à 74 ans comportent en moyenne 0,6 portion et ceux des femmes 0,1 portion de boissons alcoolisées. Toutefois, lorsque l'on examine uniquement les régimes des personnes qui affirment avoir consommé des boissons alcoolisées, le nombre de portions s'élève à 3,2 pour les hommes à 1,1 portion pour les femmes.

Sur la base des données fournies par les rappels alimentaires de 24 heures, la quantité moyenne totale de boissons alcoolisées a diminué depuis 1971. Ainsi, il y a vingt ans, la consommation chez les personnes âgées de 65 à 74 ans s'élevait à 0,8 portion chez les hommes et à

0,6 portion chez les femmes. En revanche, les apports chez les hommes et les femmes de la tranche 50-64 ans sont passés de 0,7 à 0,8 portion et de 0,2 à 0,3 portion, entre 1971 et 1990.

De toutes ces données tirées de l'Enquête québécoise sur la nutrition et de l'Enquête nutrition Canada, on peut donc conclure que les régimes des personnes âgées de 50 ans et plus indiquent des quantités qui s'approchent de celles recommandées par le Guide alimentaire canadien pour les groupes Produits céréaliers (particulièrement pour les hommes) et Viandes et substituts, mais pas pour les groupes Légumes et fruits et Lait et substituts. En outre, plusieurs aînés consomment encore trop peu d'aliments et auraient intérêt à augmenter leur prise alimentaire. Par contre, la densité nutritionnelle de leur alimentation se compare favorablement à celle des adultes plus jeunes. Enfin, les données rapportées en 1990 révèlent des changements alimentaires qui vont dans le sens d'une amélioration depuis l'Enquête nutrition Canada.

9.5 Perceptions, attitudes et comportements alimentaires des aînés

Qu'en est-il des perceptions, attitudes et comportements des aînés québécois en matière d'alimentation? À cet égard, on trouvera ci-après les principales conclusions que l'on peut tirer des données obtenues au cours de l'Enquête québécoise sur la nutrition. Ces données ont été obtenues à partir des réponses au questionnaire autoadministré dans lequel les répondants étaient invités à se prononcer sur six aspects: leurs habitudes alimentaires, leur comportement quant au sucre et au gras, la valeur accordée aux aliments, les facteurs influant sur les choix alimentaires, l'entourage à l'heure des repas et l'information en matière de nutrition[4].

9.5.1 Habitudes alimentaires des aînés

Pour l'ensemble de leur alimentation, 35% des aînés québécois qualifient leurs habitudes d'excellentes ou de très bonnes, 47% les jugent bonnes et moins de 20% les considèrent moyennes (18,6%) ou mauvaises (0,7%). Trente-deux pour cent d'entre eux considèrent «manger trop sucré» et

4. On notera que, contrairement aux informations issues du rappel alimentaire de 24 heures et du questionnaire de fréquence de consommation dont les données concernent 2118 personnes, les pourcentages de répondants au questionnaire autoadministré sont beaucoup plus variables.

20% disent «manger trop gras», alors que 68% croient pouvoir améliorer leur santé en modifiant leurs habitudes alimentaires.

Au moment de l'enquête, plus de 55% des aînés disaient avoir tenté au moins un changement alimentaire au cours de la dernière année. Parmi ces derniers, entre 80 et 94% avaient choisi de consommer moins de gras, de pâtisseries, de sucre ou de sel, ou encore avaient tenté d'augmenter leur consommation de fruits et de légumes. Enfin, 62 À 64% d'entre eux avaient essayé de manger davantage de poisson ou de réduire leur consommation de bœuf et de viande.

9.5.2 Comportement des aînés quant au sucre et au gras

Trente-sept pour cent des personnes interrogées affirmaient ajouter des produits sucrés sur leurs rôties et 33% disaient ajouter des produits sucrants tels que le sucre et le miel à leurs céréales du petit déjeuner. Plus des deux tiers des participants étaient intéressés à essayer des recettes utilisant moins de sucre, cet intérêt étant davantage marqué chez les femmes que chez les hommes.

Par ailleurs, lorsqu'on les interroge sur leurs comportements concernant le gras, 60% disent utiliser un corps gras pour la cuisson, mais près de 75% enlèvent le gras autour de la viande avant de la cuire ou le jettent après la cuisson. De plus, les trois quarts des aînés ajoutent du beurre ou de la margarine sur leur pain, 40% en ajoutent sur les brioches, les croissants, les muffins ou sur les pommes de terre, alors que 30% ajoutent ces matières grasses sur les autres légumes cuits. Comme pour le sucre, une majorité d'aînés (85%) disent être intéressés à essayer des recettes utilisant moins de gras.

Invités à réagir à une séries d'énoncés visant à évaluer leurs connaissances et leurs perceptions en matière de nutrition (par exemple: «Selon vous, quels problèmes de santé sont liés à la consommation de matières grasses?», «La plupart des fromages contiennent peu de gras», «Entre le blanc d'œuf et le jaune d'œuf, lequel d'après vous est le moins bon pour le cœur?» ou encore «Les adultes n'ont plus besoin de boire du lait»), les aînés ont démontré qu'ils étaient bien informés et que leurs connaissances en matière de nutrition se comparaient favorablement à celles des adultes plus jeunes.

9.5.3 Valeur accordée aux aliments

Les questions relatives à la valeur accordée aux aliments ciblaient tout particulièrement les notions de plaisir, d'esthétisme et de santé. Ainsi, une majorité des aînés (60-70%) disaient prendre plaisir à manger, aimaient prendre le temps de manger et étaient sensibles à l'atmosphère entourant les repas. Précisons que les femmes plus que les hommes étaient sensibles à la notion de plaisir associée aux trois énoncés proposés. En outre, près de 94% des personnes interrogées disaient consommer des aliments sur la base de leur qualité en regard de la santé, alors que seulement 40% affirmaient se préoccuper de leur poids au moment de manger.

Environ 60% des participants se disaient prêts à essayer de nouvelles recettes, d'autant plus que ces dernières offraient la possibilité d'améliorer leur état de santé. À la question «Diriez-vous que vous aimez beaucoup, un peu ou pas du tout essayer des mets ou des aliments nouveaux?», le quart des aînés disaient «beaucoup aimer», la moitié «un peu aimer» et 17% ne «pas du tout aimer» faire l'expérience de nouveaux mets.

9.5.4 Facteurs influant sur les choix alimentaires

Lorsqu'on leur demande de réagir à une série d'énoncés visant à déterminer les facteurs susceptibles d'influer sur leurs choix alimentaires, une proportion importante d'aînés disent fonder leurs choix d'aliments sur la base de préoccupations en regard des problèmes de santé. Les conditions médicales qui suscitaient le plus d'attention de la part des personnes interrogées étaient dans l'ordre: les maladies cardiovasculaires (40-50%), l'hypertension (35%), l'excès de poids (17-31%), l'ostéoporose (10-20%) et le cancer (10-15%). Soulignons que les femmes plus que les hommes étaient sensibles aux problèmes de santé.

Un nombre important de personnes interrogées disaient se préoccuper du profil nutritionnel des aliments. Parmi elles, de 34 à 57% choisissent leurs aliments à cause de leur teneur en éléments nutritifs, de 26 à 33%, en raison des acides gras polyinsaturés et de 40 à 59%, pour leur teneur en fibres. En revanche, un pourcentage important d'aînés affirment éviter certains aliments en raison de leur teneur en gras (75%), en sel, en cholestérol et en sucre (45-60%) et en acides gras saturés (30 à 40%).

À la question « Achèteriez-vous davantage certains aliments s'ils étaient moins chers? », les personnes interrogées ont répondu par l'affirmative dans les proportions suivantes: fruits (42 %), poisson (40 %), légumes (35 %), volaille (30 %) et lait (17 %).

9.5.5 Entourage au moment des repas

Une série d'énoncés visaient ensuite à documenter les conditions entourant la prise des repas. Les trois quarts des répondants ont dit consommer leur repas en présence d'un conjoint ou d'une personne âgée de 15 ans et plus, alors que pour 5 % d'entre eux, la prise des repas se faisait en compagnie d'enfants de moins de 14 ans.

Quel que soit le jour de la semaine, une majorité d'aînés (78-93 %) consacraient entre une minute et trente minutes à la prise des repas; de 3 à 22 % y consacraient plus de trente minutes, généralement au moment du souper.

9.5.6 L'information en matière de nutrition

Quant à leurs connaissances et à leurs pratiques en matière de nutrition, seulement 40 % des aînés avaient entendu parler du *Guide alimentaire canadien*, comparativement à 68 % pour la tranche des 18-34 ans. Bien que les données n'aient pas été analysées en fonction des aînés spécifiquement, les connaissances relatives au Guide étaient plus élevées pour les femmes que pour les hommes et tendaient à s'accroître en fonction du revenu et du niveau de scolarité.

Par ailleurs, 40 % des aînés se disaient satisfaits de la quantité d'information nutritionnelle disponible, mais 50 % la trouvaient insuffisante. Interrogés sur leurs moyens préférés pour obtenir de l'information nutritionnelle, les aînés privilégiaient les moyens suivants: la télévision (28 %), les journaux et les revues (22 %), les dépliants des supermarchés (18 %), les livres (13 %), la radio (6 %), les cours (5 %)[5].

Quant à la consultation des étiquettes nutritionnelles, il semble que les personnes âgées de 50 ans et plus les consultent davantage que les adultes

5. 9,1 % privilégiaient d'autres moyens.

plus jeunes, et cette pratique serait plus répandue chez les femmes que chez les hommes, de même que chez les personnes de scolarité élevée. En effet, plus de la moitié des personnes ayant une scolarité élevée disent lire les étiquettes la plupart du temps ou toujours, alors que seulement le tiers des personnes présentant une scolarité faible le font.

Lorsqu'ils consultent les étiquettes, les personnes âgées de 65 à 74 ans cherchent à obtenir des renseignements relatifs:

- à la présence de matières grasses (73%),
- à la présence de sucre (72%),
- à la composition générale des produits (70%),
- à la présence de sel (68%),
- au type de matières grasses (61%),
- à la présence de farine à grains entiers (58%),
- à la présence d'additifs chimiques (55%).

Ce chapitre, qui décrit le profil alimentaire des aînés québécois de même que leurs comportements et attitudes en matière de nutrition, a permis de prendre le pouls de la situation des personnes en santé. Sur la base des résultats présentés, on peut conclure que l'alimentation des aînés se compare favorablement à celle des populations plus jeunes, bien qu'elle ne soit certes pas encore optimale. Les progrès accomplis au cours des trente dernières années quant à l'alimentation des personnes âgées ne doivent toutefois pas tromper notre vigilance à cet égard. N'oublions pas qu'il y a toujours place à l'amélioration.

Références

Santé Québec, *Les Québécois et les Québécoises mangent-ils mieux? Rapport de l'Enquête québécoise sur la nutrition 1990*, Lise Bertrand (dir.), Montréal, Ministère de la Santé et des Services sociaux, 1995.

10
L'ÉVALUATION NUTRITIONNELLE

Comme nous l'avons vu dans les chapitres précédents, la personne vieillissante est exposée à un éventail de changements d'ordre physiopathologique et environnemental susceptibles d'altérer son état nutritionnel. La perte de l'acuité olfactive, les atteintes cognitives, les handicaps physiques, l'isolement social et la polymédication ne sont que quelques exemples de facteurs influant de façon négative sur l'équilibre nutritionnel des personnes âgées. (À ce propos, le chapitre 11 nous apprendra que, dans certains milieux, la dénutrition touche plus de 50% des aînés.) Compte tenu des conséquences néfastes de l'appauvrissement nutritionnel sur la santé et la qualité de vie, il est primordial de traiter les états carentiels le plus tôt possible. L'évaluation nutritionnelle constitue une étape fondamentale de ce processus. Acte professionnel réservé aux diététistes et aux nutritionnistes, cette évaluation permet de situer l'état de nutrition d'une personne par rapport aux standards de santé nutritionnelle et, ainsi, d'identifier les personnes dont l'état de nutrition est appauvri. En outre, l'évaluation nutritionnelle aide à établir un plan de soins et permet de suivre l'évolution du patient de même que sa réponse aux traitements.

Comme pour les adultes plus jeunes, l'évaluation nutritionnelle des personnes âgées repose sur une approche globale fondée sur les antécédents médicaux et sociaux, sur l'histoire diététique et sur la prise de mesures anthropométriques, biochimiques et cliniques. Si l'on privilégie une telle approche, c'est qu'aucune mesure ne permet à elle seule de diagnostiquer la malnutrition et les états carentiel ou de statuer sur l'état de nutrition d'une personne. Par définition, l'évaluation nutritionnelle complète devrait donc comprendre tous ces volets. Toutefois, dans la pratique, il arrive que certains paramètres ne puissent être évalués en raison d'un manque de ressources (humaines, matérielles ou financières); dans ce cas, l'évaluation nutritionnelle reposera sur les paramètres disponibles et sera nécessairement moins exhaustive.

Dans les pages qui suivent, nous analyserons donc les principaux paramètres qui permettent de mesurer l'état nutritionnel des personnes âgées.

10.1 Les antécédents médicaux et les conditions socioéconomiques

L'état de santé, la maladie, la prise de médicaments, de même que le contexte de vie dans lequel évolue la personne âgée constituent des déterminants importants de son état nutritionnel. Nous savons de manière générale que certains désordres du système digestif nuisent à l'ingestion et à l'absorption des nutriments par l'organisme et que d'autres pathologies contrecarrent les processus d'élimination. Par ailleurs, plusieurs médicaments altèrent la prise alimentaire ou nuisent au métabolisme des nutriments, notamment des vitamines. En outre, l'histoire des antécédents médicaux documente les diagnostics (actuels et antérieurs), les chirurgies, les désordres métaboliques, les symptômes, les malaises, les capacités mentales et physiques, les déficits auditif ou visuel, le niveau d'activité physique, l'usage de tabac et d'alcool, et la prise de médicaments (sur ordonnance ou en vente libre). Il va sans dire que toute condition (dépression, état inflammatoire, cancer, etc.) ou tout symptôme (douleur, nausée, vomissement, diarrhée, etc.) qui perturbent les apports alimentaires et l'utilisation des nutriments ou qui augmentent leur catabolisme contribuent au risque de malnutrition chez la personne âgée.

Par ailleurs, les conditions socioéconomiques dans lesquelles se trouve une personne sont souvent révélatrices de la qualité de son alimentation et de ses apports nutritionnels. Voilà pourquoi l'histoire des antécédents médicaux est habituellement complétée en obtenant des informations sur le revenu, les conditions de logement, la situation de ménage et le réseau social. Cela est important, car la personne âgée touchée par la pauvreté ou l'isolement social se trouvera davantage à risque sur le plan nutritionnel.

En somme, sans être elle-même de nature nutritionnelle, l'histoire des antécédents médicaux et des conditions socioéconomiques fournit des informations pertinentes en regard de la santé nutritionnelle de la personne âgée et des facteurs susceptibles de l'influencer.

10.2 L'histoire diététique

L'évaluation nutritionnelle de la personne âgée comprend par ailleurs une histoire diététique exhaustive. Cette dernière vise à dresser le profil de l'alimentation habituelle d'une personne sur une assez longue période de temps et à en identifier les facteurs d'influence. Au cours d'une entrevue, un diététiste qui a préalablement reçu une formation à cette fin invite dans un premier temps le sujet à décrire ses préférences alimentaires, à caractériser son alimentation habituelle (végétarienne, ethnique, etc.) et à préciser ses pratiques alimentaires (l'heure habituelle des repas, la compagnie aux repas, la fréquence des repas consommés au restaurant, etc.). Il l'invite également à faire part de ses allergies, de ses intolérances alimentaires et de toute restriction nutritionnelle qui pourrait être liée à une question d'observance religieuse, philosophique ou sociale. Il note aussi l'adhésion à des régimes alimentaires (thérapeutiques, amaigrissants ou autres), l'état des capacités sensorielles (odorat, goût) et masticatoires, l'état de la dentition et des capacités de déglutition, ainsi que l'histoire du poids (perte, gain). De même, il documente la présence d'anorexie, de nausées, de vomissements, de brûlures d'estomac, de diarrhée, de constipation et de toute autre condition susceptible d'affecter les apports nutritionnels. Enfin, le diététiste s'enquiert de l'approvisionnement alimentaire et des conditions entourant la préparation des repas du sujet; si ce dernier n'est pas en mesure d'effectuer ces activités lui-même, il note l'identité de la personne qui en est chargée.

Une évaluation quantitative des apports alimentaires complète l'information nutritionnelle recueillie. Pour ce faire, le diététiste a recours à un rappel alimentaire des dernières 24 heures ou à un relevé alimentaire d'une journée type, à un questionnaire de fréquence de la consommation habituelle ou à un journal alimentaire. Précisons que les trois premiers outils font appel à des approches rétrospectives, alors que le journal alimentaire évalue les apports de manière prospective (leurs particularités seront décrites en détail plus loin dans ce chapitre).

Ainsi, l'histoire diététique permet de recueillir des données qualitatives et quantitatives inestimables sur l'alimentation du sujet dont on évalue l'état de nutrition. Cette approche est toutefois coûteuse et laborieuse, son temps de réalisation variant entre une heure et deux heures. De plus, son succès est largement tributaire de la collaboration des sujets qui doivent présenter des fonctions mnésiques et cognitives intactes, une particularité qui exclut d'emblée certaines clientèles gériatriques. Enfin, l'histoire diététique requiert la participation d'un personnel hautement qualifié rompu aux techniques d'entrevue, une autre particularité qui peut limiter le choix de cette approche dans certains milieux. Ainsi, le manque de ressources empêche parfois de procéder à l'histoire diététique du sujet – instrument d'évaluation exemplaire.

Voyons maintenant plus en détail ce que sont le rappel de 24 heures, le relevé alimentaire d'une journée type, le questionnaire de fréquence de consommation et le journal alimentaire.

10.2.1 Le rappel de 24 heures

Le rappel de 24 heures porte, comme son nom l'indique, sur une période d'une journée. Le diététiste invite la personne à se remémorer tous les aliments et les boissons consommés au cours des dernières 24 heures. Afin d'aider les personnes à estimer les quantités consommées, on a habituellement recours à des modèles d'aliments, à des photos ou à d'autres représentations graphiques. Les données colligées doivent être le plus précises possible. Ainsi, on demande au sujet de spécifier les marques de commerce des produits consommés et de fournir des précisions relativement à la préparation des aliments (ingrédients utilisés, méthodes de cuisson, etc.). La prise de suppléments de vitamines, de minéraux et d'autres produits naturels est également notée. Toutes ces données sont ensuite consignées dans un formulaire du type de celui qui est présenté ci-contre[1].

1. Reproduit avec l'aimable autorisation de l'Ordre professionnel des diététistes du Québec.

RAPPEL DE 24 HEURES

Nom : ______	Jour : ☐
Date : ______	☐ M M J V S D (Encercler)

Repas/Heure	Quantité	Aliments
Déjeuner Heure : ___		
Collation AM Heure : ___		
Dîner Heure : ___		
Collation PM Heure : ___		
Souper Heure : ___		
Collation HS Heure : ___		

Le rappel de 24 heures offre plusieurs avantages. Entre autres, il est d'administration facile et rapide et il est relativement peu exigeant pour le sujet. Par contre, les données colligées lors du rappel peuvent ne pas refléter l'alimentation habituelle. En outre, le fait d'être interrogées sur leur alimentation peut amener certaines personnes à sous-estimer ou à surestimer les quantités consommées afin de présenter un portrait favorable de leur alimentation. C'est pourquoi cette approche est associée à d'autres outils d'évaluation pour obtenir l'histoire diététique. En dehors de ce contexte, la représentativité des données nutritionnelles peut être améliorée en effectuant des rappels sur plusieurs jours non consécutifs (par exemple, à différents jours de la semaine ou à différentes saisons de l'année). Des travaux indiquent qu'un ensemble de trois à quatre rappels de 24 heures obtenus à différents moments de l'année permet une estimation acceptable des apports alimentaires individuels.

Par contre, le rappel de 24 heures est particulièrement indiqué lorsqu'il s'agit de tracer un portrait de l'alimentation d'un groupe ou d'une population. D'ailleurs, cet outil est habituellement retenu pour les enquêtes nutritionnelles, comme ce fut le cas lors de l'Enquête québécoise sur la nutrition, menée en 1990 (revoir à ce sujet le chapitre 9).

10.2.2 Le relevé alimentaire d'une journée type

Étant donné que le rappel de 24 heures ne reflète pas toujours l'alimentation habituelle, certains diététistes préfèrent effectuer un relevé alimentaire d'une journée type. Cette démarche est en tout point comparable à celle du rappel de 24 heures à la différence qu'au lieu de porter sur les dernières 24 heures, les données s'appliquent à une journée type. Celles-ci sont habituellement consignées dans un formulaire semblable à celui qui est utilisé pour le rappel de 24 heures ou elles sont intégrées au formulaire du questionnaire de fréquence de la consommation habituelle (voir à ce sujet la section qui suit).

Ainsi, on invite le sujet à décrire les aliments qui composent habituellement son déjeuner, son lunch et son dîner, de même que les boissons et les collations qu'il consomme au cours de la journée. Cette description, qui inclut la taille des portions, se poursuit jusqu'à l'obtention d'un profil alimentaire type. Tout comme pour le rappel de 24 heures, on note aussi la prise d'alcool, de suppléments nutritionnels et de produits naturels.

Précisons que cette approche est particulièrement utile lorsqu'il s'agit d'obtenir des renseignements relatifs au comportement alimentaire (par exemple, l'omission des repas, la prise de collations, les heures de repas, etc.). En revanche, les personnes dont les habitudes alimentaires varient sensiblement d'une journée à l'autre pourront avoir du mal à tracer un portrait général de leur alimentation.

10.2.3 Le questionnaire de fréquence de consommation

Comme son nom le suggère, le questionnaire de fréquence de consommation consiste à estimer la consommation alimentaire d'une personne sur une base journalière, hebdomadaire ou mensuelle, voire annuelle. Le

Questionnaire de fréquence de consommation et rappel de l'alimentation habituelle[2]

GROUPES D'ALIMENTS	QUANTITÉ/FRÉQUENCE	
Viandes et substituts		**Menu habituel**
Viandes : bœuf, porc, veau, agneau		Déjeuner :
Volailles		Lieu : __________
Poissons, mollusques, crustacés		Heure : ________
Abats : foie, cœur, autres		
Charcuterie		
Œufs, substituts de l'œuf		
Beurre d'arachide		
Légumineuses		
Noix, amandes, graines		
Lait et produits laitiers		**Menu habituel**
Lait : entier, 2 %, 1 %, écrémé		Dîner :
Crème : 10 %, 15 %, 35 %, colorant à café		Lieu : __________
Soupes, crèmes		Heure : ________
Yogourt, desserts au lait		
Fromages		
Crème glacée, lait glacé		
Pains et céréales		
Pain : enrichi, blanc, blé entier		
Pain : autre		
Biscottes, craquelins		
Pâtes alimentaires, riz, semoule		
Céréales à déjeuner : grains entiers, raffinées		
Fruits et légumes		**Menu habituel**
Jus		Souper :
Fruits : frais, conserve, secs		Lieu : __________
Légumes : cuits, frais, conserve, surgelés		Heure : ________
Pommes de terre		
Légumes crus/salades		

2. Reproduit avec l'aimable autorisation de l'Ordre professionnel des diététistes du Québec.

GROUPES D'ALIMENTS	QUANTITÉ/FRÉQUENCE	
Matières grasses Beurre Margarine (marque) Mayonnaise, vinaigrette : commerciale, maison Sauces Bacon, lard, graisse Desserts Pâtisseries, gâteaux, tartes Biscuits Autres		**Menu habituel** Collations : AM Lieu : ________ Heure : ________ PM Lieu : ________ Heure : ________ Soirée : Lieu : ________ Heure : ________
Sucre et confiseries Sucre, cassonade, mélasse Gelée, confiture, miel, sirop Chocolats, bonbons Produits avec édulcorants synthétiques		
Liquides Café, thé, infusion Boisson gazeuse Bière, vin, alcool Eau		
Divers Croustilles, grignotises Suppléments : vitamines, minéraux, autres		
Assaisonnement Sel : beaucoup, mod., peu, pas		
Autres		

questionnaire de fréquence de consommation regroupe les aliments selon leur profil nutritionnel (les légumes, les produits laitiers, etc.) ou selon leur teneur en un élément nutritif particulier (la teneur en calcium, en vitamine K, etc.). On trouvera aux pages précédentes un exemple de questionnaire de fréquence de consommation habituelle.

On utilise le questionnaire de fréquence de consommation en complément du rappel de 24 heures ou du relevé alimentaire d'une journée type pour valider ou bonifier les données recueillies. En dehors de ce contexte, on utilise souvent cet outil pour classer les apports nutritionnels des individus en catégories (faibles, moyens, élevés, etc.). En outre, on l'utilise largement dans le cadre d'études épidémiologiques visant à établir des liens entre la consommation de certains aliments ou nutriments et l'apparition de conditions pathologiques. L'étude de l'association entre les aliments riches en matières grasses et certaines formes de cancer en constitue un bon exemple.

Le questionnaire de fréquence de la consommation habituelle est facile et rapide d'administration. En outre, il est relativement peu exigeant pour le sujet, l'estimation des quantités consommées étant habituellement facilitée par le recours à des modèles d'aliments ou à des photos. Cependant, il est moins précis que le rappel de 24 heures ou que le relevé de l'alimentation type. Quel que soit son but (évaluation de la consommation générale ou d'un nutriment particulier), on doit préalablement valider le questionnaire de fréquence auprès des clientèles cibles avant de l'utiliser.

10.2.4 Le journal alimentaire

L'histoire diététique peut également comporter la tenue d'un journal alimentaire. Contrairement aux outils présentés jusqu'à présent, ce dernier permet d'évaluer les apports alimentaires de manière prospective. En effet, le sujet est invité à noter tous les aliments et boissons qu'il consomme aux repas et entre les repas pour une période variant de trois à sept jours, dont au moins un jour de week-end (afin d'assurer la représentativité des données). L'estimation des apports alimentaires s'effectue par le sujet lui-même, soit en évaluant la fraction des portions consommées (méthode par estimation visuelle), soit en pesant les aliments non consommés et en les soustrayant des portions de départ (méthode par la pesée), cette dernière méthode étant généralement considérée comme la plus précise de toutes.

Comme pour les autres outils d'évaluation, la tenue du journal alimentaire oblige à fournir un maximum de précisions quant aux types d'aliments et boissons consommés (par exemple, lait entier ou écrémé, légumes frais ou surgelés, marques de commerce, etc.), ainsi qu'à leur mode de préparation et de cuisson. Le sujet doit aussi noter l'heure des repas et des collations de même que le lieu où il les prend. Les données sont consignées dans un formulaire semblable à celui présenté pour le rappel de 24 heures.

Par comparaison aux approches rétrospectives (rappel de 24 heures, relevé alimentaire d'une journée type, questionnaire de fréquence de consommation), le journal alimentaire permet une évaluation plus précise des apports alimentaires, surtout si cette dernière est réalisée par la méthode de la pesée. Il a comme autre avantage de ne pas faire appel de manière importante à la mémoire, ce qui s'avère un atout avec certaines clientèles gériatriques. En revanche, le journal alimentaire nécessite une très grande participation des sujets qui doivent d'abord être formés à cette technique avant de commencer la collecte de données. En fait, la motivation des participants et le soin qu'ils apportent à l'entrée des données déterminent en grande partie le succès de cette approche. Par ailleurs, le caractère prospectif de cet outil peut amener les sujets à modifier, consciemment ou non, leur alimentation dans le but de simplifier la collecte des données ou de présenter un profil alimentaire favorable.

10.3 La traduction des données alimentaires en données nutritionnelles

Les données alimentaires obtenues par l'un ou l'autre des outils d'évaluation présentés jusqu'à présent peuvent être comparées à des standards de référence tels que le Guide alimentaire canadien et permettre d'obtenir une évaluation de l'alimentation générale du sujet. Toutefois, pour une évaluation nutritionnelle complète, le diététiste a habituellement besoin de données plus précises. Celles-ci sont donc converties en valeurs nutritionnelles grâce aux tables de composition, une série de tableaux indiquant la quantité de nutriments contenus dans les aliments. Au Canada, les tables de composition sont élaborées à partir du *Fichier canadien sur les éléments nutritifs*, une imposante banque de données gérée par le ministère canadien de la Santé. Soulignons toutefois que les tables de composition sont encore incomplètes pour certains éléments nutritifs (ex. la biotine) et font constamment l'objet de mises à jour. Les données alimentaires sont ensuite analysées soit manuellement à partir des tables, soit, plus généralement maintenant, à l'aide de logiciels informatisés qui comprennent les données canadiennes. Après leur analyse, les apports nutritionnels sont comparés soit à des valeurs de référence telles que les *Recommandations sur la nutrition pour les Canadiens* et les *Apports nutritionnels de référence*, soit aux besoins nutritifs de la personne ou, dans le cas d'un suivi nutritionnel, aux valeurs antérieures du sujet. Plus les apports nutritionnels d'une personne s'éloignent des apports nutritionnels de référence ou de ses besoins calculés, plus les risques de déséquilibre nutritionnel augmentent.

10.4 Les mesures anthropométriques

L'évaluation nutritionnelle de la personne âgée s'appuie également sur l'anthropométrie, l'ensemble des techniques de mensuration du corps humain. Simples, peu coûteuses et peu envahissantes, les mesures anthropométriques fournissent des renseignements importants sur la composition corporelle et elles sont utiles pour détecter les états de dénutrition et d'embonpoint. Les principales mesures anthropométriques utilisées en gériatrie sont celles de la taille, du poids, de l'indice de masse corporelle (IMC), du pli cutané tricipital (PCT), du ratio tour de taille/tour de hanche (TT/TH), et des circonférences brachiale (CB) et du mollet (CM). La mesure du pli cutané tricipital et le ratio tour de taille/tour de hanche permettent d'évaluer la masse adipeuse, et les circonférences brachiale et du mollet reflètent la masse musculaire. Les mesures anthropométriques obtenues sont ensuite comparées à des valeurs de référence ou aux valeurs antérieures du sujet. Les mesures anthropométriques sont utilisées pour le suivi nutritionnel.

10.4.1 La mesure de la taille, du poids et de l'indice de masse corporelle

▶ LA TAILLE

La taille constitue un paramètre anthropométrique en soi et elle est prise en compte dans le calcul de plusieurs mesures dérivées. Pour le sujet qui peut se tenir debout, la taille est évaluée à l'aide d'une toise alors que la personne se tient bien droit, sans chaussures, le regard à l'horizon, comme l'illustre la figure 10.1.

Pour les sujets alités ou en fauteuil roulant, de même que pour ceux qui présentent une cyphose, la taille peut être évaluée à partir de la hauteur du genou. Comme on le voit à la figure 10.2, la hauteur du genou correspond à la distance qui sépare le dessous du talon du dessus des condyles fémoraux.

Cette mesure est prise idéalement du côté gauche alors que la jambe est maintenue dans un angle de 90° avec la cuisse. Le pied fait également un

FIGURE 10.1 *

La taille (à l'aide de la toise)

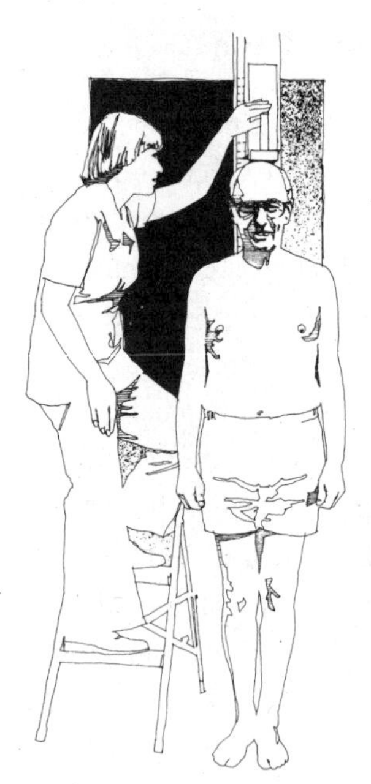

* Les figures 10.1, 10.2 et 10.3 sont tirées du document *Nutritional Assessment of the Elderly Through Anthropometry* publié par Ross Laboratories en 1988.

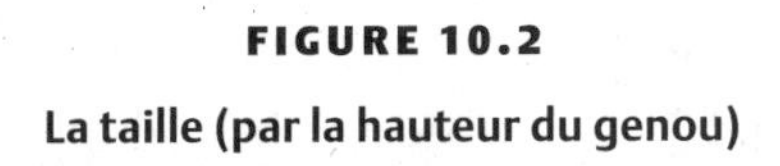

FIGURE 10.2

La taille (par la hauteur du genou)

angle de 90° avec la jambe. La taille est ensuite évaluée en intégrant la hauteur du genou (moyenne de deux mesures) dans l'équation suivante:

Taille, hommes (cm) = (2,02 x hauteur du genou) – (0,04 x âge) + 64,19

Taille, femmes (cm) = (1,83 x hauteur du genou) – (0,24 x âge) + 84,88

▶ LE POIDS

Le poids reflète à la fois les masses adipeuse, musculaire, hydrique et osseuse, et il représente la composante la plus importante des valeurs anthropométriques, notamment en milieu gériatrique. En effet, nous verrons au chapitre suivant que l'insuffisance pondérale et la perte non intentionnelle de poids constituent des facteurs de risque importants de dénutrition chez la personne âgée. Dans le cadre de l'évaluation nutritionnelle, le diététiste s'intéresse à trois aspects: il évalue le poids actuel, il détermine dans quelle mesure ce poids s'éloigne du poids habituel du sujet (pourcentage du poids habituel) et établit s'il y a eu perte de poids en fonction du temps, selon les formules suivantes.

Pourcentage du poids habituel

$$\frac{\text{Poids actuel}}{\text{Poids habituel}} \times 100$$

Pourcentage de perte de poids en fonction du temps

$$\frac{\text{Poids habituel} - \text{Poids actuel}}{\text{Poids habituel}} \times 100$$

Ainsi, pour les sujets qui peuvent se tenir debout, le poids est mesuré de préférence à l'aide d'une balance à fléau (voir la figure 10.3), à 0,1 kg près.

On évalue le poids des personnes présentant des problèmes de mobilité ou des patients grabataires à l'aide de balances spécialisées (balance à plate-forme pour les patients en fauteuil roulant, balance couplée au lève-malade pour les patients alités, etc.).

À noter que la mesure du poids pourra être affectée par l'œdème, une condition qui se caractérise par une rétention d'eau dans certaines parties

FIGURE 10.3

Le poids

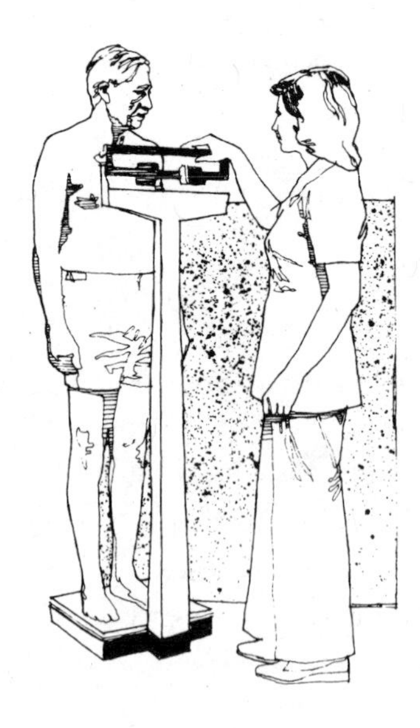

du corps, notamment dans les chevilles. Aussi, avant d'accepter un écart important entre deux mesures pondérales, le clinicien devrait s'assurer que l'une d'elles n'est pas faussée par la présence d'œdème.

L'INDICE DE MASSE CORPORELLE

L'évaluation anthropométrique du sujet âgé comporte également le calcul de l'indice de Quetelet ou indice de masse corporelle (IMC), une mesure de poids corrigée pour la taille. Cet indice s'obtient ainsi:

$$\text{IMC} = \frac{\text{Poids (kg)}}{\text{Taille (m}^2\text{)}}$$

Bien que d'abord utilisé pour apprécier le degré d'adiposité, l'IMC a été largement étudié en milieu gériatrique en regard de la morbidité et de la mortalité. Ainsi, chez la personne âgée, des travaux indiquent que l'IMC associé aux meilleurs états de santé et de longévité se situe entre 24 et 27.

10.4.2 La mesure de la masse adipeuse

Pli cutané tricipital. Chez l'adulte, environ la moitié de la masse adipeuse totale de l'organisme se trouve au niveau sous-cutané. S'appuyant sur cette donnée, il est possible d'évaluer la masse adipeuse grâce à la mesure du pli cutané tricipital. Chez la personne âgée, la relation entre le pli cutané tricipital et la masse adipeuse est toutefois légèrement faussée compte tenu du fait qu'une plus grande proportion des réserves adipeuses se situe au niveau intramusculaire. Malgré cela, la mesure du pli cutané tricipital est largement utilisée en milieu gériatrique et sert notamment à évaluer la maigreur des personnes.

Ainsi, tel que l'illustre la figure 10.4, le pli cutané tricipital est évalué derrière le bras, au niveau des triceps, à mi-distance entre l'acromion et l'olécrane. La mesure s'effectue à l'aide d'un adiposimètre (compas à ressort muni d'une jauge) en pinçant la peau et le tissu adipeux sous-cutané entre le pouce et l'index. La mesure est prise à 0,2 mm près et est habituellement répétée, les deux mesures ne devant pas différer de plus de 0,4 mm.

FIGURE 10.4

Le pli cutané tricipital

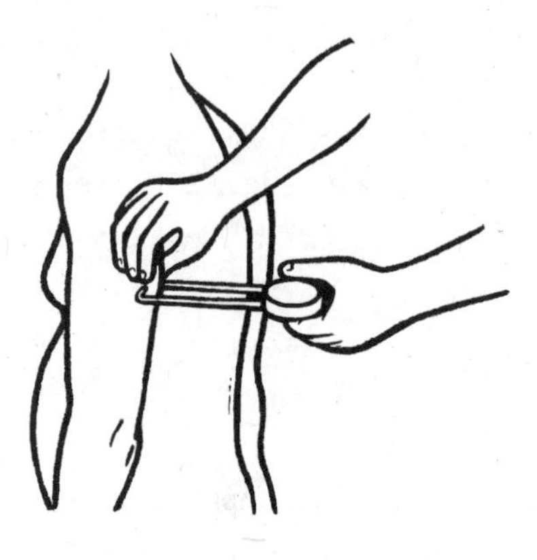

Contrairement aux mesures du poids et de la taille, la mesure du pli cutané tricipital (tout comme celle de la circonférence brachiale, cf. section 10.4.3) requiert de l'évaluateur une certaine dextérité manuelle et un entraînement auprès des clientèles âgées. Cette mesure anthropométrique est plus difficile à réaliser chez le sujet âgé que chez le jeune adulte, et elle risque souvent d'être erronée. En effet, le vieillissement entraîne un ramollissement des chairs qui rend parfois difficile la séparation du tissu adipeux des couches musculaires sous-jacentes. De plus, on observe une augmentation de la compressibilité du tissu sous-cutané. Ces caractéristiques constituent des facteurs de variation qui peuvent réduire la précision des mesures.

Ratio tour de taille/tour de hanche (TT/TH). Si la mesure du pli cutané tricipital reflète la masse adipeuse totale, elle ne donne toutefois aucune indication sur la répartition des graisses dans l'organisme. Or, des travaux réalisés au cours des vingt dernières années ont mis en évidence des liens importants entre l'adiposité intra-abdominale et l'apparition de certaines maladies chroniques. Plus spécifiquement, les personnes qui présentent une adiposité intra-abdominale élevée sont davantage à risque d'hypercholestérolémie, d'hypertension artérielle, de maladies cardiovasculaires et de diabète de type 2. La mesure de l'adiposité intra-abdominale s'obtient en calculant le ratio tour de taille/tour de hanche; des ratios >0,8

FIGURE 10.5

Tour de taille et tour de hanche

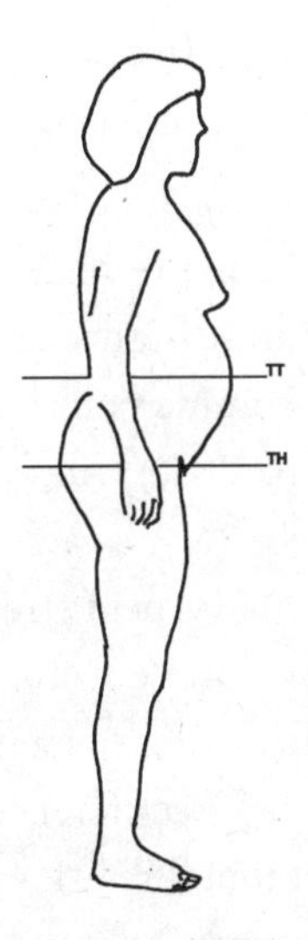

chez la femme et >1,0 chez l'homme ayant été associés à une augmentation du risque de maladies cardiovasculaires. Tel que l'illustre la figure 10.5, ces mesures s'effectuent alors que le sujet se tient debout, les bras éloignés du corps ou les mains posées sur les épaules. Dans chaque cas, les tours sont mesurés à l'aide d'un ruban flexible mais non élastique, à la fin d'une expiration normale, en appliquant une tension suffisante pour maintenir le ruban en position sans créer une marque à la surface de la peau. Ainsi, la mesure du tour de taille représente la plus petite circonférence au niveau de l'abdomen alors que le tour de hanche est évalué au niveau de la symphyse pubienne et du renflement fessier maximal. Les mesures sont effectuées au demi-centimètre près.

10.4.3 La mesure de la masse musculaire

L'anthropométrie permet également d'évaluer la masse musculaire, principal réservoir protéique de l'organisme. La masse musculaire constitue une composante importante de l'évaluation nutritionnelle de la personne âgée compte tenu de la forte prévalence de sarcopénie (fonte musculaire) au sein des clientèles âgées. On évalue la masse musculaire en déterminant la circonférence musculaire brachiale (CMB) à partir de la circonférence brachiale (CB) et du pli cutané tricipital (PCT), selon la formule suivante:

$$\text{CMB (cm)} = \text{CB (cm)} - [\pi \text{ PCT (cm)}]$$

Rappel: $\pi = 3{,}1416$

Ainsi, et tel que l'illustre la figure 10.6, la circonférence brachiale est mesurée au milieu du bras, à mi-distance de l'acromion et de l'olécrane, à l'aide d'un ruban flexible et, comme pour les tours de taille et de hanche, en faisant attention de ne pas comprimer les tissus sous-cutanés. La mesure est prise à 0,2 cm près.

Par ailleurs, la masse musculaire peut être estimée à partir de la circonférence du mollet, une mesure qui s'effectue alors que le sujet est dans la même position que celle décrite pour la hauteur du genou. Comme pour les autres mesures de tours, la circonférence du mollet s'obtient à l'aide d'un ruban flexible, lequel est mobilisé le long de la jambe afin de mesurer la circonférence la plus importante. La mesure est prise à 0,2 cm près. Précisons que la mesure de la circonférence du mollet est davantage répandue en Europe qu'en Amérique du Nord.

FIGURE 10.6

La circonférence brachiale

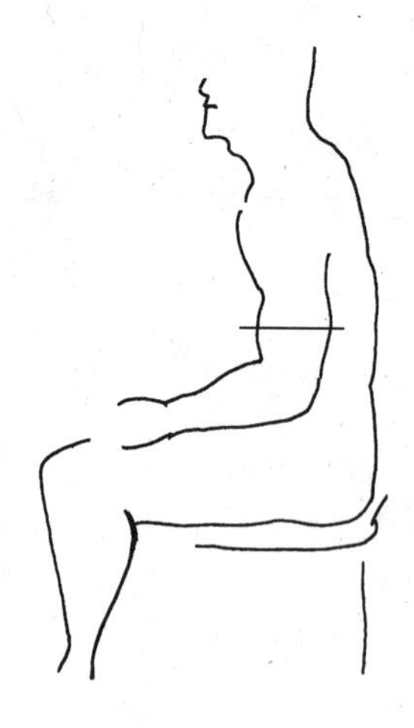

10.5 Les paramètres biochimiques

L'évaluation nutritionnelle de la personne âgée comprend par ailleurs l'analyse de divers paramètres biochimiques. Obtenues à partir d'échantillons de sang et par conséquent plus envahissantes que les autres composantes de l'évaluation nutritionnelle présentées jusqu'à présent, les mesures biochimiques permettent de détecter les états carentiels avant que les manifestations physiques n'apparaissent (voir la section 10.6 à ce sujet). Il existe un large éventail de paramètres biochimiques permettant d'évaluer l'état de nutrition d'un individu. Toutefois, le diététiste aura habituellement recours à un nombre limité d'entre eux en raison des coûts qui y sont associés.

De manière générale, les paramètres biochimiques évalués en milieu gériatrique sont liés aux désordres nutritionnels les plus fréquemment observés au sein de cette population. Ainsi, compte tenu de la forte prévalence de la dénutrition protéino-énergétique au sein des clientèles âgées, l'évaluation biochimique comprend habituellement une série de paramètres relatifs au compartiment protéique viscéral, notamment l'albumine et la transferrine. L'albumine constitue la protéine sérique la plus abondante (5000 mg/kg de poids corporel) et elle est de plus en plus reconnue comme un marqueur pronostique de morbidité. En raison de sa demi-vie relativement longue (environ vingt jours), l'albumine est utile lorsqu'il s'agit de suivi nutritionnel s'étalant sur d'assez longues périodes de temps. La transferrine, principale protéine de transport du fer, possède un *pool* plus petit (moins de 100 mg/kg de poids corporel) et sa demi-vie est plus courte que celle de l'albumine (8,8 jours), ce qui en fait un marqueur plus sensible aux changements nutritionnels à court terme. Comme le taux de transferrine varie en fonction du statut en fer (les taux augmentent en cas de carence), on ne pourra utiliser les valeurs de transferrine comme marqueur de l'état protéique que si les réserves en fer sont normales. La préalbumine est une autre protéine du compartiment protéique viscéral d'intérêt, sa demi-vie est encore plus courte (deux jours) et son *pool* plus petit que ceux de l'albumine et de la transferrine, ce qui l'habilite à réagir rapidement aux interventions nutritionnelles. Toutefois, son dosage plus coûteux en limite l'utilisation dans la pratique.

Parce que l'état nutritionnel influe de manière significative sur la fonction immunitaire, les paramètres biochimiques comprennent habituellement la mesure du taux de lymphocytes, aussi connu sous le nom de décompte lymphocytaire. Ce paramètre, facile d'accès et peu coûteux, tend à diminuer dans les états de dénutrition et possède une bonne valeur pronostique. L'hémoglobine et le cholestérol sérique constituent par ailleurs deux autres paramètres de l'évaluation nutritionnelle biochimique de base.

À moins de soupçonner une carence vitaminique particulière, l'évaluation du statut vitaminique du sujet âgé se limitera à celui de la vitamine B_{12} et des folates, la mesure de la vitamine B_{12} s'effectuant dans le sérum, celle de l'acide folique soit dans le sérum, soit dans les érythrocytes.

Comme l'état métabolique, notamment les états d'hypermétabolisme, influe sur le statut nutritionnel, l'évaluation nutritionnelle devrait comporter la mesure de protéines sensibles aux états inflammatoires. Dans la pratique, la protéine C réactive est la plus couramment utilisée, bien que le coût de son dosage soit relativement élevé.

Enfin, en raison de la prévalence de la déshydratation en milieu gériatrique, l'évaluation nutritionnelle comprend généralement la mesure de l'osmolarité sérique, laquelle est obtenue à partir des valeurs de sodium, de glucose et d'urée sériques. Elle se calcule ainsi:

Osmolarité sérique

(sodium sérique mmol/L x 2) + glucose sérique mmol/L + urée sérique mmol/L

Soulignons qu'en plus de permettre la détection des états de déshydratation, la mesure de l'osmolarité sérique permet d'interpréter de manière optimale les autres paramètres biochimiques évalués. La déshydratation s'accompagne en effet d'une hémoconcentration qui a pour conséquence d'élever artificiellement les valeurs sériques. La mesure de l'osmolarité sérique permet ainsi d'éviter les erreurs d'interprétation.

10.6 Les signes cliniques

Dans les stades avancés, les carences nutritionnelles engendrent diverses anomalies qu'un diététiste à l'œil averti peut repérer. Le plus souvent, les signes cliniques des états carentiels se manifestent au niveau de la peau, des ongles, des lèvres, des gencives, des dents, de la langue, des cheveux, des yeux, des appareils digestif et musculo-osseux et des systèmes neurologique, cardiovasculaire et pulmonaire. Soulignons toutefois que plusieurs signes cliniques peuvent résulter d'une carence de plus d'un nutriment. Par conséquent, l'examen physique devrait toujours être complété par d'autres données (anthropométriques, biochimiques).

10.7 Les mesures fonctionnelles

L'évaluation nutritionnelle du sujet âgé comprend enfin des mesures fonctionnelles. Parmi ces dernières, on compte les tests cutanés d'hypersensibilité retardée, lesquels évaluent l'immunocompétence, et la force de préhension, qui constitue une mesure de la fonction musculaire. Bien qu'ils soient indicatifs du statut protéique, dans la pratique, on utilise peu les tests cutanés d'hypersensibilité retardée en raison de leur coût et du fardeau qu'ils imposent aux sujets. En revanche, l'évaluation de la force de préhension représente un moyen rapide, peu coûteux et peu envahissant d'estimer les réserves protéiques de l'organisme. Mesure obtenue à l'aide d'un dynamomètre manuel, la force de préhension est habituellement plus rapidement modifiée dans les cas de traitements nutritionnels que les mesures anthropométriques telles que la circonférence musculaire brachiale et le pli cutané tricipital. On associe à une augmentation du risque de complications postopératoires une diminution de 15% de la force de préhension par rapport aux normes de référence (voir le tableau 10.1).

Par ailleurs, bien qu'il constitue une mesure indirecte de l'état de nutrition, le test «Timed up and go» est fréquemment utilisé en milieu gériatrique, car il permet d'évaluer les capacités fonctionnelles des individus. Tel que discuté au chapitre 5, le vieillissement s'accompagne d'une diminution de la masse et de la force musculaires pouvant grandement nuire à l'autonomie des personnes âgées. Or, jumelée aux autres paramètres d'évaluation, la mesure des capacités motrices fournit des informations pertinentes à la planification des interventions nutritionnelles. Concrètement, ce test mesure, en secondes, le temps que met une personne à se lever d'une chaise avec appui-bras, à marcher trois mètres, à pivoter et à

TABLEAU 10.1

Limite inférieure acceptable de la force de préhension

ÂGE	FORCE DE PRÉHENSION (kg)	
	Femmes	Hommes
60 ans	27	43
65 ans	25	41
70 ans	23	39
75 ans	20	37
80 ans	18	35
85 ans	15	32
90 ans	11	29
95 ans	8	26

revenir s'asseoir sur la chaise. Le test prend fin lorsque la personne est à nouveau adossée à la chaise. Il est exécuté à vitesse confortable, sur un parcours balisé et avec un accessoire de marche, si nécessaire. La personne qui effectue le test porte ses chaussures habituelles et aucune assistance physique n'est donnée. Il s'agit d'un test simple et facilement réalisable dans un contexte clinique.

10.8 Formulaire d'évaluation utilisé en milieu gériatrique

Comme nous venons de le voir, l'évaluation nutritionnelle du sujet âgé s'appuie sur de nombreux paramètres. Dans le but de se faciliter la tâche, les nutritionnistes ont développé des outils permettant de colliger efficacement les données relatives à cette évaluation. À titre d'exemple, nous vous invitons à consulter le Formulaire d'évaluation nutritionnelle du Service de nutrition clinique de l'Institut universitaire de gériatrie de Montréal (<http://www.pum.umontreal.ca/alimentation>). Il comprend plusieurs dimensions de l'évaluation nutritionnelle traitées dans le présent chapitre et les présente dans un format facile d'utilisation.

Ce chapitre avait pour principal objectif de nous familiariser avec les composantes et les fondements de l'évaluation nutritionnelle de la personne âgée. Vous verrez maintenant, dans le chapitre 11, qui traite des problèmes nutritionnels les plus fréquemment observés au sein des clientèles gériatriques, comment on peut mettre ces notions en application.

Références

Bernier, P., L. St-Laurent et M. Daignault-Gélinas, « Évaluation nutritionnelle », dans Chagnon-Decelles, D., M. Daignault Gélinas, L. Lavallée Côté *et al.* (dir.), *Manuel de nutrition clinique*, 3e éd., Montréal, Ordre professionnel des diététistes du Québec, 2000.

Chumlea, W. C., Vellas, B. J., Roche, A. F. *et al.*, « Particularités et intérêt des mesures anthropométriques du statut nutritionnel des personnes âgées », *Age & Nutrition*, vol. 1, 1990, p. 7-20.

Gibson, R. S., *Nutritional Assessment. A Laboratory Manual*, New York, Oxford University Press, 1993.

Jetté, M., *Guide des mensurations anthropométriques des adultes canadiens*, Ottawa, Université d'Ottawa/Faculté des sciences de la santé/Département de kinanthropologie, 1983.

Leclerc, B. S. et M.-J. Kergoat, *Évaluation de l'état nutritionnel de la personne âgée hospitalisée*, Montréal, Association canadienne-française pour l'avancement des sciences (ACFAS), 1988.

Podsiadlo, D. et S. Richardson, « The timed "Up & Go": A test of basic functional mobility for frail elderly persons », *Journal of the American Geriatrics Society*, nº 39, 1991, p. 142-148.

11
PRINCIPAUX PROBLÈMES NUTRITIONNELS CHEZ LA PERSONNE ÂGÉE

Il est maintenant bien documenté que les personnes âgées constituent un groupe particulièrement à risque sur le plan nutritionnel. Les chapitres 5 et 6 nous ont sensibilisés au fait que plusieurs caractéristiques physio-pathologiques et psychosociales des personnes âgées étaient susceptibles d'influer sur les apports alimentaires, de modifier le métabolisme des nutriments et de compromettre l'équilibre nutritionnel. Dans le présent chapitre, nous nous proposons d'approfondir cette question en discutant des problèmes nutritionnels les plus fréquemment observés au sein des clientèles âgées. Au nombre de ces problèmes se trouvent la dénutrition – notamment la dénutrition protéino-énergétique, qui touche une proportion importante de la population âgée –, les carences nutritionnelles, la dysphagie, la déshydratation et la constipation. Dans chaque cas, nous présenterons les caractéristiques de ces désordres, nous en analyserons les principales causes et les facteurs de risque et nous évaluerons leurs conséquences. En outre, nous distinguerons les clientèles âgées vivant à domicile de celles vivant en institution, la prévalence et la gravité de ces désordres variant sensiblement selon le cas.

11.1 La dénutrition

Longtemps négligée par les professionnels de la santé, la dénutrition est maintenant reconnue comme l'un des principaux déterminants de la morbidité et de la mortalité chez la personne âgée. La dénutrition, une composante de la malnutrition, laquelle se définit comme une alimentation mal équilibrée pouvant résulter d'une suralimentation ou d'une sous-alimentation, représente un des principaux problèmes nutritionnels en gériatrie.

11.1.1 La prévalence de la dénutrition

Selon des données de sources nord-américaines et européennes, la dénutrition, et plus particulièrement la dénutrition protéino-énergétique, toucherait entre 5 et 15 % des personnes âgées vivant dans la communauté, alors que sa prévalence varierait entre 20 et 65 % chez les populations âgées hospitalisées ou vivant en centre d'hébergement (soins de longue durée, maison de retraite, etc.). Les taux de dénutrition varient donc de manière importante selon les groupes. Si l'étendue des prévalences au sein d'une même clientèle peut paraître surprenante à première vue, elle tient en partie au choix des paramètres diagnostiques utilisés (diététiques, anthropométriques ou biologiques, ou une combinaison des trois) et aux valeurs seuils retenues pour définir la dénutrition.

La plus forte prévalence de dénutrition observée en milieu hospitalier est en partie attribuable au fait que les personnes admises à l'hôpital sont souvent déjà en état de dénutrition. Une étude européenne réalisée au milieu des années 1990 a clairement mis en évidence cet état de fait en comparant l'état nutritionnel de 300 patients âgés de plus de 70 ans au moment de leur admission à celui de 106 personnes du même âge vivant dans la communauté. Utilisant des critères de dénutrition basés sur les mesure d'albumine, de l'indice de masse corporelle, de pli cutané tricipital et de circonférence musculaire brachiale, les auteurs ont observé des taux de dénutrition de près de 60 % chez les patients, comparativement à des taux de moins de 15 % chez les personnes vivant dans la communauté. Dans cette étude, 69 % des femmes et 65 % des hommes hospitalisés rapportaient avoir eu des apports énergétiques inférieurs respectivement à 1700 kcal et 2000 kcal, dans le mois précédant leur hospitalisation. En outre, ils étaient plus nombreux, comparativement aux sujets du groupe témoin, à avoir eu des apports en micronutriments se situant en deçà de 75% des apports recommandés.

Au Canada, les données relatives à la dénutrition sont relativement limitées. Au Québec, une enquête menée auprès de 290 personnes âgées bénéficiant de programmes communautaires de soutien à domicile a mis en évidence la vulnérabilité de ce groupe en matière de nutrition. Ainsi, on a noté chez une majorité de sujets des apports énergétiques insuffisants pour assurer le maintien du poids, 38% des sujets rapportant une perte involontaire de poids, dont des pertes jugées excessives chez 17% d'entre eux. Les faibles apports énergétiques avaient pour autre conséquence que les apports protéiques de près de la moitié des sujets ne permettaient pas de combler leurs besoins estimés à 0,8 g par kg de poids corporel. Enfin, les apports en micronutriments étant habituellement le reflet des apports totaux, ces derniers ne fournissaient pas 67% de la recommandation pour plus de quatre éléments nutritifs chez 32% des femmes et 21% des hommes.

Par ailleurs, des travaux menés dans un centre de soins de longue durée de la ville de London, en Ontario, ont révélé une prévalence de la malnutrition comparable à ce qui est observé dans d'autres pays. Dans cette étude, les auteurs ont évalué l'état nutritionnel d'un groupe de 200 personnes (166 hommes et 34 femmes) dont l'âge moyen était de 78,5 ans. L'évaluation de l'état nutritionnel a été effectuée à partir d'un ensemble de paramètres, dont le poids, le pourcentage de perte de poids, l'indice de masse corporelle, le pli cutané et la circonférence brachiale. Sur la base des mesures effectuées, les auteurs ont conclu à un taux de dénutrition de 46% pour l'ensemble des sujets, 27,5% d'entre eux étant atteints de dénutrition modérée et 18% de dénutrition sévère. À souligner que 38% de l'échantillon présentait des signes de suralimentation.

Comme on peut le constater, la dénutrition constitue une réalité importante du paysage gériatrique dans les sociétés dites vieillissantes. Afin de mieux comprendre l'origine de ce désordre, penchons-nous maintenant sur les causes et les facteurs de risque de dénutrition.

11.1.2 Causes et facteurs de risque de dénutrition

Bien qu'il existe des variantes dans la littérature, on divise habituellement les causes de la dénutrition chez la personne âgée en deux grandes catégories, soit les causes qui sont liées à une insuffisance de l'apport alimentaire et celles qui sont attribuables à des états hypermétaboliques non compensés.

11.1.2.1 Dénutrition causée par une insuffisance d'apports

Comme nous l'avons vu au cours des chapitres précédents, la prise alimentaire constitue un phénomène complexe dans lequel interviennent des facteurs de toute nature. Pour cette raison, ces derniers vont varier selon le contexte étudié; dans le présent chapitre, nous en distinguerons deux: le contexte communautaire et le contexte institutionnel. Toutefois, avant de discuter des particularités propres à chacun, il importe de rappeler que la prise alimentaire est d'abord et avant tout assujettie à un phénomène physiologique, l'appétit. Or, comme nous l'avons vu au chapitre 5, le vieillissement s'accompagne de changements au niveau des mécanismes régulateurs de la prise alimentaire (centres de la faim et de la satiété) qui favorisent une réduction de l'appétit. La baisse de l'activité physique et ses répercussions sur la composition corporelle, de même que les changements relatifs aux fonctions sensorielles (odorat, goût), concourent également à réduire l'appétit. Par ailleurs, des facteurs tels que la prise de médicaments anorexigènes, l'adhésion à des régimes thérapeutiques trop restrictifs ou l'observance de restrictions alimentaires déraisonnables ou injustifiées (auto-imposées ou imposées par un tiers) peuvent conduire à l'inappétence, à une insuffisance ou à un déséquilibre des apports alimentaires. Il arrive en effet que par méconnaissance du rôle des aliments ou du métabolisme des nutriments, les personnes âgées s'imposent elles-mêmes des restrictions alimentaires qui nuisent à la qualité de leur alimentation. Combien de fois n'avons-nous pas entendu des personnes âgées affirmer: «Je ne mange jamais de fromage, car cela me constipe; je ne consomme jamais de lait, car le lait, c'est pour les enfants...»? Par ailleurs, et indépendamment du contexte de vie, la prise alimentaire pourra être affectée par des facteurs psychologiques tels que les atteintes cognitives, la démence, la dépression et le deuil. De même, la dysphagie, qu'elle découle d'un accident vasculaire cérébral ou qu'elle soit associée à une autre condition, constitue un important facteur de risque de dénutrition.

En marge de ces considérations psychophysiologiques et médicales, la prise alimentaire du sujet âgé pourra être influencée de manière négative par des facteurs propres au contexte de vie. Ainsi, pour les personnes qui vivent dans la communauté, l'isolement social, l'appauvrissement du réseau d'amis et l'insuffisance des ressources financières pourront constituer des facteurs de risque non négligeables. De même, et comme nous l'avons vu au chapitre 6, la présence d'incapacités physiques pourra nuire à l'approvisionnement alimentaire et à la préparation des repas et ainsi influer négativement sur les apports alimentaires et nutritionnels.

Pour les personnes vivant en institution, les causes et les facteurs de risque menant à la dénutrition sont d'un autre ordre. Ainsi, l'état de santé, habituellement plus précaire dans ces populations, et la présence plus fréquente de handicaps physiques constituent des facteurs de risque importants. En outre, la douleur inhérente à certaines conditions médicales (par exemple, l'arthrite ou l'ostéoporose) peut nuire aux apports alimentaires. Des facteurs propres au contexte de l'hospitalisation ou de l'hébergement peuvent également contribuer à la dénutrition. Pour certains bénéficiaires, la perte de contrôle en matière d'alimentation et l'obligation de se soumettre à une alimentation institutionnelle de qualité parfois moyenne ou qui s'éloigne des goûts personnels peuvent entraîner une réduction de la prise alimentaire. À cet égard, la présence dans plusieurs résidences et maisons de retraite de personnes âgées en provenance de communautés culturelles diverses constitue une réalité qui n'est pas sans poser des défis aux gestionnaires des services alimentaires, lesquels se voient fréquemment forcés de limiter les choix des menus au profit de l'équilibre budgétaire. Cette situation est vécue avec davantage d'acuité dans les grands centres urbains à fort caractère cosmopolite.

Par ailleurs, dans le contexte où les repas sont pris en groupe, la présence à table de compagnons ou de compagnes de commerce désagréable ou qui présentent des comportements alimentaires déviants pourra indisposer certaines personnes et nuire à leurs apports alimentaires. De même, il est fréquent en institution de trouver des personnes incapables de se nourrir seules en raison de désordres cognitifs ou de difficultés motrices liés à la maladie (par exemple, dans le cas de la maladie de Parkinson ou d'accident vasculaire cérébral). Dans une étude américaine réalisée auprès de 240 résidents, la dépendance à l'acte alimentaire était plus élevée chez les patients souffrant d'atteintes cognitives et d'incapacités physiques et elle a été associée à une mortalité accrue. Par ailleurs, l'impact de l'aide alimentaire sur la qualité des apports a été vérifié auprès de 350 personnes vivant dans une résidence pour personnes âgées offrant différents niveaux de soins. Dans cette étude, l'aide alimentaire variait de manière importante selon les clientèles et les niveaux de soins, les patients souffrant d'atteintes cognitives sévères nécessitant de l'aide en plus grand nombre (87 %). L'apport alimentaire comprenait les aliments consommés au moment des repas (déterminés en estimant les restes de portions consommées) et les collations. Les meilleurs apports alimentaires ont été observés chez les patients présentant des atteintes cognitives sévères, c'est-à-dire chez ceux qui bénéficiaient d'une aide alimentaire maximale, alors que les apports les plus faibles se trouvaient dans le groupe de patients identifiés comme étant plus autonomes. En somme, les résultats de cette étude ont confirmé le rôle de l'aide alimentaire dans l'atteinte d'apports nutritionnels adéquats et ont mis en relief l'importance de s'assurer de la réelle autonomie des patients en regard de l'acte alimentaire. À ce propos, on a estimé qu'il fallait en moyenne entre 30 et 45 minutes pour alimenter un sujet présentant des incapacités. Bien que cette estimation soit tout à fait réaliste, sa mise en pratique suppose la présence soutenue d'un personnel suffisant, une condition qui malheureusement n'est pas toujours assurée dans le contexte actuel des soins de santé.

Enfin, il arrive que, pour des raisons liées à l'investigation médicale (analyses sanguines, radiographies, etc.), les patients soient maintenus dans des états de jeûne pour des périodes prolongées. Dans une étude réalisée auprès de 500 patients d'un centre d'hébergement américain, des auteurs ont rapporté une forte prévalence d'indications *nil per os* (rien par la bouche) sans que cette indication soit accompagnée d'un support nutritionnel alternatif (par exemple, un soluté). Dans cette étude, 21% des sujets avaient en outre des apports quotidiens inférieurs à 50% de leurs besoins énergétiques estimés. Bien que les périodes *nil per os* soient quasi incontournables en contexte hospitalier, leur prescription devrait être pleinement justifiée et, lorsqu'elles sont inévitables, elles devraient être suivies d'une prise alimentaire plus grande afin de compenser le manque à gagner calorique.

11.1.2.2 *Dénutrition causée par des états hypermétaboliques*

Des conditions cliniques de demandes métaboliques accrues et non compensées peuvent également entraîner la dénutrition en gériatrie (les cancers, les infections et les maladies inflammatoires en sont des exemples courants). Par ailleurs, les désordres qui nuisent à l'absorption et à l'utilisation des nutriments tels que les problèmes gastro-intestinaux (par exemple, la diarrhée), les désordres hépatiques, etc., pourront également contribuer à la dénutrition.

Soulignons que malgré que la dénutrition inhérente aux états hypermétaboliques soit présentée comme indépendante de celle causée par une carence d'apport, on constate dans la pratique que les deux formes sont souvent liées. Des travaux réalisés ces dernières années ont en effet démontré que la dénutrition de type hypermétabolique s'installe d'autant plus rapidement que les apports alimentaires du sujet sont faibles.

11.1.3 Les manifestations cliniques de la dénutrition

Plusieurs travaux publiés au cours des vingt dernières années ont mis en évidence le fait que la dénutrition passe souvent inaperçue aux yeux du personnel soignant. Par exemple, dans une étude portant sur 1017 personnes âgées vivant en résidence, la dénutrition n'a été détectée que dans 43% des cas, dont un tiers seulement était ensuite traité. Cette pauvre reconnaissance des états de dénutrition est évidemment déplorable et d'autant plus inexplicable que ce désordre se traduit par des manifestations cliniques pouvant être repérées. Ainsi, la maigreur, une silhouette émaciée, tout comme une fonte musculaire au niveau des membres, constituent des signes cliniques de dénutrition. De même, la pâleur, l'alopécie (chute des cheveux et des poils), les cheveux secs, les dermatites et les plaies font partie du tableau clinique associé à l'appauvrissement nutritionnel. Par ailleurs, la présence d'œdème au niveau des chevilles ou de la région présacrée peut

TABLEAU 11.1

Centiles du poids, pour une taille donnée, pour les Canadiens et les Canadiennes âgés de 60 ans à 69 ans et de 70 ans et plus*

TAILLE (cm)	CENTILES DU POIDS (kg)					
Hommes	**60 à 69 ans**			**70 ans et plus**		
	5e	**15e**	**50e**	**5e**	**15e**	**50e**
<160	45,0	47,2	59,1	47,5	51,9	59,6
160-164	49,4	54,2	67,5	52,5	56,5	66,3
165-169	52,6	59,7	69,5	54,8	59,3	64,8
170-174	62,7	66,3	80,8	57,0	64,4	77,4
175-179	63,7	69,4	78,6	63,5	70,4	81,1
180-184	67,9	78,0	87,1	68,2	68,2	74,6
Femmes	**60 à 69 ans**			**70 ans et plus**		
	5e	**15e**	**50e**	**5e**	**15e**	**50e**
<150	43,6	44,2	59,5	40,8	46,8	60,0
150-154	44,4	51,0	63,0	42,1	47,6	61,5
155-159	48,2	54,5	61,9	49,4	56,4	65,2
160-164	49,1	55,8	67,1	54,3	62,2	67,5
165-174	54,7	58,8	59,3	50,1	50,1	63,2

15e au 50e centile : poids satisfaisants

5e au 15e centile : risque modéré de dénutrition

<5e centile : risque grave de dénutrition

* Les tableaux 11.1 à 11.4 sont extraits de Leclerc, B. S. et M. J. Kergoat, « Évaluation de l'état nutritionnel de la personne âgée hospitalisée », Montréal, ACFAS, 1988.

révéler une carence protéique. Sur le plan fonctionnel, la dénutrition se traduit par de la faiblesse et une fatigabilité accrue. Enfin, en marge de ces signes cliniques, la dénutrition s'accompagne de changements au niveau des paramètres anthropométriques et biochimiques, qui seront plus ou moins marqués selon le degré d'avancement de la maladie; ces paramètres sont décrits en détail dans les sections qui suivent.

11.1.3.1 *Les changements anthropométriques*

Dans la très grande majorité des cas, la dénutrition se traduit par des changements au niveau pondéral, dont la nature s'appuie habituellement sur trois paramètres: un premier situe le poids actuel en fonction des données de référence; un deuxième estime dans quelle mesure le poids actuel s'éloigne du poids habituel; le troisième détermine s'il y a eu perte involontaire de poids en fonction du temps.

Un poids qui se situe entre le 15ᵉ et le 50ᵉ centile est habituellement jugé satisfaisant, alors qu'on associe à un risque modéré de dénutrition un poids qui se situe entre le 5ᵉ et le 15ᵉ centile et à un risque grave un poids se situant à moins du 5ᵉ centile. À titre indicatif, le tableau 11.1 présente les centiles du poids, pour une taille donnée, des Canadiens et Canadiennes de 60 à 69 ans et de 70 ans et plus.

On relie à un risque léger de dénutrition un poids actuel qui se situe entre 85 et 95% du poids habituel, à un risque modéré un poids correspondant à 75 à 84% du poids habituel et à un risque grave un poids qui se situe à moins de 75% du poids habituel. Par ailleurs, des pertes de poids involontaires de 5% en un mois, de 7,5% en trois mois ou de 10% en 6 mois doivent être considérées comme étant cliniquement significatives, et elles sont habituellement associées à un risque modéré de dénutrition. Des pertes supérieures à celles-ci sont jugées sévères et correspondent à un risque grave de dénutrition.

Chez la personne âgée, un indice de masse corporelle qui se situe entre 24 et 27 a été associé à de meilleurs états de santé et s'est avéré un pronostic favorable de longévité dans de nombreuses études. En revanche, un indice de masse corporelle inférieur à 24 constitue habituellement un facteur de risque de dénutrition, surtout lorsqu'il s'accompagne d'une perte non intentionnelle de poids. Toutefois, un faible indice de masse corporelle ne constitue pas un même facteur de risque pour tous. Par exemple, le risque de dénutrition ne sera pas aussi grand chez une femme de 72 ans qui, tout au long de sa vie, a présenté un indice de masse corporelle de 19 que chez une autre qui en quatre mois est passée d'un indice de 22 à un indice de 19. Lorsque l'on considère ce paramètre, il importe donc de l'évaluer dans une perspective dynamique.

La dénutrition se traduit également par des modifications au niveau des mesures anthropométriques du pli cutané tricipital, de la circonférence brachiale et de la circonférence musculaire brachiale. Dans chaque cas, on associe à un risque modéré de dénutrition des valeurs qui se situent entre le 5ᵉ et le 15ᵉ centile et à un risque grave des valeurs inférieures au 5ᵉ centile;

TABLEAU 11.2

Centiles pour le pli cutané tricipital pour les Canadiens et les Canadiennes

ÂGE (ANNÉES)	PLI CUTANÉ TRICIPITAL (mm)		
Hommes	**Centiles**		
	5e	**15e**	**50e**
20-29	3	5	10
30-39	4	6	10
40-49	5	7	11
50-59	4	6	11
60-69	5	6	10
70 et plus	5	7	11
Femmes	**Centiles**		
	5e	**15e**	**50e**
20-29	8	13	20
30-39	10	12	19
40-49	11	14	20
50-59	12	15	23
60-69	14	18	23
70 et plus	11	14	21

15e au 50e centile : valeurs satisfaisantes
5e au 15e centile : risque modéré de dénutrition
<5e centile : risque grave de dénutrition

les valeurs qui se situent entre le 15e et le 50e centile sont habituellement jugées satisfaisantes. Les tableaux 11.2 à 11.4 présentent les valeurs pour le pli cutané tricipital, pour la circonférence brachiale et pour la circonférence musculaire brachiale, chez les Canadiens et les Canadiennes.

La dénutrition peut donc être détectée à partir de divers paramètres anthropométriques, lesquels ont été retenus parce qu'ils se sont avérés des indices pronostiques de la mortalité et de la morbidité dans différents contextes gériatriques. Par exemple, la perte involontaire de poids a été identifiée comme étant un des plus puissants déterminants de la mortalité à différentes périodes de suivi. Une étude réalisée auprès de 153 patients de soins de longue durée a révélé que les personnes qui avaient subi des pertes de poids de 5% ou plus dans les mois précédant le début de l'étude

TABLEAU 11.3

Centiles pour la circonférence brachiale pour les Canadiens et les Canadiennes

ÂGE (ANNÉES)	CIRCONFÉRENCE BRACHIALE (cm)		
Hommes	**Centiles**		
	5^e^	**15e**	**50e**
20-29	25,5	26,4	30,2
30-39	26,8	27,7	31,3
40-49	26,6	28,8	31,3
50-59	26,7	27,9	30,9
60-69	24,8	27,8	30,8
70 et plus	23,4	25,5	28,7
Femmes	**Centiles**		
	5^e^	**15e**	**50e**
20-29	20,2	23,4	27,4
30-39	22,3	24,2	27,1
40-49	23,9	25,5	29,0
50-59	23,3	25,2	29,8
60-69	25,3	27,2	30,3
70 et plus	23,1	25,6	29,7

15e au 50e centile : valeurs satisfaisantes
5e au 15e centile : risque modéré de dénutrition
<5e centile : risque grave de dénutrition

étaient 4,6 fois plus à risque de décéder au cours de l'année. De même, on a observé dans une autre étude un plus haut taux de mortalité à quatre ans de suivi chez les patients qui avaient perdu en moyenne 4,5 kg au cours des deux premières années de suivi. La perte de poids est également de mauvais pronostic chez la personne âgée hospitalisée. Par exemple, on a rapporté que chez des patients âgés hospitalisés pour insuffisance cardiaque aiguë, la mortalité à neuf mois était quatre fois supérieure en cas de dénutrition. D'autres travaux ont mis en lumière les effets néfastes de la perte de poids au sein de clientèles vivant à domicile. Dans une étude effectuée auprès de 247 anciens combattants américains, les sujets qui avaient perdu du poids dans l'année précédant le début de l'étude étaient en moyenne 2,4 fois plus à risque de décéder après deux ans de suivi que ceux dont le poids était

TABLEAU 11.4

Centiles pour la circonférence musculaire brachiale pour les Canadiens et les Canadiennes

ÂGE (ANNÉES)	CIRCONFÉRENCE MUSCULAIRE BRACHIALE (cm)		
Hommes	**Centiles**		
	5e	**15e**	**50e**
20-29	23,2	24,1	26,3
30-39	23,6	25,3	27,4
40-49	24,4	25,4	27,9
50-59	24,1	25,0	27,3
60-69	23,0	24,5	27,4
70 et plus	21,1	22,6	24,8
Femmes	**Centiles**		
	5e	**15e**	**50e**
20-29	17,9	18,8	21,0
30-39	18,1	19,0	21,2
40-49	19,5	20,2	23,0
50-59	18,2	19,6	22,5
60-69	19,1	20,4	23,3
70 et plus	18,7	20,0	23,1

15e au 50e centile : valeurs satisfaisantes
5e au 15e centile : risque modéré de dénutrition
<5e centile : risque grave de dénutrition

resté stable. L'impact négatif de la perte de poids sur le pronostic vital a aussi été observé chez des sujets âgés fragiles. Dans une étude québécoise portant sur 288 personnes âgées recevant de l'aide à domicile (81 hommes et 207 femmes de 78,2 ans d'âge moyen), la mortalité après trois à cinq ans de suivi était 1,7 fois supérieure chez les personnes qui avaient perdu du poids dans l'année précédant le début de l'étude. À souligner que dans cette cohorte, une perte de poids supérieure à 5 kg était également associée à un risque accru d'institutionnalisation, ce risque étant augmenté de 1,7 fois chez ceux ayant perdu du poids.

Outre la perte de poids, d'autres mesures anthropométriques ont été associées à une plus grande mortalité. Une étude réalisée auprès de 324 personnes âgées de plus de 70 ans habitant la région de Tours, en France, a lié des valeurs basses de circonférence brachiale et de pli cutané tricipital à une plus grande mortalité au cours de l'hospitalisation. D'autres travaux ont par ailleurs confirmé la relation inverse entre le pli cutané tricipital et la mortalité en soins de longue durée.

Comme on peut le constater, la valeur pronostique des mesures anthropométriques dans les états de dénutrition a été validée dans de nombreux contextes et groupes de personnes âgées. Le clinicien ne devrait donc pas hésiter à recourir à ces mesures dans une démarche visant à dépister la dénutrition.

11.1.3.2 *Les changements biochimiques*

Parallèlement aux changements anthropométriques, la dénutrition se traduit par des changements qu'il est possible de détecter dans le sang. De manière générale, le diagnostic de dénutrition s'appuie sur des mesures de l'albumine, de la transferrine, du décompte lymphocytaire, du cholestérol et de l'hémoglobine. Plus spécifiquement, on parle de risque de dénutrition léger, modéré et grave lorsque les valeurs d'albumine sont respectivement de 30 g/l à 35 g/l, de 24 g/l à 29 g/l et de moins de 24 g/l; lorsque les mesures relatives à la transferrine sont respectivement de 1,5 g/l à 2,0 g/l, de 1,0 g/l à 1,4 g/l et de moins de 1,0 g/l; lorsque le décompte lymphocytaire est de 1,2 x 10^9 à 1,8 x 10^9, de 0,8 x 10^9 à 1,1 x 10^9 et de moins de 0,8 x 10^9. De même, il y a risque de dénutrition lorsque les concentrations

TABLEAU 11.5

Paramètres biochimiques de la dénutrition

PARAMÈTRES	RISQUE DE DÉNUTRITION		
	Léger	Modéré	Sévère
Albumine	30 à 35 g/l	24 à 29 g/l	Moins de 24 g/l
Transferrine	1,5 à 2,0 g/l	1,0 à 1,4 g/l	Moins de 1,0 g/l
Décompte lymphocytaire	1,2 × 10^9 à 1,8 × 10^9	0,8 × 10^9 à 1,1 × 10^9	Moins de 0,8 × 10^9
Cholestérol	Moins de 4 mmol/l		
Hémoglobine	Moins de 120 g/l chez les femmes et de 140 g/l chez les hommes		
Protéine C-réactive	Plus de 20 mgl/l		

de cholestérol sont de moins de 4 mmol/l et lorsque les concentrations d'hémoglobine se situent en deçà de 120 g/l chez les femmes et de 140 g/l chez les hommes. Par ailleurs, dans les cas où la dénutrition découle d'un état inflammatoire, cette dernière pourra entraîner une augmentation des taux circulants de la protéine C réactive, le seuil pathologique se situant au-dessus de 20 mg/l. Un sommaire des paramètres biochimiques utilisés pour détecter les états de dénutrition est présenté dans le tableau 11.5.

S'il est vrai que la majorité des paramètres dont il est question ci-dessus sont d'une spécificité imparfaite, plusieurs étant modifiés dans des états pathologiques autres que ceux relatifs à la dénutrition, ils possèdent une bonne valeur pronostique. Par exemple, de faibles taux d'albumine ont fréquemment été associés à une augmentation de la mortalité, quel que soit le contexte. Dans une étude réalisée auprès de 126 hommes vivant en résidence pour personnes âgées, l'albuminémie s'est avérée un indice de la mortalité au cours d'une année, des taux de mortalité de 50, 43 et 11% étant respectivement associés à des albuminémies de moins de 35 g/l, de 35 g/l à 40 g/l et de plus de 40 g/l. De même des patients hospitalisés présentant une hypoalbuminémie sévère (25 g/l) étaient quatre fois plus susceptibles de décéder au cours de leur hospitalisation ou étaient cinq fois plus à risque de voir leur durée d'hospitalisation prolongée. À souligner que l'albuminémie s'est également avérée un puissant indice de mortalité chez les personnes vivant encore dans la communauté. Une imposante étude, réalisée auprès de 4116 personnes âgées de 71 à 104 ans habitant l'est des États-Unis, a montré que les hommes et les femmes dont les taux d'albumine étaient inférieurs à 35 g/l au début de l'étude avaient 1,9 et 3,7% plus de risques de décéder dans les trois à cinq années suivantes. Dans cette cohorte, les taux d'albumine diminuaient au cours de l'âge, passant de 41,5 g/l et 41,1 g/l pour les hommes et les femmes de 71 à 74 ans à 39,9 g/l et 39,6 g/l respectivement pour ceux qui étaient âgés de 85 ans et plus. Quant à l'hypoalbuminémie, définie par des taux correspondant à moins de 35 g/l, elle touchait 2,8% des hommes et 3,2% des femmes.

De même, on a fréquemment associé à de faibles taux de cholestérol une augmentation de la mortalité. Par exemple, une étude réalisée auprès de personnes âgées vivant en résidence a révélé des taux de mortalité dix fois supérieurs chez les sujets présentant des taux de cholestérol inférieurs à 4 mmol/l. Enfin, une étude portant sur 176 hommes âgés habitant une résidence pour anciens combattants a montré que les valeurs d'hémoglobine étaient négativement corrélées au taux de mortalité au cours d'une année.

En somme, comme pour les mesures anthropométriques, la valeur pronostique des mesures biochimiques présentées dans cette section est bien établie. Le recours à ces paramètres dans un processus d'identification de la dénutrition est donc pleinement justifié, et ce, d'autant plus que ces paramètres sont peu coûteux et faciles d'accès.

11.1.4 Les conséquences de la dénutrition

Les données l'indiquent: la dénutrition représente un facteur important de risque de mortalité chez le sujet âgé. Mais avant d'engager le pronostic vital, la dénutrition comporte également de nombreuses conséquences pour la personne et le réseau de la santé. Elle accroît notamment la fragilité des individus, elle constitue une source de morbidité et, à long terme, elle entraîne une augmentation des coûts associés aux soins de santé.

Entre autres, la dénutrition s'accompagne d'une diminution de la masse et de la force musculaires, laquelle peut entraîner de la fatigabilité et mener à une réduction de l'activité physique. Elle entraîne en outre des troubles de l'équilibre, souvent à l'origine de chutes et de fractures. Une étude américaine portant sur 142 sujets âgés résidant en centre de soins de longue durée a montré une plus grande incidence de chutes chez les patients dont le poids était de 20% inférieur au poids habituel (incidence de 57%), comparativement aux sujets qui n'accusaient pas d'insuffisance pondérale (incidence de 15%).

Par ailleurs, la dénutrition diminue les défenses immunitaires, favorise les infections et les plaies de pression (aussi appelées escarres), et elle entrave le processus de cicatrisation. Ainsi, des auteurs américains œuvrant dans des centres de soins pour anciens combattants ont estimé à 15 à 20% la prévalence d'infections touchant surtout les voies urinaires, respiratoires et gastro-intestinales, la peau et les yeux. Dans l'étude portant sur les chutes dont nous avons fait état précédemment, les patients qui présentaient des poids abaissés étaient également plus nombreux à présenter des plaies de pression (43 contre 21%). En milieu hospitalier, on a démontré que les patients souffrant de dénutrition étaient deux fois plus à risque de développer des plaies de pression que les patients non dénutris. En soins de longue durée, la sévérité des plaies de pression s'est trouvée directement liée au degré de dénutrition. En outre, on a associé le développement de plaies de pression à l'apport protéique, ce dernier s'étant révélé un indice indépendant de l'apparition de plaies de pression dans une étude de suivi impliquant 200 sujets âgés admis dans une résidence pour personnes âgées.

De plus, la dénutrition a été associée à une plus grande prévalence de complications cliniques graves, comme l'a montré une étude américaine réalisée auprès de 350 anciens combattants (de 76 ans d'âge moyen) résidant en centre de soins de longue durée: la dénutrition telle que définie par des valeurs basses d'albumine (moins de 30 g/l) et d'indice de masse corporelle (moins de 19 kg/m^2) s'est avérée un puissant déterminant du risque de complications telles que septicémie, pneumonie, embolie pulmonaire, infarctus, détresse respiratoire, insuffisance rénale aiguë, AVC et saignements du tube digestif.

En conséquence de ces complications, les patients atteints de dénutrition sont généralement hospitalisés plus longtemps, comme l'a montré une étude australienne impliquant 819 patients: la durée d'hospitalisation était augmentée de 30% chez les patients présentant des signes de dénutrition. À souligner que certains auteurs ont rapporté des augmentations allant jusqu'à 50%.

De même, on a souvent associé la dénutrition à un taux plus élevé de réadmission dans les mois suivant le congé. Ainsi, une étude a démontré que les patients qui quittaient l'hôpital avec des valeurs basses d'albumine et une insuffisance pondérale et dont le profil ne s'améliorait pas dans le mois suivant le congé étaient beaucoup plus susceptibles d'être réadmis dans les trois mois qui suivaient, les probabilités étant respectivement de 89, 51, 35 et 9% pour des valeurs d'albumine de 25 g/l, de 30 g/l, de 35 g/l et de 40 g/l. Par ailleurs, chez un groupe de 369 patients âgés de 70 ans et plus, la dénutrition a été associée à une plus longue récupération fonctionnelle et à un plus grand recours aux maisons de convalescence.

Les complications qui découlent de la dénutrition et les répercussions qu'elles entraînent sur la récupération, la durée de l'hospitalisation et l'utilisation des services en général sont, il va sans dire, très coûteuses pour la société. Ainsi, un certain nombre d'études américaines ont estimé qu'il en coûtait en moyenne deux fois plus pour soigner un patient atteint de dénutrition qu'un patient non dénutri.

En conclusion, la dénutrition constitue un désordre nutritionnel important qui ne peut être négligé en raison des conséquences qu'il comporte pour la personne et le système de santé. Heureusement, le clinicien a à sa disposition des outils de dépistage du risque nutritionnel permettant de mettre en branle une prise en charge précoce de la maladie, un sujet qui sera traité au chapitre suivant.

11.2 Les carences nutritionnelles

En marge de la dénutrition, les personnes âgées peuvent présenter des carences en vitamines et en minéraux. Comme pour la dénutrition, la prévalence de ces carences varie sensiblement selon les milieux et les clientèles étudiées. Les carences les plus fréquemment rapportées touchent les vitamines D, B_{12}, B_6 et folates, ainsi que le calcium et le zinc. Souvent associées à la dénutrition, ces carences nutritionnelles sont habituellement le fruit d'apports insuffisants. Toutefois, on remarque que plusieurs d'entre elles concernent des nutriments dont le métabolisme peut être modifié au cours du vieillissement. Par exemple, et comme nous l'avons vu au chapitre 7, la sénescence s'accompagne d'une diminution de synthèse de la vitamine D et d'une réduction de l'absorption de la vitamine B_{12} et du calcium, en plus d'augmenter le catabolisme de la vitamine B_6. Conjuguées à des apports marginaux, ces considérations physiologiques pourront de fait contribuer à l'apparition d'états carentiels.

11.3 La dysphagie

La dysphagie se définit comme un trouble de la déglutition (difficulté à avaler), laquelle représente l'ensemble des phénomènes assurant le transit normal des aliments solides ou des liquides de la bouche à l'estomac. Selon diverses sources, elle affecterait entre 6 et 10% des personnes âgées de 50 ans et plus vivant dans la communauté, mais toucherait entre 30 et 60% des aînés vivant en institutions. Ainsi, dans une étude québécoise réalisée auprès de 240 femmes et 89 hommes dans 11 centres de soins de longue durée, 46% des sujets signalaient qu'ils mastiquaient ou avalaient difficilement. De même, une étude réalisée dans la région de Toronto auprès de 349 résidents vivant dans un même contexte a montré que 68% d'entre eux se plaignaient de dysphagie.

Parmi les principaux facteurs prédisposant à la dysphagie, mentionnons les accidents vasculaires cérébraux et les maladies neurodégénératives, telles la maladie de Parkinson, la sclérose en plaques et la maladie d'Alzheimer. On estime qu'entre 30 et 45% des accidentés vasculaires cérébraux et près de 50% des résidents atteints de la maladie de Parkinson souffriraient de dysphagie. En outre, en raison de la faiblesse musculaire qu'elle engendre, la dénutrition protéino-énergétique constitue un autre important facteur de risque de la dysphagie.

La dysphagie, tout comme la dénutrition, présente diverses manifestations cliniques sur lesquelles le clinicien peut s'appuyer pour détecter le problème. Une lenteur générale à s'alimenter, la stagnation du bol alimentaire dans la bouche, les écoulements de salive ou de nourriture à l'extérieur de la bouche, de même qu'une mastication ou une déglutition difficiles constituent les signes les plus évidents. De plus, la toux répétée, des raclements de gorge insistants ou encore des changements au niveau de la voix, sont caractéristiques de la dysphagie. Enfin, les infections respiratoires à répétition font partie du tableau clinique de la dysphagie et constituent un signal d'alarme important.

La dysphagie comporte des conséquences importantes pour la santé du résident, dont un risque accru de dénutrition. Selon certains travaux, la dénutrition affecterait jusqu'à 50% des personnes dysphagiques. De plus, la dysphagie est associée à une plus grande morbidité, notamment à des risques accrus d'aspiration et de pneumonies, ainsi qu'à une mortalité plus élevée. Dans les cas extrêmes, elle peut entraîner l'asphyxie. Enfin, parce qu'elle est souvent une source d'anxiété au moment des repas, la dysphagie peut conduire à l'isolement social, le résident refusant de prendre ses repas en groupe, et à une détérioration générale de la qualité de vie.

11.4 La déshydratation

Souvent sous-diagnostiquée, la déshydratation constitue pourtant un problème nutritionnel non négligeable en milieu gériatrique. Selon des données américaines, la déshydratation serait à l'origine de 1,4% des cas d'hospitalisation chez les personnes âgées de 65 à 99 ans. Par ailleurs, on estime que près de 18% des patients vivant en centre d'hébergement vont se déshydrater au cours d'une année.

La déshydratation est liée à deux causes principales: la réduction des apports liquidiens et l'augmentation des pertes. L'insuffisance d'apports en liquides est en effet fréquente en milieu gériatrique et peut s'expliquer par des facteurs tels que la peur de l'incontinence, un problème de déglutition, une réduction de la mobilité et une diminution de l'état de conscience (délire, démence, etc.). De même, les personnes alitées qui se trouvent dans une position de moins grande accessibilité vont parfois réduire leurs apports par souci de ne pas déranger le personnel. L'insuffisance d'apports peut également être liée à une diminution de la sensation de la soif qui, comme nous l'avons vu au chapitre 5, peut découler d'une réduction des concentrations d'opiacés dans certaines régions du cerveau. Une étude réalisée auprès d'un groupe d'hommes a notamment démontré que lorsqu'ils étaient soumis à une restriction liquidienne, les hommes âgés étaient moins susceptibles de rapporter une sensation de soif que les plus jeunes. De plus, leur prise liquidienne était moindre lors de la période de réhydratation.

De nombreux facteurs peuvent augmenter les pertes. Parmi les plus fréquents, on trouve une température ambiante élevée, les médicaments (diurétiques et laxatifs), les désordres gastro-intestinaux (notamment la diarrhée et les vomissements) et la fièvre. Par ailleurs, certains changements hormonaux associés au vieillissement réduisent la capacité du rein à concentrer l'urine et contribuent à la déperdition d'eau.

Les signes et symptômes associés à la déshydratation comprennent une urine dont la densité est supérieure à 1,03, une osmolarité sérique supérieure à 295, un débit urinaire inférieur à 500 ml par jour, une sécheresse de la langue, de la bouche et de la peau, des yeux creux, une faiblesse des membres supérieurs, une perte de poids, une difficulté à s'exprimer et de la confusion.

La déshydratation peut augmenter les risques de morbidité et de mortalité, surtout chez les personnes dont l'état de santé est précaire. Entre autres, la déshydratation est une cause importante de constipation et serait l'une des causes les plus fréquentes d'un état de confusion aigu. Les cas de déshydratation non traités ont été associés à des taux de mortalité pouvant atteindre 50 %.

11.5 La constipation

La constipation représente une autre condition fréquente au sein des populations âgées. Cette condition toucherait environ 30 % des personnes âgées de 65 ans et plus vivant dans la communauté, la prévalence étant généralement plus élevée pour les femmes que pour les hommes. Bien que difficiles à chiffrer, les taux de constipation seraient encore plus élevés en milieu d'hébergement. Parmi les facteurs qui contribuent à la constipation de la personne âgée, on trouve une alimentation pauvre en fibres, l'insuffisance de liquides, l'immobilité, les médicaments (par exemple, les anticholinergiques, les antiparkinsoniens, les sédatifs, les antidépresseurs, etc.) et les maladies chroniques. Plus rarement, la constipation est liée à des conditions telles que le manque d'intimité, le manque de temps et le manque de commodité physique.

Par ailleurs, une importance exagérée accordée à l'élimination journalière, souvent par crainte d'auto-intoxication, conduit fréquemment les personnes âgées à une consommation chronique et abusive de laxatifs. En effet, on a estimé qu'entre 10 et 75 % des personnes âgées prenaient des laxatifs. D'une efficacité douteuse, cette surconsommation conduit à une altération du fonctionnement physiologique normal de l'intestin et devient elle-même une des principales causes de constipation.

Sur le plan clinique, on définit la constipation à partir des critères suivants:

- deux selles ou moins par semaine;
- une défécation difficile;
- des selles dures;
- une sensation d'évacuation incomplète.

Les particularités du traitement de la constipation seront traitées au chapitre 12.

11.6 Grille d'évaluation en milieu gériatrique

L'accroissement des clientèles gériatriques au sein du réseau de la santé et la progression anticipée de cette tendance dans les années à venir ont incité les professionnels de la nutrition à se doter d'outils permettant d'évaluer l'état nutritionnel des sujets âgés. Un groupe de diététistes québécois œuvrant en milieu gériatrique a élaboré à cette fin, le *Formulaire pour l'évaluation nutritionnelle en gérontologie*. Ce dernier comprend des paramètres diététiques, anthropométriques, biochimiques et cliniques dont la pertinence et la valeur pronostique ont largement été démontrées en regard de la dénutrition. [Voir le formulaire au complet en appendice.]

Il est manifeste que les personnes âgées constituent un groupe à risque de problèmes nutritionnels, notamment de dénutrition. Il appert également que ces problèmes comportent des conséquences pour la santé et la qualité de vie des personnes atteintes et de leur entourage, et qu'ils entraînent des coûts additionnels pour le réseau de la santé. Toutefois, contrairement à d'autres conditions médicales, la dénutrition et les autres problèmes nutritionnels dont il a été question dans le présent chapitre sont traitables lorsqu'ils sont identifiés précocement. Il faut donc s'intéresser de près au dépistage et à la prise en charge des problèmes nutritionnels, ce que nous verrons au chapitre 12.

Références

Bernier, P., L. St-Laurent et M. Daignault-Gélinas, « Évaluation nutritionnelle », dans D. Chagnon-Decelles, M. Daignault Gélinas, L. Lavallée Côté *et al.* (dir.), *Manuel de nutrition clinique*, 3e éd., Montréal, Ordre professionnel des diététistes du Québec, 2000.

Blouin, N., « Dysphagie », dans M. Arcand et R. Hébert (dir.), *Précis pratique de gériatrie*, 3e éd., Montréal, Edisem/Maloine, 2007, p. 725-741.

Desjardins, I. *et al*, «Troubles oro-pharyngés et de l'œsophage», dans D. Chagnon-Decelles, M. Daignault Gélinas, et L. Lavallée Côté *et al.* (dir.), *Manuel de nutrition clinique*, 3e éd., Montréal, Ordre professionnel des diététistes du Québec, 2000.

Jetté, M., *Guide des mensurations anthropométriques des adultes canadiens*, Ottawa, Université d'Ottawa/Faculté des sciences de la santé/Département de kinanthropologie, 1983.

Leclerc, B. S. et M.-J. Kergoat, *Évaluation de l'état nutritionnel de la personne âgée hospitalisée*, Montréal, Association canadienne-française pour l'avancement des sciences (ACFAS), 1988.

Morley, J. E., «Nutrition in the older person», dans M. E. Shils, J. A.Olson, M. Shike et A. C. Ross (dir.), *Modern Nutrition in Health and Disease*, 10e éd., Philadelphie, Lippincott Williams & Wilkins, 2005, p. 582-594.

Formulaire pour l'évaluation nutritionnelle en gérontologie (APPENDICE)*

Nom ______________ Sexe ____ Âge _____ Chambre ________ n° ______________

Date __________ Date d'admission __________ Médecin traitant ______________

Diagnostic(s) ______________________________

Taille[a] __________ : méthode ____ Ossature[b] ________ : méthode _____ G M P

Poids à l'admission ______ Poids habituel ______ Poids actuel ______ IMC[c] ______ Poids-santé __________

Maigreur ____ Obésité ____ : TT[d] _____/TH ______ = ______ : androïde[d] ____ si H > 1,0 ou F > 0,8

		Risque de dénutrition		
		Léger	**Modéré**	**Grave**
Évaluation de la masse adipeuse				
% du poids-santé[e] ______ %		85-95	75-84	< 75 %
% de perte de poids en fonction du temps[e] ______ %				
1 semaine			1-2	> 2 %
1 mois			5	> 5 %
3 mois			7,5	> 7,5 %
6 mois			10	> 10 %
Pli cutané tricipital G D ______ mm	H 60 ans et plus	6	5	< 5 mm
	F 60-69 ans	17	14	< 14 mm
______ perc.	F.70 ans et plus	13	11	< 11 mm
Surface adipeuse brachiale[f] ______ mm²	H 60-69 ans	1 023	804	585
	H 70 ans et plus	1 038	816	593
	F 60-69 ans	2 184	1 688	1 228
	F 70 ans et plus	1 940	1 525	1 109
Évaluation de la masse musculaire				
Circonférence du bras G D ______ cm				
Surface musculaire brachiale[g] ______ cm²	H 60-69 ans	41	31	≤ 20 cm²
	H 70 ans et plus	33	24	≤ 16 cm²
	F 60 ans et plus	29	22	≤ 14 cm²
ou à défaut: Circonférence musculaire brachiale[f] ______ cm	H 60-69 ans	25	24	≤ 23 cm
	H 70 ans et plus	23	22	≤ 21 cm
	F 60-69 ans	21	20	≤ 19 cm
	F 70 ans et plus	21	19	≤ 18 cm

Évaluation du compartiment protéique viscéral

Albumine sérique	______ g/L	30-35	24-29	< 24 g/L
Transferrine sérique	______ g/L	1,5-2,0	1,0-1,5	< 1,0 g/L
Protéines totales[i]	______ g/L	60-64	55-59	< 55 g/L
Décompte lymphocytaire[j]	______ 10^9/L	1,2-1,8	0,8-1,2	< 0,8 × 10^9/L

Évaluation de l'état d'hydratation[k] normal déshydraté surhydraté

Divers

Hémoglobine[l]	______ g/L	< 100 g/L
Cholestérol sérique[l]	______ mmol/l	< 3,9 mmol/L

Acide folique[m] ______ normal abaissé élevé Vitamine B_{12}^{m} ______ normal abaissé élevé

Signes cliniques anormaux ________________________________

Évaluation de l'apport alimentaire Voies[n] : orale entérale par tube G D J parentérale C P

Énergie __________ Protéines __________ Autres ________________________________

Besoins nutritifs Énergie =

DEB ______ × facteur d'activité ______ × facteur de stress ______ ± gain ou perte de poids ______ = ________

Protéines ______ g/kg = ______ g/jour Autres ________________________________

Évaluation globale

Déficit protéino-énergétique ____ léger ____ modéré ____ grave ____ Autres déficits ________________________

* Manuel de nutrition clinique — OPDQ 2000

Plan et recommandations

H = hommes.

F = femmes.

a) Taille[1-3] obtenue :
   D : Debout sans chaussures au moyen d'une toise ou avec les épaules et les talons appuyés au mur.
   Q : Selon le questionnaire soumis au patient ou à la famille.
   H : La personne est couchée à l'horizontale et mesurée au moyen d'un galon.
   G : À partir de la hauteur du genou[3].

b) Ossature[1,2,4] mesurée sur le bras droit de préférence (G = grosse ; M = moyenne ; P = petite).
   L : À partir de la largeur du coude[4] (mesure à privilégier).
   C : À partir de la circonférence du poignet[2].

c) IMC[5-7] : poids en kg/taille en m^2. Normal : 20-27.

d) TT/TH = rapport tour de taille/tour de hanches[7,9]. Indicateur d'obésité androïde liée à un risque accru de complications (diabète sucré, hypertension, dyslipidémies).

e) $$\% \text{ du poids santé} = \frac{\text{Poids actuel}}{\text{Poids santé}} \times 100$$

   $$\% \text{ de perte de poids en fonction du temps}^{8} = \frac{\text{Poids (habituel – actuel)}}{\text{Poids habituel}} \times 100$$

f) Surface adipeuse brachiale. Les risques « léger, modéré et grave » correspondent respectivement à 70 %, 55 % et 40 % de la valeur de référence, soit le 50e percentile calculé à partir du PCT et de la CB[11].

g) Surface musculaire brachiale. Les risques « léger, modéré et grave » correspondent respectivement à 80 %, 75 % et 60 % de la valeur de référence, soit le 50e percentile calculé à partir du PCT et de la CB[10].

h) Valeurs de référence des adultes canadiens : référence 9.

i) Protéines totales[11].

j) Décompte (numération) lymphocytaire[8].

k) Signes de déshydratation : sécheresse de la peau, des lèvres et des muqueuses, yeux enfoncés dans les orbites, etc. ; hypernatrémie, sérum hyperosmolaire. On peut estimer l'osmolarité du sérum au moyen de l'équation suivante[12] :

   (sodium sérique mmol/L × 2) + (glucose sérique mmol/L) + (urée sérique mmol/L).

   Une valeur > 295 indique une déshydratation ; une valeur < 275 indique une surhydratation.

l) Valeurs de référence selon la référence 6.

m) Consulter les données biochimiques de référence du laboratoire responsable de l'analyse. L'acide folique sérique reflète l'ingestion récente de folates, tandis que l'acide folique érythrocytaire reflète les réserves de l'organisme en folates.

n) Voies : G = gastrique ; D = duodénale ; J = jéjunale ; C = centrale ; P = périphérique.

Ce questionnaire a été préparé par les diététistes du sous-comité d'évaluation nutritionnelle du Comité de géronto-nutrition (juin 1991).

Références

1. Voir le chapitre 1.2 du *Manuel de nutrition clinique.*
2. Shronts, E. P. (dir.), *Nutrition Support Dietetics : Core Curriculum,* Silver Spring, MD, American Society for Parenteral and Enteral Nutrition (ASPEN), 1989.
3. Ross Laboratories, *Estimating Stature from Knee Height,* Columbus, OH, Ross Laboratories, 1990.
4. Frisancho, A. R., « New standards of weight and body composition by frame size and height for assessment of nutritional status of adults and the elderly », *American Journal of Clinical Nutrition,* vol. 40, n° 4, 1984, p. 808.
5. Andres, R., « Mortality and obesity: The rationale for age specific height tables », dans Hazzard, W. R., R. Andes, E. L. Bierman et J. P. Blass (dir.), *Principles of Geriatric Medecine and Gerontology,* New York, McGraw-Hill, 1990, p. 1102-1108.
6. Verdery, R.B. « "Wasting away" of the old old: Can it – and should it – be treated? », *Geriatrics,* vol. 45, n° 6, 1990, p. 25.
7. Santé et Bien-être social Canada, *Le poids et la santé*, document de travail, Ottawa, Ministère des Approvisionnements et Services Canada, 1988, p. 7-13.
8. Blackburn, G. L., B. R. Bistrian, B. S. Malmi *et al.*, « Nutritional and metabolic assessment of the hospitalized patient », *Journal of Parenteral and Enteral Nutrition*, n° 1, 1977, p. 11.
9. Jetté, M., *Guide for Anthropometric Measurements of Canadian Adults*, Ottawa, Département de kinanthropologie/Université d'Ottawa, 1983.
10. Hall, J. C., « Use of internal validity in the construct of an index of undernutrition », *Journal of Parenteral and Enteral Nutrition*, n° 14, 1990, p. 582.
11. Gibson, R. S., *Principles of Nutritional Assessment*, New York, Oxford University Press, 1990.
12. Karkeck, J. M., *Assessing the Nutritional Status of the Elderly,* Silver Spring, MD, American Society for Parenteral and Enteral Nutrition (ASPEN), 1985, p. 6.

12
PROBLÈMES NUTRITIONNELS : DÉPISTAGE ET PRISE EN CHARGE

Le chapitre précédent nous a sensibilisés à la prévalence des problèmes nutritionnels chez les personnes âgées, tant celles qui vivent dans la communauté que celles qui vivent en institution. Aussi, compte tenu des conséquences potentiellement dévastatrices d'un appauvrissement nutritionnel sur la santé générale et sur la qualité de vie, il importe de détecter les états de carence le plus tôt possible. D'ailleurs, les données cliniques sont éloquentes à cet égard: plus tôt les problèmes nutritionnels sont détectés, plus grandes sont les chances de récupération et meilleur est le pronostic clinique. Ainsi, s'il est vrai que la dénutrition grave peut mener à la mort, la majorité des dénutritions observées dans la pratique sont de type modéré et répondent à une intervention nutritionnelle bien planifiée. Le présent chapitre, dernier de cet ouvrage, se propose donc, dans un premier temps, de présenter quelques outils de dépistage du risque nutritionnel utilisés dans la pratique gériatrique et d'en décrire les particularités, les avantages et les limites. Dans un deuxième temps, ce chapitre présente les fondements et les modalités pratiques de la prise en charge des problèmes nutritionnels fréquents au sein des clientèles âgées. En outre, parce que la prise en charge varie selon qu'elle s'adresse aux personnes vivant dans la communauté ou en institution, nous distinguerons les particularités propres à chaque contexte de vie.

12.1 Le dépistage du risque nutritionnel

Le dépistage du risque nutritionnel vise à identifier les personnes encore asymptomatiques, mais qui, si l'on se fie à certaines caractéristiques qu'elles présentent, sont susceptibles de développer des problèmes d'ordre nutritionnel à plus ou moins long terme. Pour être utile, l'outil de dépistage doit posséder deux caractéristiques: une sensibilité élevée, c'est-à-dire la capacité d'identifier les personnes à risque nutritionnel, et une spécificité élevée, c'est-à-dire la capacité d'identifier *uniquement* les personnes à risque. Par ailleurs, l'outil de dépistage doit être validé dans la population à laquelle il est destiné.

La notion de dépistage du risque nutritionnel au sein de la population âgée n'est pas nouvelle, mais elle a connu un intérêt croissant ces dernières années à la suite du lancement, en 1991, du «Nutrition Screening Initiative», un projet multidisciplinaire américain visant la promotion du dépistage systématique par les intervenants du système de santé de problèmes nutritionnels chez la personne âgée.

Dans cette foulée, divers outils visant le dépistage des personnes à risque nutritionnel évoluant dans différents contextes ont été développés. Nous en présentons ici deux exemples dont les qualités de sensibilité et de spécificité sont bien établies: le *Mini Nutritional Assessment* (MNA) et le Dépistage nutritionnel des aînés (DNA©).

12.1.1 Le Mini Nutritional Assessment (MNA)

Développé dans le but de dépister le risque nutritionnel chez les personnes âgées de plus de 65 ans, le *Mini Nutritional Assessment* (MNA) est un questionnaire administré par un professionnel de la santé. Le questionnaire actuel (1998), qui est une version révisée de l'outil développé en 1994, comprend un total de 18 items portant sur l'anthropométrie (indice de masse corporelle, circonférences brachiale et du mollet); la recherche de polymédication, d'infections récentes et de plaie de pression; la mobilité; l'appétit et les habitudes alimentaires; et l'évaluation subjective de la santé. Il est conçu en deux parties: la première vise le dépistage des personnes à risque de dénutrition; la seconde, combinée à la première, permet d'évaluer l'état nutritionnel. La partie relative au dépistage comporte six questions (14 points) et celle relative à l'évaluation globale, 12 questions (16 points),

Le MNA classe les personnes en trois catégories: un score de 24 et plus (sur 30) témoigne d'un état nutritionnel satisfaisant; un score se situant entre 17 et 23,5 est associé à un risque de malnutrition; un score inférieur à 17 indique un mauvais état nutritionnel. On n'administre la seconde partie du questionnaire (Évaluation globale) que si le score au dépistage est de 11 points et moins, les personnes qui obtiennent un score de 12 points et plus n'étant pas considérées à risque nutritionnel. Cette approche «étapiste» constitue une amélioration de la version originale et permet d'utiliser l'outil de manière plus efficace. Notons que l'administration de la première partie du questionnaire nécessite trois minutes, alors qu'il en faut 10 pour administrer le questionnaire complet. Le questionnaire complet peut être visualisé sur le site <http://www.pum.umontreal.ca/alimentation>.

Par ailleurs, de nombreux travaux indiquent que le MNA est suffisamment sensible pour permettre la classification appropriée de 70 à 75% des personnes sans avoir recours à d'autres tests biologiques ou à une évaluation clinique plus poussée. De plus, la fiabilité du MNA a été confirmée tant chez les personnes vivant dans la communauté que chez celles qui sont en institution. Depuis quelques années, on observe une utilisation croissante du MNA dans la pratique.

12.1.2 Dépistage du risque nutritionnel des aînés (DNA©)

En ce qui a trait aux personnes vivant dans la communauté, la dénutrition est plus répandue chez celles qui dépendent des autres pour effectuer leurs activités de la vie quotidienne, notamment en ce qui touche les emplettes et la préparation des repas. À la lumière de ceci, le *Dépistage du risque nutritionnel des aînés* (aussi connu sous le nom de *Questionnaire pour déterminer le besoin d'aide alimentaire des personnes âgées;* voir aux pages suivantes) a été développé par des chercheurs québécois, considérant que les outils disponibles jusqu'alors s'appuyaient sur des données tirées d'enquêtes réalisées auprès de populations générales de personnes âgées. Or, les facteurs de risque identifiés dans ces populations (par exemple, l'isolement social, la dépendance, les incapacités fonctionnelles) sont non discriminants dans une population en perte d'autonomie nécessitant de l'aide à domicile, car leur prévalence est trop grande. Ce questionnaire a ainsi été développé à la suite d'une enquête qui a révélé de très faibles apports énergétiques chez 290 aînés bénéficiaires de services d'aide à domicile. Dans cette enquête, plus du tiers des sujets déclaraient avoir perdu involontairement du poids (38%) et, chez 17% de ces sujets, cette perte était jugée excessive.

Dans une étude de validation menée auprès d'un groupe de personnes âgées en perte d'autonomie vivant à domicile, cet outil a démontré une sensibilité de 78% et une spécificité de 77%. Aussi, dans la mesure où il est utilisé dans une population pour laquelle il a été conçu, le *Dépistage du risque nutritionnel des aînés* constitue un outil fiable sur lequel les intervenants peuvent compter.

Directives relatives à l'administration du questionnaire

Ce questionnaire a été élaboré pour identifier les personnes âgées qui requièrent de l'aide pour améliorer leur alimentation et combler leurs besoins nutritionnels. Il a été conçu pour être utilisé par le personnel des services d'aide à domicile. Les réponses aux questions sont obtenues au moyen d'une entrevue. Le chiffre encerclé correspond à la réponse de la personne âgée et non au jugement de l'interviewer, sauf pour un énoncé: La personne est très maigre.

Notez que l'utilité du présent questionnaire a été démontrée uniquement auprès des personnes âgées en perte d'autonomie vivant à domicile.

Poids :________________ Taille à l'âge adulte :______	Le poids et la taille ne sont pas mesurés. On demande à la personne âgée son poids actuel et la taille qu'elle avait à l'âge adulte.

Le questionnaire : conseils pratiques

La personne est très maigre.	Il s'agit d'une appréciation subjective de l'interviewer.
Avez-vous perdu du poids ?	Toute perte de poids est notée oui.
La plupart du temps, que prenez-vous comme déjeuner ?	Il s'agit ici de la routine « habituelle » et non pas d'une journée en particulier.

Les recommandations

La personne à risque nutritionnel élevé a besoin d'un apport accru d'énergie et d'éléments nutritifs. En plus de conseils et d'encouragements, elle devrait recevoir de l'aide pour augmenter ses apports alimentaires. Les services offerts peuvent prendre la forme de préparation de repas à domicile, de livraison de repas, de transport à une cafétéria communautaire, etc.

La personne à risque nutritionnel modéré nécessite des conseils et des encouragements répétés pour améliorer son alimentation et prévenir la détérioration de son état nutritionnel.

La personne à risque nutritionnel faible doit quand même faire l'objet d'une surveillance. L'état nutritionnel des personnes âgées en perte d'autonomie à domicile est généralement précaire. Tout changement de situation (perte d'un proche, grippe, déménagement, hospitalisation...) risque d'amener une détérioration rapide de l'état nutritionnel.

Questionnaire pour déterminer le besoin d'aide alimentaire des personnes âgées

Nom : ______________________________

N° de dossier : ______________________________

Poids : __________ kg ou lb

Taille à l'âge adulte : ________ , ________ m ou pi, po

IMC : ________ kg/m²

Encercler le chiffre correspondant à l'énoncé qui s'applique à la personne.

La personne est très maigre.	oui non	2 0
Avez-vous perdu du poids au cours de la dernière année ?	oui non	1 0
Souffrez-vous d'arthrite, assez pour nuire à vos activités ?	oui non	1 0
Même avec vos lunettes, est-ce que votre vue est	bonne moyenne faible	0 1 2
Avez-vous bon appétit ?	souvent quelquefois jamais	0 1 2
Avez-vous vécu dernièrement un événement qui vous a beaucoup affectée (ex. : maladie personnelle/décès d'un proche) ?	oui non	1 0

La plupart du temps, que prenez-vous comme déjeuner ?

Fruit ou jus de fruit	oui non	0 1
Œuf ou fromage ou beurre d'arachide	oui non	0 1
Pain ou céréales	oui non	0 1
Lait (1 verre ou plus que 1/4 tasse dans le café)	oui non	0 1
TOTAL		

Score obtenu		**Recommandations**
	Risque nutritionnel	
6-13	**Élevé**	Service d'aide à l'alimentation **et** Référence à un professionnel en nutrition
3-5	**Modéré**	Surveillance alimentaire constante (s'informer régulièrement de l'alimentation, donner des conseils, des encouragements...)
0-2	**Faible**	Vigilance quant à l'apparition d'un facteur de risque (ex. : changement de situation, perte de poids...)

12.2 La prise en charge des problèmes nutritionnels

Le dépistage du risque nutritionnel, tout comme l'identification de problèmes nutritionnels précis par suite d'une évaluation nutritionnelle, n'est utile que dans la mesure où il conduit à une prise en charge nutritionnelle, c'est-à-dire l'ensemble des soins permettant la correction d'un problème donné et le retour à la santé. Dans les sections qui suivent, nous présentons les fondements et les modalités pratiques de la prise en charge relative à la dénutrition, aux carences nutritionnelles, à la déshydratation et à la constipation.

12.2.1 La dénutrition

Comme nous l'avons vu au chapitre précédent, la dénutrition, quelle que soit son origine, affaiblit l'organisme, car elle l'oblige à puiser dans ses réserves, et augmente les risques de morbidité et de mortalité. Or, s'il est vrai que les états de dénutrition sont fréquents et souvent lourds de conséquences pour la personne et pour le réseau de la santé, ils sont la plupart du temps accessibles à la thérapeutique dans le cadre d'une prise en charge globale.

Nous savons en effet, grâce à des travaux réalisés ces dernières années, qu'il est possible d'améliorer l'état nutritionnel d'une personne dénutrie par des soins nutritionnels appropriés et d'améliorer son état de santé général. Par exemple, dans une étude portant sur 88 personnes âgées dénutries (score de moins de 17 au MNA) ou à risque de dénutrition (score entre 17 et 23,5 au MNA) d'un centre d'accueil de la région de Toulouse, la prise d'un supplément alimentaire riche en protéines et en énergie pendant 60 jours a conduit à une amélioration du statut nutritionnel et à un gain de poids. Chez les patients dénutris, le score moyen au MNA est passé de 13,9 à 17,1, et on a noté un gain de poids moyen de 1,5 kg. Des changements du même ordre ont été observés chez les patients à risque de dénutrition. D'autres travaux réalisés en milieu institutionnel ont par ailleurs mis en évidence les effets positifs d'une supplémentation orale hyperprotéique sur l'incidence de plaies de pression ou sur leur guérison, les complications postopératoires (chirurgies digestives et orthopédiques), la durée de séjour, les capacités fonctionnelles et la mortalité.

Une étude ontarienne, réalisée auprès de 148 sujets âgés traités en soins de longue durée, a montré qu'une prise en charge nutritionnelle permettant un gain de poids de 5% au cours d'une année chez des personnes auparavant dénutries a résulté en une moins grande incidence d'infections et de mortalité. Une autre étude canadienne, réalisée cette fois auprès d'un groupe de personnes âgées fragiles vivant à domicile, a révélé l'effet positif d'une supplémentation orale d'une durée de douze semaines sur le poids et l'incidence de chutes. Dans cette étude, la supplémentation orale n'a toutefois pas permis d'améliorer les capacités fonctionnelles des sujets (évaluées par la force de préhension), un résultat qui a pu être lié à la durée du traitement.

12.2.1.1 *Fondements et modalités pratiques*

La première étape de la prise en charge d'une dénutrition consiste à en déterminer la nature et à en identifier les facteurs contributifs : la dénutrition est-elle liée à un désordre médical associé à un état hypermétabolique?

Découle-t-elle plutôt d'une carence d'apports? La carence d'apports est-elle due à un problème d'anorexie d'origine physiologique, à la dysphagie ou à des facteurs d'ordre psychosocial?

L'identification des facteurs qui sous-tendent l'appauvrissement nutritionnel constitue une étape essentielle à une prise en charge efficace. Précisons que, dans plusieurs milieux gériatriques, la prise en charge nutritionnelle s'effectue dans l'interdisciplinarité, une approche où l'intervention découle de l'action concertée d'une équipe multidisciplinaire (diététiste, médecin, infirmière, ergothérapeute, orthophoniste, travailleuse social, etc.) qui travaille en synergie et en interaction à la résolution d'un problème donné. L'approche interdisciplinaire est utile à la prise en charge nutritionnelle à plusieurs égards. Par exemple, devant une dénutrition, elle permet au diététiste d'obtenir des informations sur la condition médicale du patient, informations utiles à l'évaluation nutritionnelle. De même, par les échanges qu'elle favorise, l'approche interdisciplinaire sensibilise l'ensemble des cliniciens à l'importance de certaines modalités pratiques du plan de traitement (la prise de collations ou de suppléments alimentaires à certains moments de la journée, par exemple) et permet une mise en œuvre optimale des recommandations nutritionnelles.

Mais, nous l'avons déjà souligné, on ne pourra traiter la dénutrition que si on en identifie d'abord les causes. Ainsi, en présence d'une dénutrition d'origine hypermétabolique, la prise en charge consistera à enrayer le problème médical à l'origine de l'appauvrissement nutritionnel, un retour vers l'anabolisme ne pouvant survenir que dans la mesure où, par exemple, un état inflammatoire ou dépressif est contrôlé. Parallèlement, on entreprendra la reconstitution des réserves de l'organisme par une augmentation des apports nutritionnels, laquelle s'effectuera prioritairement par la voie des apports alimentaires. Ceux-ci tiendront compte des besoins énergétiques et nutritionnels des patients. Ainsi, pour la personne âgée hospitalisée, on estime les besoins pour compenser les dépenses énergétiques de 1,3 à 1,5 fois le métabolisme basal. De même, la dénutrition augmenterait à 1,0 et à 1,5 g/kg les besoins protéiques.

De manière générale, on devrait encourager le patient dénutri à consommer autant d'aliments qu'il le veut. Toutefois, comme il a été mentionné ailleurs dans cet ouvrage, l'anorexie est souvent présente dans les états de dénutrition. Un premier défi de la prise en charge nutritionnelle sera donc de stimuler l'appétit du patient, ce qui s'accomplira d'abord en identifiant les facteurs qui sous-tendent l'anorexie (ces derniers étant généralement identifiés lors de l'évaluation nutritionnelle faite par le diététiste) et par la mise en œuvre d'interventions ciblées.

Ainsi, pour les personnes qui vivent dans la communauté, l'appétit pourra être stimulé par la prise de plusieurs petits repas au cours de la journée (six par jour, par exemple) plutôt que les trois repas habituels, car il est généralement plus facile pour les personnes dénutries de consommer de petites quantités d'aliments à la fois. Chez les patients qui consomment un petit nombre de repas, on encouragera la prise de collations. Les diètes restrictives devraient être éliminées autant que cela est possible et remplacées par une alimentation qui intègre des aliments de haute densité nutritive (viandes, légumes, produits laitiers, etc.). Il importe toutefois que l'alimentation demeure au goût du patient, car ce dernier doit petit à petit retrouver le plaisir de manger. À cet effet on accordera une attention particulière à la présentation des repas en proposant des aliments attrayants, colorés et savoureux. N'oublions pas que les fines herbes et les condiments constituent un moyen facile de rehausser la saveur des aliments. De même, on pourra stimuler l'appétit en encourageant la prise d'une consommation alcoolisée (vin, bière). On peut faciliter la mise en application de ces recommandations en fournissant au patient des recettes simples et faciles à préparer et en lui prodiguant des conseils relatifs aux emplettes et à l'entreposage des aliments. Par exemple, on peut suggérer d'acheter les aliments en petites quantités pour éviter le gaspillage et, lorsque les grands formats sont inévitables, de les fractionner en portions qu'on pourra congeler. Si les aliments sont congelés dans des contenants maison, on suggérera de bien les identifier afin qu'ils soient facilement repérables.

Par ailleurs, étant donné l'effet bien démontré de la convivialité sur l'appétit, on encouragera les personnes âgées à consommer leurs repas entre conjoints, amis et voisins ou en groupe. Dans le cas des repas qui rassemblent quelques amis, on peut suggérer soit de préparer ensemble les repas, soit de les préparer individuellement en alternance. L'élaboration d'un repas peut facilement devenir une activité sociale, surtout si elle implique des achats. Toute initiative permettant d'augmenter les échanges avec autrui sera salutaire à la prise alimentaire.

Les personnes en perte d'autonomie, notamment celles qui présentent des incapacités les empêchant de cuisiner, peuvent par ailleurs compter sur une gamme de services. Par exemple, de plus en plus de commerces d'alimentation offrent des services de commande téléphonique et de livraison à domicile. Au Québec, les services offerts par les Centres locaux de services communautaires (CLSC) incluent de l'aide pour faire l'épicerie et pour l'élaboration et la préparation de repas (l'accès à cette aide varie toutefois selon les régions). Les repas communautaires constituent également une option intéressante en raison de leur convivialité. Enfin, les personnes en perte d'autonomie peuvent recourir aux services des popotes roulantes et aux traiteurs. On pourra s'adresser aux CLSC pour plus de précision.

En milieu institutionnel, le soin apporté aux repas est probablement plus important encore. Comme le repas représente souvent un moment fort de la journée des personnes hébergées, il importe qu'il soit le plus agréable possible. Bien qu'il existe des variantes selon les institutions, on devrait toutefois respecter certains principes. Par exemple, à moins d'un refus du résident, le repas devrait se prendre à la salle à manger plutôt qu'à la chambre, l'atmosphère y étant généralement plus conviviale. On apportera également une attention particulière à la qualité du service à table pour que le résident ait plaisir à manger. Par exemple, la salle à manger devrait être accueillante, bien éclairée, la température ambiante confortable et l'atmosphère sereine, afin de favoriser la concentration des résidents qui ont de la difficulté à manger. Les personnes devraient être invitées à prendre place à leur table par un personnel soignant souriant et avenant. Le port du tablier ne devrait être imposé en aucun cas, mais les personnes qui souhaitent en porter un devraient pouvoir le faire. Par ailleurs, les patients agités devraient être regroupés à la même table afin d'éviter qu'ils ne dérangent leurs voisins. De plus, un soin particulier devrait être porté à la présentation des repas. Ainsi, les assiettes et les contenants apportés sur les plateaux devraient être déposés sur un napperon, directement sur la table, et les couverts et les verres devraient être colorés et attrayants. Les aliments qui composent les mets devraient être appétissants et répondre aux plus hauts standards de qualité nutritionnelle. Ils seront servis à la bonne température et présenteront des qualités organoleptiques optimales afin de favoriser l'appétit. Chez les personnes dont les capacités sensorielles sont atténuées, on pourra avoir recours à des concentrés de saveurs ou d'aromates. Une étude réalisée aux Pays-Bas a ainsi montré que l'intégration de concentrés de saveur (poudre à saveur de bœuf, de poulet, de dinde ou de citron) à l'alimentation de personnes âgées dénutries, pendant seize semaines, avait résulté en un gain de poids se situant entre 1,1 kg et 1,3 kg, comparativement à une perte de poids se situant entre 0,3 kg et 1,6 kg chez les sujets du groupe témoin. Par ailleurs, on pourra offrir des aliments qui se consomment facilement ou avec les doigts aux patients qui présentent des problèmes de dextérité (dans le cas d'arthrite) ou qui souffrent de tremblements (dans le cas de maladie de Parkinson). Il serait également souhaitable de leur fournir des ustensiles adaptés à leur état. Il existe en effet toute une variété d'assiettes et d'ustensiles permettant à ces résidents de continuer à manger seuls. L'évaluation des besoins à cet égard se fera généralement de concert avec l'ergothérapeute.

Dans un autre ordre, on s'assurera qu'un personnel compétent et agréable soit présent en nombre suffisant pour aider les personnes qui ne peuvent s'alimenter seules. De même, on s'assurera de ne pas débarrasser la table trop vite pour que le résident ait le temps de finir son repas. Pour cette même raison, on évitera de planifier des rendez-vous en thérapie (physiothérapie, orthophonie, etc.) à des moments trop rapprochés de la période du repas, une situation hélas trop fréquente dans la pratique.

Chez les personnes dont l'appétit est très diminué, l'augmentation des apports nutritionnels pourra nécessiter un enrichissement de l'alimentation. Généralement, cet enrichissement s'effectue en privilégiant les versions hypercaloriques d'un aliment (lait entier au lieu de lait 2%, coupe de viande plus grasse, etc.) et par l'ajout d'éléments de haute valeur énergétique ou nutritive (fromage râpé, poudre de lait, crème, huile, œuf, miel, etc.) aux aliments courants (soupe, potage, yogourt, dessert, etc.). Ainsi, l'ajout d'un tiers de tasse de lait en poudre à un potage permet d'ajouter 80 kcal, 8 g de protéines, près de 300 mg de calcium et 1 mg de zinc au plat original. Une étude réalisée chez un groupe de patients dénutris révélait récemment des apports énergétiques augmentés de 25% par suite de l'administration d'une alimentation enrichie (14% plus de calories), par l'ajout à certains aliments de beurre, de crème, de fromage et de polymères de glucose. L'enrichissement des aliments permet donc d'augmenter les apports nutritionnels dans un même volume d'aliments. Des travaux réalisés chez des personnes âgées dénutries ont d'ailleurs démontré que c'est avant tout le volume d'aliments consommés qui influe sur la satiété plutôt que leur teneur énergétique.

En plus de l'enrichissement de l'alimentation habituelle par des aliments naturels, les apports nutritionnels des personnes dénutries pourront être augmentés en ayant recours à des suppléments alimentaires commerciaux. Il en existe plusieurs versions dans le commerce, mais les suppléments liquides ont l'avantage de se digérer plus rapidement. Quels qu'ils soient, les suppléments alimentaires doivent être administrés au moins une heure avant le repas afin de ne pas nuire à l'appétit. Précisons par ailleurs que malgré leur goût généralement agréable, les suppléments commerciaux entraînent souvent une lassitude sensorielle qui amène à les délaisser, il importe donc de varier les saveurs. Enfin le coût de ces suppléments est également à considérer.

Lorsque l'apport alimentaire ne s'améliore pas ou qu'il se détériore, l'équipe soignante doit considérer la nutrition artificielle. La voie naso-gastrique est utilisée en première instance dans les cas de nutrition de courte durée (inférieure à un mois). Si l'on ne croit pas être en mesure d'enrayer le problème en moins de trois semaines, on optera pour une sonde par gastrostomie percutanée pour plus de confort. S'il est impossible d'utiliser la voie entérale ou si elle est insuffisante à couvrir les besoins nutritionnels, on optera pour la voie parentérale, qui consiste à administrer des nutriments par voie intraveineuse.

412.2.1.2 Particularités chez la personne atteinte de dysphagie

La personne qui présente des problèmes de dysphagie doit faire l'objet d'une attention particulière afin de lui assurer une alimentation sécuritaire. Ainsi, en raison des efforts qu'elle a à déployer au moment des repas, la personne dysphagique devrait éviter toute activité ou traitement susceptibles de la fatiguer avant les repas. De plus, elle devrait être encouragée à procéder, lorsqu'elle est autonome, à des soins d'hygiène buccale avant les repas. En plus de stimuler le flot salivaire et de favoriser la mastication, l'hygiène buccale permet d'apprécier davantage la saveur des aliments et réduit les risques d'aspiration de bactéries pathogènes susceptibles d'entraîner des pneumonies d'aspiration. Par ailleurs, l'atteinte d'apports nutritionnels optimaux pourra nécessiter de modifier la texture des aliments (dure, molle, hachée, purée, liquide ou semi-liquide) et la consistance des liquides (sirop/nectar, miel, pouding). Il incombe au diététiste de faire les choix alimentaires qui conviennent, mais, règle générale, on réserve les textures les plus molles pour les étapes les plus avancées. Le diététiste évalue en effet le degré de dysphagie du résident avant de recommander le recours à des textures de plus en plus molles, et ce, afin de maintenir une alimentation normale le plus longtemps possible. En outre, un bon positionnement à table au moment du repas optimisera la prise alimentaire du patient dysphagique et diminuera grandement les risques d'aspiration. Idéalement, le tronc et les cuisses de la personne devraient former un angle d'environ 90°, et les pieds reposer sur le sol ou sur un tabouret, également à angle droit. Sa tête devrait être légèrement penchée vers l'avant, la mâchoire et le cou formant un angle de 45°. Tout au long du repas, la personne dysphagique devrait être encouragée à manger lentement, à bien mastiquer avant d'avaler, et à ne pas prendre de trop grosses bouchées. Enfin, elle sera invitée à rester assise pendant 30 à 60 minutes après le repas, afin d'éviter les reflux et les aspirations gastriques.

12.2.1.3 *Particularités chez la personne atteinte de démence*

Comme nous l'avons vu au chapitre 6, les personnes atteintes de démence, en particulier de la maladie d'Alzheimer, sont en général davantage à risque de dénutrition, l'insuffisance et la perte pondérale en étant les manifestations les plus courantes. Aussi, les stratégies alimentaires utilisées pour assurer des apports alimentaires adéquats varieront en fonction du degré d'évolution de la maladie. Dans les premiers stades, lorsque le patient prend conscience du diagnostic, il s'ensuit souvent un état de dépression qui peut entraîner l'anorexie. Il importe alors d'être vigilant et de tout mettre en œuvre pour lui faire reprendre goût aux aliments (les suggestions à la section précédente peuvent s'avérer utiles à cette fin). Pour les personnes qui vivent à domicile, des dispositions devraient être prises pour éviter les accidents attribuables aux appareils électroménagers, aux substances toxiques, etc. On pourra également abaisser la température du chauffe-eau afin d'éviter les brûlures. Les modalités pratiques pour assurer la préparation des repas seront les mêmes que celles proposées pour les personnes en perte d'autonomie (recours à l'aide à domicile, à la popote roulante, etc.). Pour les personnes encore en mesure de cuisiner, on peut faciliter la préparation des repas en mettant par écrit les composantes des mets, les consignes de cuisson, etc.

Avec l'aggravation de la maladie, le patient perd peu à peu l'intérêt pour son alimentation, ce qui accentue les risques de dénutrition. Dans les dernières phases, il aura de la difficulté à reconnaître la nourriture, à tenir les ustensiles, à porter les aliments en bouche, à mastiquer et même à avaler. Tôt ou tard survient un problème de dysphagie qui s'aggrave avec le temps. Quand le patient refuse de s'alimenter se pose alors un problème d'éthique qui doit être résolu avec la famille ou le répondant.

Même si la démence est associée à des problèmes nutritionnels importants, surtout dans les derniers stades de la maladie, il est possible, grâce à des interventions appropriées, d'offrir au patient une alimentation de qualité et d'assurer son confort. Voici quelques conseils pratiques en ce sens[1] :

- créer une routine alimentaire (manger au même endroit, aux mêmes heures);
- évaluer si le patient s'alimente mieux seul ou en groupe;
- éviter les distractions au repas (maximiser la concentration du patient);
- présenter un plat à la fois pour diminuer la confusion;
- s'assurer que le patient est assis confortablement et dans une position permettant de réduire les risques d'aspiration;
- servir des repas comportant des aliments faciles à manger en tenant compte des besoins nutritionnels du patient (ne pas hésiter à proposer des aliments qui se mangent avec les doigts);
- vérifier la température des aliments avant de les servir;
- utiliser des ustensiles adaptés à l'état du patient;
- adapter la consistance de la nourriture en fonction de la déglutition et de la force des mâchoires;
- vérifier si la nourriture s'accumule dans la bouche;

1. Adapté du *Manuel de nutrition clinique*, Montréal, Ordre professionnel des diététistes du Québec, 1997.

- porter une attention particulière aux objets non comestibles qui pourraient être consommés;
- stimuler verbalement ou par le toucher le patient lorsqu'il oublie de mastiquer ou d'avaler;
- compléter l'alimentation par des suppléments lorsque les apports sont inadéquats.

12.2.2 Les carences nutritionnelles

Étant donné les conséquences des carences nutritionnelles sur l'organisme, on doit les traiter promptement. Le diagnostic s'appuie généralement sur des signes cliniques et des données biologiques obtenues d'un laboratoire clinique reconnu. Bien que la carence nutritionnelle découle souvent de la dénutrition, elle peut aussi en être indépendante. L'évaluation nutritionnelle réalisée par le diététiste permet généralement d'identifier les facteurs qui ont pu contribuer au développement de carences nutritionnelles.

En présence d'une carence marginale, on recommandera au patient d'augmenter sa consommation d'aliments riches en l'élément nutritif touché (par exemple, la viande rouge dans le cas d'un statut marginal en fer, le lait et la margarine dans le cas d'un statut marginal en vitamine D). Dans le cas où les apports alimentaires ne peuvent combler les besoins de re-nutrition ou en présence d'une carence plus importante, on traitera le patient avec un supplément. Les doses thérapeutiques nécessaires à la normalisation des états carenciels sont à la disposition des diététistes et des médecins.

12.2.3 La déshydratation

Au chapitre 11, nous avons présenté les facteurs de risque et les symptômes de la déshydratation. Aussi, en présence d'une déshydratation, on doit encourager la personne à boire souvent au cours de la journée. On estime les besoins hydriques à 1 ml par 4 kJ (1 kcal) absorbés ou à 30 ml/kg de poids corporel. Afin de mieux répondre aux besoins hydriques des personnes qui présentent des poids corporels extrêmes, on calcule les besoins de la manière suivante : 100 ml/kg pour les premiers 10 kg, 50 ml/kg pour les 10 kg suivants et 15 ml/kg pour les kilogrammes suivants.

12.2.4 La constipation

La prise en charge de la constipation a pour but, d'une part, de faciliter l'élimination en augmentant le volume fécal, et, d'autre part, de normaliser le transit intestinal. On reconnaît qu'une plus grande consommation de fibres alimentaires permet d'augmenter le volume et le poids des selles, l'ampleur de cet effet variant d'une personne à l'autre.

On recommandera à une personne âgée qui souffre de constipation d'augmenter progressivement sa consommation de fibres jusqu'à concurrence de 30 g/j. Actuellement, on estime à 15 g/j la quantité de fibres consommées en moyenne par les Canadiens. On proposera donc davantage d'aliments tels que produits céréaliers, légumineuses, fruits et légumes. On encouragera la consommation de son, qui peut être facilitée en le mélangeant au jus, au lait, au yogourt, aux soupes, etc. Aux personnes qui ne peuvent consommer de son, on proposera un agent de masse (muciloïde hydrophile de psyllium). De même, on pourra envisager l'utilisation de suppléments de fibres (fibres fonctionnelles) lorsque les apports alimentaires sont limités, les amidons résistants étant plus efficaces pour augmenter le volume et le poids fécal que les pectines ou les gommes (voir chapitre 2).

Par ailleurs, on encouragera le patient à bien s'hydrater et à viser une consommation quotidienne de liquides de un litre à deux litres par jour. On encouragera également la pratique de l'activité physique, la stimulation des muscles abdominaux étant particulièrement favorable. Le massage de l'abdomen pourra également s'avérer utile. Enfin, on favorisera l'apprentissage d'habitudes de défécation régulière, en suggérant par exemple au patient d'aller aux toilettes pendant une dizaine de minutes après le déjeuner.

S'ils ne sont pas traités, les problèmes nutritionnels dont il a été question dans le présent chapitre pourront entraîner des conséquences catastrophiques pour la santé du sujet âgé. Le dépistage du risque nutritionnel constitue un moyen privilégié permettant de repérer les personnes à risque d'états carentiels. Mais, très souvent, les problèmes nutritionnels qui touchent les personnes âgées ne sont pas dépistés. Lorsqu'ils surviennent, ces problèmes nutritionnels sont pourtant à la portée d'une thérapeutique simple, efficace et peu coûteuse. On s'étonne donc qu'autant de problèmes nutritionnels restent non traités. Mais peut-être est-ce là le propre des solutions trop simples!

Références

Chagon-Decelles, D., M. D. Gélinas, L. Lavallée-Côté *et al*, *Manuel de nutrition clinique*, 3e éd., Montréal, Ordre professionnel des diététistes du Québec, 1997. [Voir en particulier les chapitres 2.5 (Personnes âgées), 5.5 (Constipation) et 11.3 (Les démences).]

Ferland, G., « Programme d'alimentation », dans P. Voyer (dir.), *Soins infirmiers à l'aîné en perte d'autonomie. Une approche adaptée au CHSLD*, Saint-Laurent, ERPI, p. 179-189. [Cet article donne une description détaillée de l'alimentation des personnes souffrant de dysphagie.]

Payette, H., K. Gary-Donald, R. Cyr et V. Boutier, « Predictors of Dietary Intake in a Functionally Dependent Elderly Population in the Community », *American Journal of Public Health*, vol. 85, 1995, p. 677-683.

GLOSSAIRE

ANTRE Partie inférieure de l'estomac communiquant avec le duodénum.

BIODISPONIBILITÉ (disponibilité biologique) En nutrition, la biodisponibilité renvoie à la quantité de nutriments absorbés et disponibles pour le fonctionnement de l'organisme.

CHYME Bouillie crémeuse constituée du bol alimentaire et des sucs gastriques.

CYCLE ENTÉRO-HÉPATIQUE Cycle par lequel une substance sécrétée dans la bile est réabsorbée dans la partie distale de l'intestin, puis retournée au foie via la circulation porte.

ENDOCYTOSE Mécanisme de transport actif qui permet l'entrée de grosses particules et des macromolécules dans la cellule. Elle comprend la pinocytose et la phagocytose.

FIBRES DE TYPE II Fibres musculaires qui permettent les contractions musculaires rapides. Aussi appelées « fibres blanches ».

FUNDUS Partie supérieure de l'estomac située sous le diaphragme et formant une saillie à côté du cardia. Aussi appelé « grosse tubérosité de l'estomac ».

HELICOBACTER PILORI Bactérie qui infecte l'estomac et contribue au développement de l'atrophie gastrique et à la formation d'ulcères gastro-duodénaux.

MASSE MAIGRE Masse corporelle qui exclut la masse grasse et se compose essentiellement des muscles, des os et des organes vitaux.

MÉTABOLISME DE BASE Dépense énergétique d'un sujet au repos, allongé et à jeun, maintenu à la température ambiante dans un état éveillé.

PHYTATE Sel de l'acide phytique, qui se lie aux minéraux (par exemple, le calcium, le zinc, etc.) dans l'intestin et qui entrave leur absorption.

THERMOGENÈSE ALIMENTAIRE Dépense énergétique associée à l'ingestion, à l'absorption, à l'utilisation et à la mise en réserve des éléments nutritifs contenus dans les aliments.

TRANSPORT ACTIF Transfert d'une molécule à travers une membrane ou une paroi par un processus nécessitant de l'énergie et un transporteur protéique.

TRANSPORT FACILITÉ Transfert d'une molécule à travers une membrane ou une paroi par un processus nécessitant un transporteur protéique.

Québec, Canada
2007